《长江大保护与高质量发展研究系列丛书》编委会

总序

进入21世纪以来，中国经济已由高速增长阶段转向高质量发展阶段，正处于转变发展方式、优化经济结构、转换增长动力的攻关期，由粗放型增长向高质量、绿色增长转变成为实现可持续发展的必然选择。长江是中华民族的母亲河之一，横跨东、中、西部，联通南北，成为中华民族发展的重要支撑。推动长江经济带高质量发展是以习近平同志为核心的党中央作出的重大决策，是关系国家发展全局的重大战略。共抓长江大保护，构建长江新发展格局，推动长江经济带高质量发展，是国家经济社会发展的重要组成部分，是功在当代、惠泽长远的重大决策部署，对实现"两个一百年"奋斗目标、实现中华民族伟大复兴的中国梦具有重要意义。

2014年9月，国务院印发了《关于依托黄金水道推动长江经济带发展的指导意见》，将长江经济带发展上升为国家战略。2016年9月，《长江经济带发展规划纲要》正式印发，确立了"一轴两翼、三极、多点"的发展新格局。2016年1月，在重庆召开的推动长江经济带发展座谈会上，习近平总书记提出"共抓大保护、不搞大开发"的新理念。2017年10月，党的十九大报告又将"以共抓大保护、不搞大开发为导向推动长江经济带发展”纳入新时代实施区域协调发展战略的重要内容。2018 年 4 月，习近平总书记在武汉召开的深入推动长江经济带发展座谈会上强调，加强改革创新、战略统筹、规划引导，以长江经济带发展推动经济高质量发展。2020 年 11 月，习近平总书记在南京召开的全面推动长江经济带发展座谈会上进一步强调，要谱写生态优先绿色发展新篇章，打造区域协调发展新样板，构筑高水平对外开放新高地，塑造创新驱动发展新优势，绘就山水人城和谐相融新画卷，使长江经济带成为我国生态优先绿色发展主战场、畅通国内国际双循环主动脉、引领经济高质量发展主力军。2020 年 12 月，十三届全国人大常委会第二十四次会议表决通过《中华人民共和国长江保护法》，明确提出建立长江流域协调机制和区域协作机制，增强长江保护和发展的系统性、整体性、协同性，“共抓大保护、不搞大开发”正式写入我国法律。2021 年 11 月，《中共中央 国务院关于深入打好污染防治攻坚战的意见》印发实施，明确要求持续打好长江保护修复攻坚战，为新时期长江保护修复工作指明了方向。

围绕贯彻落实习近平总书记系列重要讲话精神和党中央、国务院关于推动长江经济带发展战略部署，2019 年 6 月，在教育部、水利部、江苏省、三峡集团的关心支持下，河海大学与南京水利科学研究院主动服务国家重大战略，发挥政产学研各方面优势，共同组建“长江保护与绿色发展研究院”。研究院聚焦国家重大战略需求，深度对接院所企业科技创新资源，整合优势创新力量，以保障长江水安全和补齐长江大保护领域重大问题短板为导向，以重大科技项目为引领，以高水平创新平台为支撑，通过建立共担科技项目、共建研发平台、共促成果转化、共用科技人才、共享科技资源，形成多元开放、优势互补、集成高效的融合发展新机制，建设一个从宏观战略到微观治理、从规划布局到技术实施、从商业模式到科技金融等全面综合的新型研究机构，为长江大保护和长江经济带发展提供有力的科技支撑和智力保障，为中国乃至全球大江大河治理保护提供智慧和方案。此外，河海大学充分发挥水利学科优势、经管文法多学科发展特色，主动融入和服务长江经济带发展，成立了江苏长江保护与高质量发展研究基地。该基地于2019年入选江苏省决策咨询研究基地，作为长江保护与绿色发展研究院的智库载体和平台，积极成为助力长江大保护和江苏长江经济带高质量发展的新型智库。

《长江大保护与高质量发展研究系列丛书》是由长江保护与绿色发展研究院、江苏长江保护与高质量发展研究基地推出的智库产品。丛书分为综合卷、经济卷、社会卷、生态卷、法治卷、政策卷和文化卷七部分，其中：综合卷系统梳理了长江经济带社会经济、科技创新和绿色低碳高质量发展总况、存在问题及对策建议；经济卷主要分析了长江经济带经济高质量发展的政策环境及面临的挑战，在对长江经济带经济发展质量进行测度评价的基础上，对典型地区的产业高质量发展实践进行了考察；社会卷立足于长江经济带生态文明建设过程中的社会形势，从社区生态文明建设、民间环保组织实践及环境政务建设三方面展开调查研究；生态卷基于长江流域生态健康评价，重点阐述了长江生态环境的现状与存在问题、长江流域生态环境保护的实践与成效以及长江流域生态环境的修复与治理对策；法治卷讨论了《中华人民共和国长江保护法》的制定背景与制度创新、法治困境及推动长江经济带高质量发展的法治建议，分析了长江大保护与高质量发展中的典型法治案例；政策卷重点介绍了长江保护政策的变迁历程、实施现状及地方探索，对长江水资源开发利用政策、水生态保护修复政策、产业绿色发展政策的实施效果进行了评价；文化卷阐述长江水利、移民、灌溉、抗洪、航运、桥梁文化的发展历程，以及长江文化的弘扬和传承之路。

呈现在读者眼前的这套丛书，是我们长江保护与高质量发展研究系列成果的一部分。我们期望这一系列的探索，能够为政府、企业、科研院所、高校的相关研究提供深入而系统的基础支持；能够成为观察长江经济社会发展新成就、新理论、新走向的重要理论高地；能够推动学界、市场与政策制定者们更加关注长江保护与绿色发展；能够为落实“长江大保护”国家战略提供智慧支持。

长江保护与绿色发展研究院（生态文明建设与流域保护研究院）

江苏长江保护与高质量发展研究基地

目录 CONTENTS

01

第一章

长江经济带生态环境的现状与存在问题

1.1　长江经济带生态环境的现状

长江经济带覆盖上海、江苏、浙江、安徽、江西、湖北、湖南、重庆、四川、贵州和云南11个省(市)(其2022年人口分布见图1-1),面积约205万平方千米,拥有全国21%的土地[①],人口和生产总值超过全国的40%,长江下游地区更是全国经济发展的领头羊。长江经济带不仅是全国高密度的经济走廊之一,也是重要的生态功能区,具有水源涵养、水土保持和生物多样性维护等重要功能,同时长江还是我国的战略水源地。因此,长江经济带生态环境安全对我国生态安全具有重要的战略支撑作用。本节将从水生态环境、陆地生态环境、湿地生态环境以及大气生态环境四个方面分析长江经济带生态环境的现状。

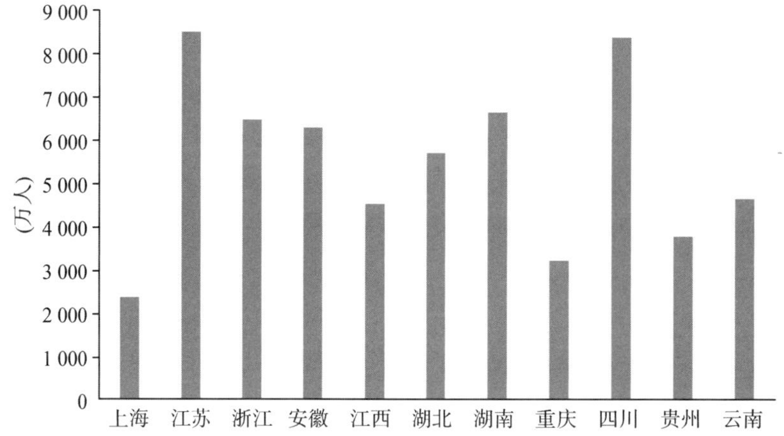

图1-1　2022年长江经济带11个省(市)人口分布

1.1.1　水生态环境

长江是我国第一、世界第三大河流,是货运量位居全球内河第一的黄金水道和连通东西部的交通和经济纽带。长江经济带地处长江流域,以亚热带和暖温带气候为主,雨量充沛。长江流域是我国水资源最丰富的区域,长江经济

① 本书数据或因四舍五入原则,存在微小数值偏差。

带内河网密布，长江横穿该区域，包括雅砻江、岷江、嘉陵江、沱江、乌江、清江、汉江、湘江、赣江等长江支流；同时，分布着鄱阳湖、洞庭湖、太湖、洪湖、巢湖、滇池等淡水湖。就水资源自然禀赋条件而言，水资源量是保障水资源承载力的基础，相对稳定的水资源量为经济社会的可持续发展提供了坚实后盾。如表 1-1 所示，在 2015—2016 年期间，相较于东部与西部地区，中部地区的安徽省、江西省、湖北省、湖南省水资源量较为丰富；2017 年后，西部地区的重庆市、四川省、贵州省、云南省的水资源总量超越中部地区。但西部地区位于长江流域的上游，地貌类型以山地、高原为主，水土流失严重，这不仅影响当地水资源的开发利用，而且也给中下游地区的水资源利用带来不利影响。西部地区经济社会的发展只能依靠本地水资源，除了四川省水资源禀赋条件较好外，云南省和贵州省受特殊的喀斯特地貌影响，水资源量丰富但开发利用困难，缺水严重。综合 2015—2022 年长江经济带分区域水资源情况（图 1-2），长江经济带水资源总量呈先下降后上升再下降的趋势，但整体稳定，波动幅度不大，相对稳定的水资源量，在一定程度上缓解了长江经济带水资源承载力的压力。

表 1-1　长江经济带分区域各省(市)水资源量　　单位：亿立方米

区域划分	地区	2015 年	2016 年	2017 年	2018 年	2019 年	2020 年	2021 年	2022 年
东部	上海市	64.1	61.0	34.0	38.7	48.3	58.6	53.9	33.1
	江苏省	582.1	741.7	392.9	378.4	231.7	543.4	500.8	192.8
	浙江省	1 407.1	1 323.3	895.3	866.2	1 321.5	1 026.6	1 344.7	934.3
	小计	2 053.3	2 126.0	1 322.2	1 283.3	1 601.5	1 628.6	1 899.4	1 160.2
中部	安徽省	914.1	1 245.2	784.9	835.8	539.9	1 280.4	883.3	545.2
	江西省	2 001.2	2 221.1	1 655.1	1 149.1	2 051.6	1 685.6	1 419.7	1 556.2
	湖北省	1 015.6	1 498.0	1 248.8	857.0	613.7	1 754.7	1 188.8	714.2
	湖南省	1 919.3	2 196.6	1 912.4	1 342.9	2 098.3	2 118.9	1 790.6	1 683.8
	小计	5 850.2	7 160.9	5 601.2	4 184.8	5 303.5	6 839.6	5 282.4	4 499.4
西部	重庆市	456.2	604.9	656.1	524.2	498.1	766.9	750.8	373.5
	四川省	2 220.5	2 340.9	2 467.1	2 952.6	2 748.9	3 237.3	2 924.5	2 209.2
	贵州省	1 153.7	1 066.1	1 051.5	978.7	1 117.0	1 328.6	1 091.4	912.4

续表

区域划分	地区	2015 年	2016 年	2017 年	2018 年	2019 年	2020 年	2021 年	2022 年
西部	云南省	1 871.9	2 088.9	2 202.6	2 206.5	1 533.8	1 799.2	1 615.8	1 742.8
	小计	5 702.3	6 100.8	6 377.3	6 662.0	5 897.8	7 132.0	6 382.5	5 237.9
总计		13 605.8	15 387.7	13 300.7	12 130.1	12 802.8	15 600.2	13 564.3	10 897.5

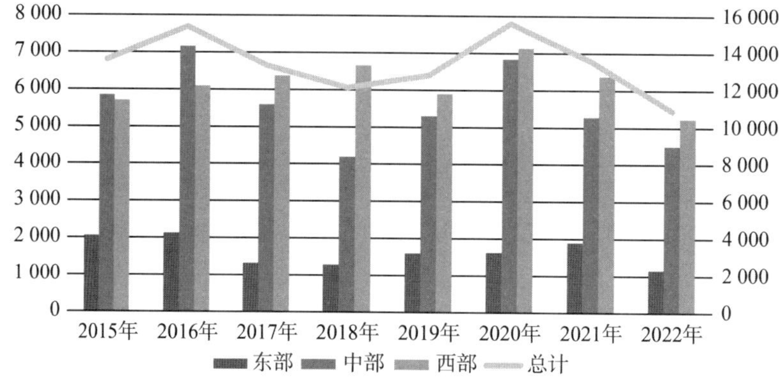

图 1-2　长江经济带分区域水资源量(单位:亿立方米)

注:柱状图对应左侧数据,折线图对应右侧数据。

长江流域内已初步建立以水功能区管理为基础的水资源保护管理体系,饮用水水源地保护和入河排污口管理逐步规范,重点水域水污染治理取得一定成效,水环境监测网络建成,水质总体上保持良好状态。根据国家统计局数据,2022 年长江经济带各省(市)地表水与地下水资源情况见图 1-3。根据图 1-3,地表水资源量超过 2 000 亿立方米的地区仅有四川省,在 9 省 2 市中,上海市的地表水、地下水资源量都相对较少,四川省的地表水、地下水资源量均很丰富。综合 2015—2022 年长江经济带地下水与地表水资源情况(图 1-4),可以发现,长江经济带地表水资源量在 2016—2018 年和 2020—2022 年虽有所下降,但 2015—2022 年整体呈相对稳定态势。

图 1-5 显示了 2015—2022 年长江经济带用水总量变化趋势,以及长江经济带生活、工业、农业用水量情况。2015—2022 年间长江经济带的用水总量平均值为 2 619.13 亿立方米,用水总量在 2016 年有小幅度下降情况,从 2017 年开始呈现上升趋势,用水总量从 2016 年的 2 607.1 亿立方米增至 2019 年的 2 644.9 亿立方米,增加了 37.8 亿立方米;在 2020 年又呈现下降趋势,用水总

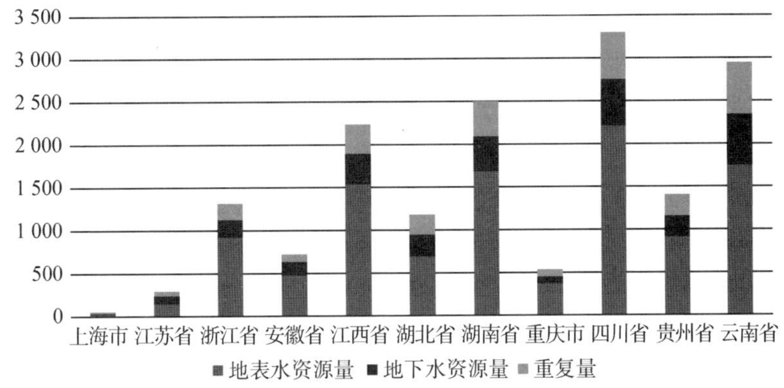

图 1-3　2022 年长江经济带 11 个省(市)地下水与地表水资源情况(单位:亿立方米)

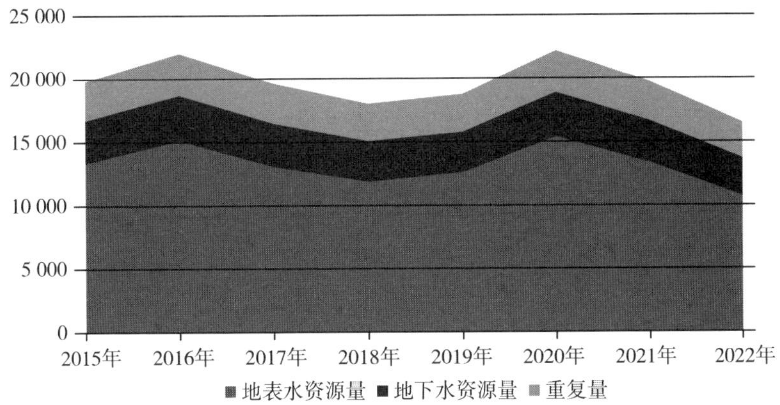

图 1-4　2015—2022 年长江经济带地下水与地表水资源情况(单位:亿立方米)

量较 2019 年减少了 162.0 亿立方米;在 2020—2022 年间,用水总量出现陡增情况,2022 年用水总量较 2020 年增加了 239.9 亿立方米。在 2015—2022 年间,农业用水量变化情况与用水总量的变化趋势高度相似,呈现波动增长趋势,在 2020 年出现最小值 1 341.7 亿立方米,2022 年出现最大值 1 529.2 亿立方米;工业用水量由 830.2 亿立方米减至 660.5 亿立方米,减少了 169.7 亿立方米,总减少率为 20.44%,年均减少率为 2.56%,工业用水量较小但减少幅度较大,其对未来用水总量变化的影响将逐渐扩大;生活用水量从 380.0 亿立方米增至 432.9 亿立方米,增加了 52.9 亿立方米,总增长率为 13.92%,年均增长率为 1.74%。2022 年长江经济带各省(市)用水情况占比图(图 1-6)显示,在 9 省 2 市中,上海市工业用水占比最大,四川省工业用水占比最小。

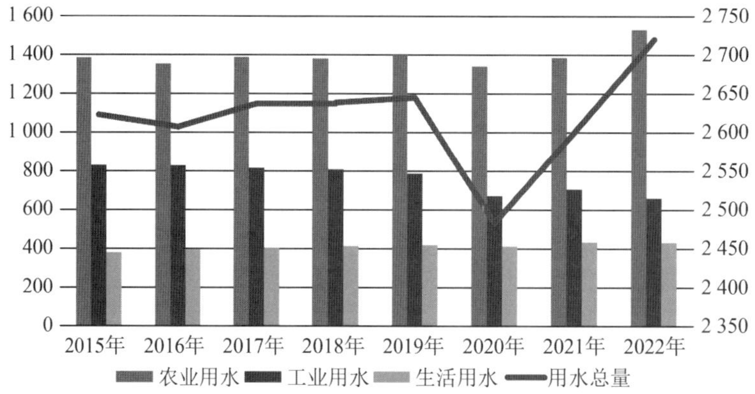

图 1-5　2015—2020 年长江经济带用水情况(单位:亿立方米)

注:柱状图对应左侧数据,折线图对应右侧数据。

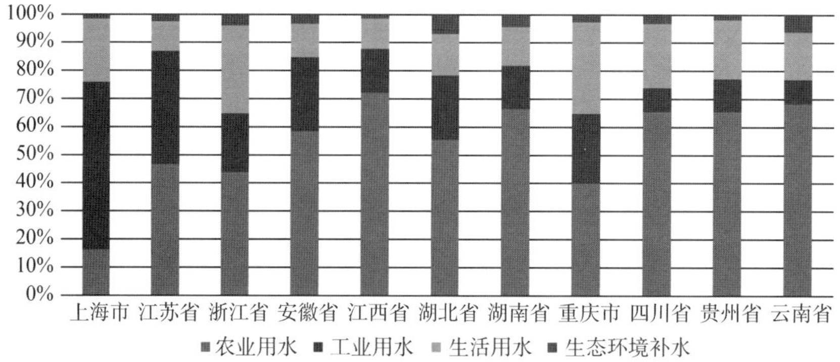

图 1-6　2022 年长江经济带各省(市)用水占比(单位:亿立方米)

就农业用水而言,江西省、湖南省、四川省、云南省的农业用水占比高于其他省(市)的占比。

水资源是生产力的重要因素,生产用水的可持续利用是产业发展的保障,如果工业废水得不到有效处理,将产生水环境污染、水质性缺水等问题。根据表 1-2 可以发现,相较于 2020 年,2021 年长江经济带废水中的化学需氧量从 1 049.94 万吨增加至 1 072.50 万吨,氨氮含量从 47.02 万吨减少至 42.10 万吨,总氮含量从 148.35 万吨减少至 147.80 万吨,总磷含量从 15.84 万吨增加至 16.20 万吨。中部地区的省(市)废水排放量中化学需氧量、氨氮含量、总氮含量,以及总磷含量最多。中东部地区经济社会的快速发展有利于水资源开发利用率与用水效率的提高,有利于水污染治理水平的提高。但中东部地区水

表 1-2　长江经济带分区域各省(市)废水中主要污染物排放情况　单位:万吨

区域划分	地区	2020 年				2021 年			
		化学需氧量	氨氮	总氮	总磷	化学需氧量	氨氮	总氮	总磷
东部	上海市	7.29	0.30	2.68	0.07	7.50	0.30	2.60	0.10
	江苏省	120.78	5.19	18.65	1.79	119.5	4.30	17.50	1.70
	浙江省	53.22	3.84	12.32	0.99	49.90	3.50	12.70	1.00
	小计	181.29	9.33	33.65	2.85	176.90	8.10	32.80	2.80
中部	安徽省	118.60	4.43	15.17	1.78	120.00	4.30	15.60	1.90
	江西省	101.48	4.59	12.91	1.58	109.60	4.70	13.90	1.70
	湖北省	153.03	5.82	18.94	2.45	156.80	5.50	19.60	2.50
	湖南省	147.64	7.14	20.31	2.37	151.80	5.80	19.50	2.50
	小计	520.75	21.98	67.33	8.18	538.20	20.30	68.60	8.60
西部	重庆市	32.06	2.01	5.92	0.46	33.80	2.00	5.90	0.50
	四川省	130.46	8.02	20.06	1.77	135.80	6.50	19.20	1.80
	贵州省	116.78	2.89	10.37	1.52	118.40	2.60	10.20	1.50
	云南省	68.60	2.79	11.02	1.06	69.40	2.60	11.10	1.00
	小计	347.90	15.71	47.37	4.81	357.40	13.70	46.40	4.80
总计		1 049.94	47.02	148.35	15.84	1072.50	42.10	147.80	16.20

资源承载力的压力因素也不容忽视,仅依靠过境水并不能保证供水安全,若上游来水受到污染,将对中下游地区造成影响。而且,中东部地区沿江工业企业密布,沿江城市化快速发展,大量工业废水和生活污水的排放加剧了水环境污染,导致水质性缺水的风险加大。

1.1.2　陆地生态环境

经济社会系统的发展离不开土地资源的支撑,不管是人口增长对土地生产功能需求的增加,还是城镇化对建设用地需求的增加,都将消耗一定的土地资源并产生一定的污染物,导致土地生态环境发生相应变化。当土地生态环境的压力超限,如建设用地的增加会破坏森林生态,这将难以维持人与生物圈的平衡，导致水土流失加剧等。

土地是人类活动的重要载体，它的承载力是有限的，当人类活动强度超过土地承载力时，土地利用便会发生改变。西部地区的重庆市、四川省、贵州省、云南省位于长江流域的上游，地貌类型以山地、高原为主，水土流失严重，这不仅影响当地水资源的开发利用，而且也给中下游地区的水资源利用带来不利影响。长江经济带2015年各生态系统类型的面积从大到小依次为森林、农田、草地、水体与湿地、荒漠及其他。2015年，森林生态系统面积为85.35万平方千米，占比为45.96%，主要分布在浙江、湖南、江西、云南和贵州等地；草地生态系统面积为33.79万平方千米，占比为16.58%，主要分布在四川西北部地区；农田面积为171.93万平方千米，占比为30.31%，主要分布在四川盆地和江淮平原。2020年森林生态系统面积为90.47万平方千米，相较于2015年增加了6.0%；农田面积为171.64万平方千米，相较于2015年有下降趋势。

长江经济带的经济快速发展、城镇化进程不断加快，导致林地、水田、旱地、草地等用地面积持续减少，建设用地面积持续增加。根据表1-3可知，2019年，长江经济带土地利用占比从高到低依次是林地、水田、旱地、草地。研究期间各用地类型中水田、旱地、草地用地面积在缩减，湿地、林地及建设用地面积在增加，河流湖泊面积先减少后增加，冰川雪地面积变化幅度不明显。其中草地面积减少最快，29年内共减少2 231.05万公顷；其次是旱地和水田，分别减少1 468.66万公顷和1 309.77万公顷；林地面积有所增加，共增加了1 580.06万公顷。长江经济带在经济快速发展、城镇化进程不断加快的同时，也对生态环境造成了巨大破坏，土地的过度开发利用造成了严重的水土流失。

表1-3　1990—2019年长江经济带各类土地面积及其变化

土地类型	年份	水田	旱地	林地	草地
面积（万公顷）	1990	3 249.65	3 181.85	9 395.19	3 406.99
	2000	3 210.71	3 161.10	9 382.97	3 394.23
	2010	3 127.66	3 128.79	9 358.13	3 375.27
	2019	1 939.88	1 713.19	10 975.25	1 175.94

续表

土地类型	年份	水田	旱地	林地	草地
面积占比（%）	1990	15.92	15.59	46.03	16.69
	2000	15.76	15.52	46.01	16.66
	2010	15.37	15.38	46.00	16.59
	2019	9.75	8.61	55.14	5.91
变化量（万公顷）	1990—2000	−38.94	−20.75	−22.22	−12.76
	2000—2010	−83.05	−32.31	−14.84	−18.96
	2010—2019	−1 187.78	−1 415.60	1 617.12	−2 199.33
	1990—2019	−1 309.77	−1 468.66	1 580.06	−2 231.05
变化率（%）	1990—2000	−1.20	−0.65	−0.24	−0.37
	2000—2010	−2.59	−1.02	−0.16	−0.56
	2010—2019	−38.00	−45.24	17.28	−65.16
	1990—2019	−40.30	−46.16	16.82	−65.48

近年来长江经济带水土流失状况总体好转，2018 年水土流失面积为 40.10 万平方千米，较 2011 年下降了 3.90 万平方千米，占土地面积的比例从 21.35%下降至 19.46%。其中，2019 年长江流域的水土流失面积为 29.39 万平方千米，占土地面积的 20.14%。根据图 1-7，2007—2019 年间，长江经济带累计水土流失治理面积呈现上升趋势，从 2007 年的 31 178.26 千公顷增加至 2019 年的54 438.10 千公顷，水土流失治理有一定的成效。

土壤侵蚀主要分布在四川、湖北、贵州、云南、湖南、重庆等长江经济带上中游省（市），尤其是金沙江下游、岷江和沱江中下游、嘉陵江中下游、赤水河上中游、三峡库区等区域，上述省（市）水土流失面积普遍占土地面积的 14.50%～31.32%。2019 年，长江干流主要水文控制站年输沙量与近 10 年平均值相比，直门达、攀枝花、向家坝、朱沱、寸滩、宜昌、沙市、汉口、大通站分别减少 4%、81%、98%、37%、36%、52%、40%、30%、13%，长江干流泥沙含量不断降低，减少了长江中下游的泥沙淤积，但在一定程度上会降低长江口淤积造地的速度。

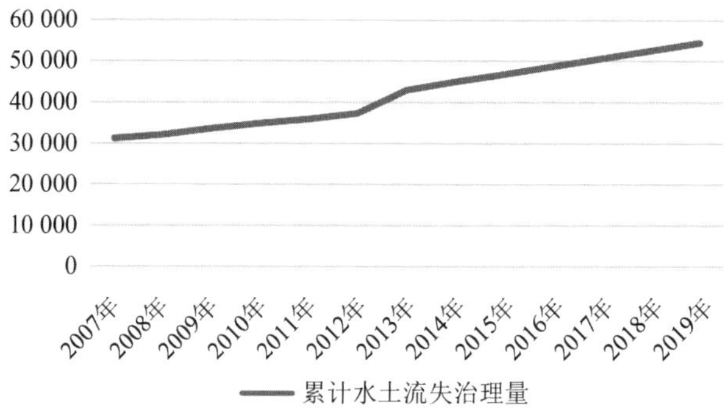

图 1-7　2007—2019 年长江经济带累计水土流失治理量(单位:千公顷)

1.1.3　湿地生态环境

长江流域生态系统是我国重要的生态安全屏障,湿地是长江流域生态系统中的重要组成部分,是长江经济带的生态命脉,维系着流域生态安全和经济社会可持续发展。长江经济带的湿地资源极为丰富,是我国河流、湖泊、沼泽等湿地资源类型的集中区。2019 年,长江经济带湿地面积为 11 542.3 千公顷,占全国湿地总面积的 21.5%,共建有 168 处国家级与省级湿地自然保护区,其中 17 块湿地(截至 2023 年,全国共 82 块)被列入《中国国际重要湿地名录》。这些珍贵的湿地资源具有涵养水源、调节气候、航运发电、维持生物多样性等功能,是长江经济带社会经济发展的生态基础,是维持长江流域生态安全的保障。随着人们对生态环境质量要求的提高,城市湿地公园、人工湖泊等数量不断增加,促进河流湖泊和湿地面积大幅度增加。相较于 2012 年长江经济带 7 923.3 千公顷的湿地面积,到 2019 年,长江经济带湿地面积增加了 3 619.0 千公顷,增加了 45.68%。河流湿地主要分布在上海、江苏、浙江、安徽、江西、湖北、湖南、重庆、四川东部平原区域以及云南西南部;湖泊湿地主要分布在江苏、安徽、江西、湖北和云南,即我国五大淡水湖分布区;库塘湿地主要沿河流和湖泊分布,中下游平原区域分布较集中、密度大,而西部高原区的库塘分布则较分散、密度小;沼泽湿地主要分布在四川若尔盖高原沼泽区、江西省鄱阳湖和湖南省洞庭湖周围以及湖北南部汉江与长江交汇处。

从数量上分析(图 1-8),2004—2019 年期间,长江经济带的湿地面积有所增加。其中,湖泊湿地呈现下降趋势,由 2004 年的 2 174.2 千公顷减少到 2019 年的 2 108.0 千公顷,共减少了 66.2 千公顷;河流湿地、库塘湿地和沼泽湿地在2004—2019年分别增长了116.6千公顷、2 263.5千公顷、861.7千公顷。

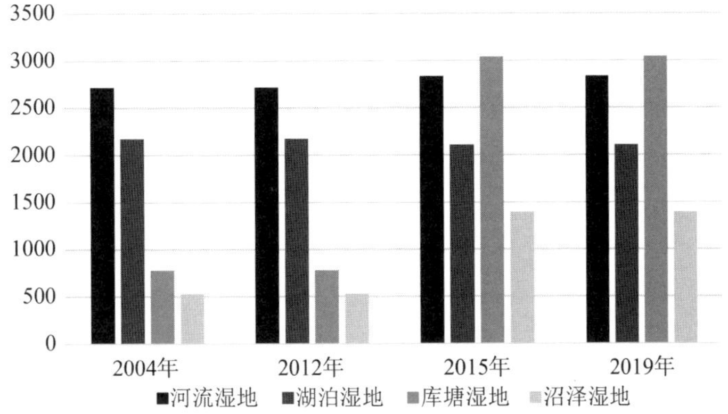

图1-8 长江经济带湿地情况(单位:千公顷)

从空间分布上来说,长江经济带湿地增加的区域主要集中在江苏省、浙江省、安徽省、重庆市、云南省等地,其他区域零散分布;湿地面积减少的区域,主要集中在江西省鄱阳湖周围及湖南省,其他区域零散分布。长江经济带河流湿地增加的区域主要集中在三峡库区;湖泊湿地增加的区域主要集中在湖北省中部;库塘湿地增加的区域主要集中在湖北省中南部、江苏省中部和南部、浙江省北部、四川省南部及云南省西南部;沼泽湿地增加的区域,主要分布在若尔盖高原沼泽区南部;湖泊湿地减少的区域主要分布在安徽省南部;库塘湿地减少的区域主要分布在江西省鄱阳湖周围以及安徽省中部;河流湿地减少的区域和沼泽湿地减少的区域主要分布在江西省北部鄱阳湖周围。综上可知,长江经济带湿地存在消失和新生并存的现象,仅从数量上分析不能全面地认识整个长江经济带湿地资源的现状及面临的问题。

湿地公园是湿地保护中的一种独特模式,它是集生态保护、生态观光休闲、生态科普教育、湿地研究等多功能于一体的生态型主题公园,可以将生态保护与绿色发展有机融合、协调发展。在长江经济带建设中,加强湿地公园建设,尤其是从立法上建立制度规范,保证长江经济带湿地公园规范、有序地发展,对长江经济带“共抓大保护”具有重要意义。据不完全统计,迄今为止,长江经济带11个省(市)建设有各类湿地公园572个,其中云南省16个、贵州省45个、四川省55个、重庆市13个、湖南省60个、湖北省66个、安徽省57个、江西省99个、江苏省61个、上海市69个、浙江省31个。其中国家湿地公园291

个，约占全国国家湿地公园总量的32%。总体上，长江经济带湿地公园呈现由东向西逐步递减的空间分布规律。长江经济带大部分省（市）在湿地公园建设上都采取城市湿地公园模式，利用湿地公园作为水资源调节与净化空间，缓解或部分解决城市化进程中的水资源瓶颈问题。

1.1.4 大气生态环境

长江经济带开发和生态环境保护之间存在着较为尖锐的矛盾，开发与生态环境协调问题日益凸显，生态环境保护面临巨大的挑战。长期粗放型的经济增长方式，使长江经济带主要大气污染物排放量巨大，远超环境承载能力，城市空气质量超标严重，区域性复合型大气污染问题突出。长江经济带聚集着全国30%的石化产业和40%的水泥产业，大气污染物排放量大。2020年，长江经济带二氧化硫（SO_2）、氮氧化物（NO_x）、颗粒物排放量分别是116.48万吨、536.18万吨、174.15万吨，分别占全国总排放量的36.6%、45.38%和28.39%。相较于2015年，长江经济带二氧化硫（SO_2）排放量减少了518.41万吨、氮氧化物（NO_x）排放量减少了55.43万吨、颗粒物排放量减少了251.18万吨。如图1-9所示，2015—2020年间，长江经济带二氧化硫（SO_2）、氮氧化物（NO_x）排放量整体呈现下降趋势，但颗粒物排放量存在先下降再上升又下降的趋势，尤其在2019—2020年波动幅度较大。如图1-10所示，成渝城市群、武汉城市群、长三角地区和云贵地区存在大气污染问题，尤以长三角地区和云贵地区问题最为突出。另外，城市垃圾焚烧和汽车废气排放也会造成长江经济带大气污染问题的日益严峻。近年来，长三角与成都平原地区在秋冬季频发

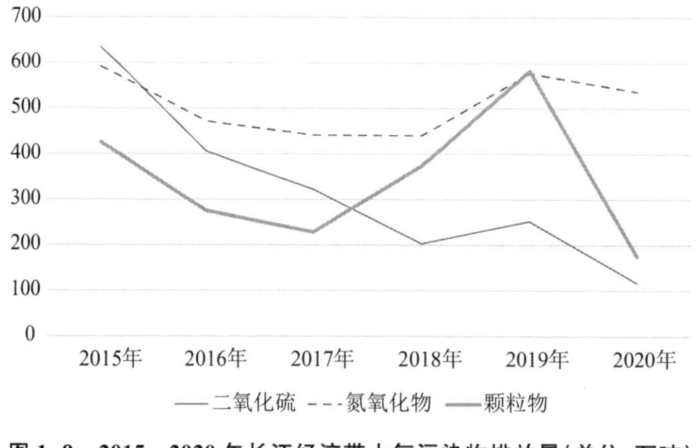

图1-9 2015—2020年长江经济带大气污染物排放量(单位:万吨)

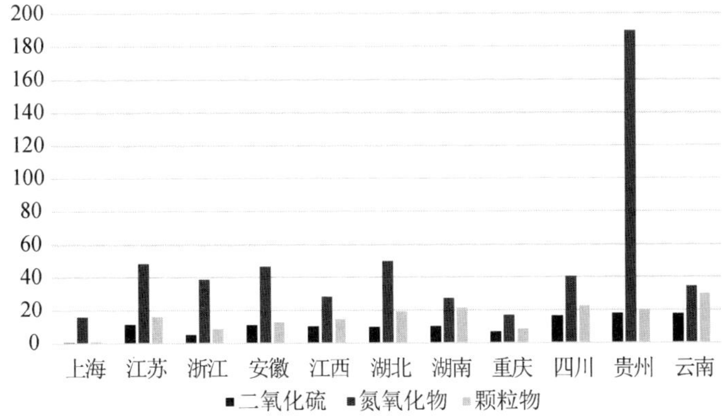

图 1-10 2020 年长江经济带 11 个省(市)大气污染物排放量(单位:万吨)

雾霾问题。在大气环流及大气化学的双重作用下,长江经济带各省(市)间的大气污染相互影响,加重了城市群大气污染。同时,长江经济带大气污染排放效率较低,大气污染减排潜力较大。

未来一段时间内,长江经济带生态环境压力仍会持续加大,区域发展不平衡、传统的粗放型发展方式给大气污染防治带来了巨大的压力和严峻的挑战。长江沿线是我国重要的人口密集区和产业承载区,其生态修复和环境保护迫在眉睫。长江经济带横跨我国地理三大阶梯,资源、环境、交通、产业基础等发展条件差异较大,地区间发展差距明显,且沿江工业发展各自为政,依托长江黄金水道集中发展能源、化工、冶金等重工业,上、中、下游产业同构现象愈发突出,部分企业产能过剩,一些污染型企业逐渐向中上游地区转移。此外,依靠土地占用、高耗水、高耗能等增量扩张的发展模式仍然占主导地位,一些大城市人口增长过快,资源环境超载问题突出,长江经济带传统产业产能过剩等问题依然严峻,转型发展任务艰巨。下大力气解决传统的粗放型发展方式带来的大气污染,依然是未来一段时期内大气污染防治工作的重点。

1.2 长江经济带生态环境存在的问题

长江经济带沿江历经多年的开发建设,其传统的经济发展方式仍未得到根本改变。特别是随着近 20 年来城镇化进程加快,沿江城市过度追求经济指标的快速增长,忽视了生态容量的有限性和环境承载力的脆弱性,导致沿江生态环境存在诸多问题，降低或丧失为人类提供生态产品的能力，成为经济社会可持续发展的瓶颈和障碍。

1.2.1 生态功能退化

湿地是长江经济带的生态命脉，维系着流域生态安全和经济社会可持续发展，具有提供物质资料、调节环境状态、净化过滤污染物及有机质、调控洪水时空变化、维持生物栖息地稳定等功能。近年来，由于全球气候变暖、人口密度大、开发强度高等多种原因，长江经济带部分省（市）面临湿地萎缩的严峻问题。据水利部门调查，目前我国的湖泊湿地只有 20 世纪 50 年代的 34%，河流湿地已消失近 3 万条，湿地资源不合理的开发利用，使现存湿地加快“旱化”，生态功能退化严重，湿地保护率仅为 34.77%。通过对比 2019 年和 2000 年长江流域流经各省（自治区、直辖市）的河流湿地和湖泊湿地面积变化状况可以发现（表 1-4），20 年来，我国河流湿地面积减少情况最严重的是湖南省和四川省，湖泊湿地面积减少最多的是长江中下游地区，而有着“千湖之省”的湖北省，其大小湖泊数量已由 20 世纪 50 年代的 1 066 个减至如今的 260 多个。若仅剩下的洞庭湖、鄱阳湖面积持续萎缩，失去与长江的自然联系，未来长江很可能成为一条光溜溜的水渠，同时失去吞吐洪水、自然补水、调节气候等功能。

表 1-4 长江流域各省（自治区、直辖市）湿地面积变化状况 单位：千公顷

地区	2000 年		2019 年	
	河流湿地	湖泊湿地	河流湿地	湖泊湿地
上海	7.2	6.8	7.3	5.8
江苏	203.3	604.2	296.6	536.7
安徽	239.5	350.5	309.6	361.1
江西	314.9	443.2	310.8	374.1
湖北	377.4	294.7	450.4	276.9
湖南	683.1	359.3	398.4	385.8
重庆	31.6	0.3	87.3	0.3
四川	563.9	13.4	452.3	37.4
云南	119.8	96.5	241.8	118.5
西藏	231.1	2 538.6	1 434.5	3 035.2
青海	107.5	1 232.0	885.3	1 470.3

由于农业生产、工业废水和生活污水的不合理排放，长江经济带的重要湖

泊均存在一定程度的富营养化问题(表1-5),部分湖泊甚至丧失了作为野生动植物栖息地的功能。研究表明,富营养化所导致的生物大量生长与繁殖,不仅会降低湖泊水体透明度,加剧沉积物中的重金属向水体释放,致使大量动植物死亡和食物网简化,还会加速湖泊消亡和水体沼泽化、陆地化的进程,破坏生态系统的结构性、整体性和自然性。长江经济带重要湖泊富营养化形势近年来虽有所改善,但如果不予以控制,河流湖泊的生态结构和功能将进一步退化,进而会破坏长江流域生态系统平衡,严重危及长江流域内人畜健康,制约生态环境安全和经济社会可持续发展。

表1-5　2019年长江流域主要湖泊水质状况

湖泊	总体水质状况	营养状况
太湖	轻度污染	轻度富营养
巢湖	轻度污染	轻度富营养
鄱阳湖	轻度污染	中营养
洪湖	轻度污染	中度富营养
洞庭湖	轻度污染	中营养

受地形地貌以及人类活动等因素的影响,长江经济带四大典型生态脆弱区面临的生态退化问题不尽相同。长江经济带上游的云南、四川等西南岩溶山地生态脆弱区石漠化现象日益严重,地区林草植被被大面积破坏,土地生产力下降;西南山地农牧交错生态脆弱区域水土流失加剧,区域预防和治理任务十分艰巨;南方红壤丘陵山地生态脆弱区涉及长江中下游的湖南、湖北、江苏等省份,丘陵坡地林木资源砍伐严重,通江江湖关系演变加剧,两湖湿地生态系统呈恶化趋势;在长江三角洲及入河口地区的沿海水陆交接带生态脆弱区,滩涂岸线的无序开发造成对生态空间的过度挤占,水环境污染严重。

1.2.2　生物多样性维护功能下降

长江本是中国生物多样性最具典型性的一条生态河流,拥有独特的生态系统,孕育了丰富的水生生物资源。据不完全统计,长江流域有淡水鲸类2种,鱼类424种,浮游植物1 200余种(属),浮游动物753种(属),底栖动物1 008种(属),水生高等植物1 000余种。流域内分布有白鱀豚、中华鲟、达氏鲟、长江江豚等国家重点保护野生动物,圆口铜鱼、岩原鲤、长薄鳅等特有物种,以及“四大家鱼”等重要经济鱼类。但长期以来,受到高强度人类活动的影响,部分湖泊水生态系统退化严重,导致长江珍稀特有物种持续减少,经济鱼类资源接近枯竭。长江流域水生生物多样性正呈现逐年降低的趋势，相关数据显示，长江干流每年的天然捕捞量已从1954年的42.7万吨降至近年的不足10万吨，仅占中国淡水水产品总量的0.32%，且由于水质恶化，鲜鱼早已失去过去的肥美，甚至对食用者的身体健康有害。长江经济带生物多样性问题是全域性的，从高寒的源区一直到流入东海的河口，上游受威胁鱼类种数占总数的27.6%，重点保护物种濒危程度加剧，白鱀豚已功能性灭绝，长江江豚、中华鲟成为极危物种，白鲟已于2022年7月21日被正式宣告灭绝。

首先，湿地的污染与破坏是长江经济带生物多样性维护功能下降的根本原因。许多珍稀水禽的繁殖和迁徙离不开湿地，但出于长江经济带经济发展需要，湿地面积一再萎缩，长江"双肾"洞庭湖和鄱阳湖在枯水期频现超低水位，挺水植物、沉水植物等水生植被覆盖面积降低，导致鱼类种群数量下降。此外，中国大约有一半废水和污水排放至长江流域，造成长江部分区域水体和饵料生物污染，严重影响水生生物的栖息繁殖，珍稀鱼群产卵地遭到破坏，对栖息地环境要求较高的鸿雁、黑脸琵鹭、卷羽鹈鹕、小天鹅等大型珍稀鸟类种群数量也呈下降趋势。其次，过度捕捞也是长江经济带生物多样性丧失的重要原因。为获取更大的经济利益，沿江渔民采取"电毒炸""绝户网""迷魂阵"等非法作业方式，导致长江流域渔业资源逐渐衰竭，生物多样性维护功能下降。据中华人民共和国农业农村部数据，2022年长江江豚的数量仅剩1 249头，是极度濒危的水生野生动物；与20世纪50年代相比，2019年长江"四大家鱼"种苗发生量下降了90%以上，产卵量从最高1 200亿尾降至最低不足10亿尾。长江流域的水域面积占到全国淡水总面积的50%，而淡水捕捞仅占渔业产业的5%，这也意味着长江流域丧失了原有的捕捞能力。

1.2.3 环境污染问题突出

长江经济带沿江污染型产业分布密集，污染物排放基数大、强度高，以水污染和大气污染为主要标志的环境问题突出。据《中国环境统计年鉴(2020)》统计数据，2019年长江流域Ⅰ类水质仅占8.20%，仍有3.4%的水域水质低于Ⅲ类标准(图1-11)，水量越少、水污染越重的恶性循环形成；长江经济带11个省(市)城市污水排放量、废水化学需氧量排放总量、氨氮排放总量分别占全国的35.8%、40.6%、42.7%，铅、汞、镉、砷和六价铬的排放量均占全国排放总量的50%以上，单位面积排放强度均为全国平均值的1.5～2倍，单位GDP废水排放量是美国、德国、英国等发达国家的3～4倍。高强度污染物排放造成长江干流局部水域、部分支流河段和湖泊环境污染严重，府河、釜溪河、京山河、南

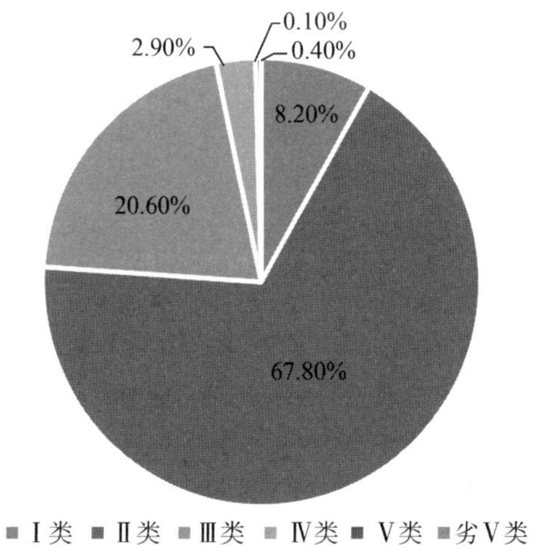

图 1-11　2019 年长江流域水质状况评价结果

淝河、派河等支流有机污染严重，湘江、武水河等河流重金属污染突出，乌江、岷江、沱江总磷浓度超标，太湖、巢湖等主要湖泊富营养化问题严峻。此外，长江经济带城镇和农村集中居住区水体黑臭现象普遍存在，大部分地区酸雨污染较严重，长期受到酸沉降影响。

1.2.4　饮用水安全隐患明显

长江事关近 4 亿人的饮水安全，是沿江各省（自治区、直辖市）的生命线。有关调查显示，长江流域仅有 74.1%的水体达Ⅰ类和Ⅱ类水质标准，可用的饮用水源不多，地级及以上城市 297 个集中式饮用水水源中有 28 个水质不达标，37 个未完成一级保护区整治，52.8%的水源风险应急能力不足。近 20 年来，在一轮开发竞赛和 GDP 比拼热潮的影响下，长江经济带减少的耕地中有 73%转化为建设用地，开发区和城市新区沿江大规模的无序蔓延，导致岸线资源被过度利用，生态空间被大量挤占。长江下游至入海口两岸的能源重化工业快速涌现，且呈现出杂乱无序、过度开发之势，沿江 60 292 多个排污口，排放的大量污水导致长江水体富营养化加剧，污染程度远超自身的水体净化能力和环境承载能力。取水口和排污口的分布犬牙交错，主要饮用水水源同各类危、重污染企业和产品生产储存集中区交错配置，流域内 30%的环境风险企业位于饮用水水源地周边 5 千米范围内，水运航道穿过饮用水水源保护区现象普遍。此外，一些沿海湿地的破坏致使许多沿海城镇严重受到海水的侵蚀和渗透，海水对淡水系统的影响直接威胁当地的淡水资源安全，尤其是地下水超采导致海水大范围倒灌，给沿江饮用水安全带来巨大隐患。

1.2.5 生态修复难度大

长江经济带上游地区是全球三大岩溶集中连片区中面积最大、岩溶发育最强烈的典型生态脆弱区。首先，由于长期存在毁林开垦、陡坡耕种、过度放牧以及矿产资源过度开采等不合理现象，森林、草地退化严重，植被覆盖度下降趋势明显，局部水源涵养和水土保持的生态功能丧失，土质荒漠化日益严重，根据2018年第三次石漠化检测结果，长江流域石漠化土地面积为599.3万公顷，占石漠化土地总面积的59.5%，远高于我国其他流域，其中云南和西藏土地荒漠化程度最为严重。其次，近年来长江上游建设不同规模水文水电站达2 000～3 000座，中下游建设的南水北调工程、引江济太工程、泰州引江工程等系列调水引水工程，直接引起流域水文形势变化，打破了长期生态系统平衡，导致中下游绝大多数河段径流量和输沙量明显减少，部分地区出现海水倒灌等生态环境问题，土地盐碱化越来越严重，长此以往，中国最主要的几个粮食生产基地如洞庭湖平原、鄱阳湖平原、太湖平原等将不适合耕种，对保障区域粮食安全造成一定影响。最后，由于水土流失严重、石漠化侵蚀加剧，山体滑坡、崩塌和泥石流频发，地质灾害一年比一年严重，生态修复难度较大。2010—2021年长江经济带地质灾害发生情况如图1-12所示。

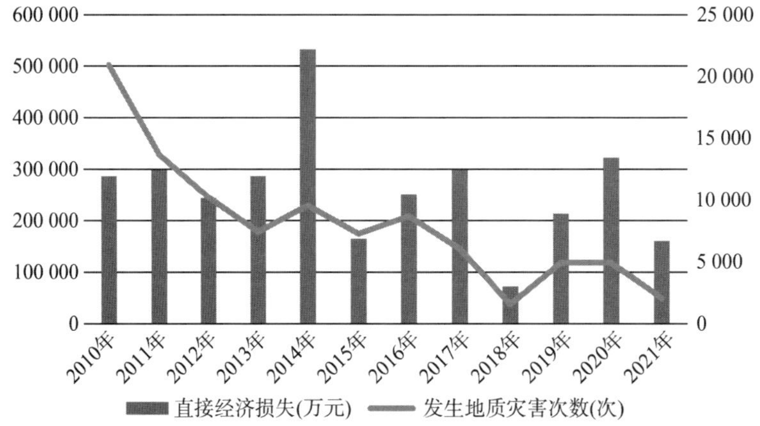

图1-12 2010—2021年长江经济带地质灾害发生情况

当前我国进入“新常态”发展阶段，经济朝着高质量、可持续方向的发展，但对于仍处在工业化中期阶段的云南、四川等长江经济带上游地区来说，其绿色发展的动能明显低于长江下游地区及其他相对发达地区。在地区经济增长放缓、“稳增长”短期抓手不多的形势下，依托上游水资源的优势，这些上游地区仍以水利水电工程作为实现“稳增长”、提高财政收入的主要路径。部分政府或企业未认清自然本底及生态安全阈值，仍以利润最大化为目标随意开发建设，导致水资源、矿产资源、生态环境资源过度、无序开发，生态空间破碎化严重。经济发展与环境保护的矛盾始终是修复生态环境的一大阻碍，而我国目前针对生态脆弱区的评估标准、修复技术、监测体系等科研水平较为薄弱，尚未形成针对生态脆弱区生态修复和保护方面的法律法规体系，缺乏流域性统筹和系统性治理措施，部分省份实施的生态保护与修复工程仅重视前期工程建设，但对后期监督管理重视不够，直接影响工程效益的长久发挥，破坏了流域整体的水生态系统，使得长江流域生态修复难度进一步增大。

02

第二章

长江流域生态环境保护的实践与成效

2.1 长江流域生态环境保护的实践

2.1.1 水生生物保护——生物保卫战

(1) 生物多样性保护

长江流域是我国生物多样性最具典型性的区域,是地球上极其宝贵的水生生物宝库。水生生物多样性被视为长江生态系统健康状况的主要指标之一。长期以来,由于受拦河筑坝、水域污染、挖砂采石等高强度人类活动的影响,长江水域生态环境不断恶化,长江生物多样性持续下降。长江流域水生生物中列入《中国濒危动物红皮书》的濒危鱼类物种已达 92 种,历史有分布但近年未采集的鱼类种数高达 130 余种,接近长江鱼类总数的 1/3。

2015 年,中共中央、国务院印发《生态文明体制改革总体方案》,将生物多样性作为生态文明建设的重要内容,并上升为国家战略。2021 年 3 月 2 日,中华人民共和国农业农村部(以下简称农业农村部)审议并原则通过《长江生物多样性保护工程建设方案(2021—2025 年)》。方案聚焦实施拯救行动计划、加强珍稀濒危物种资源及其栖息地保护修复等重点任务,加快推动长江生物多样性保护工程项目落实落地。抓紧建立长江水生生物资源监测网络,做好长江禁捕效果评估和生物完整性指数评价,为科学开展各项工作提供支撑。2021 年 10 月 11 日,《生物多样性公约》第十五次缔约方大会在我国顺利召开;10 月 13 日,联合国《生物多样性公约》第十五次缔约方大会第一阶段会议通过《昆明宣言》。为加强生物多样性保护,中国正加快构建以国家公园为主体的自然保护地体系,逐步把自然生态系统最重要、自然景观最独特、自然遗产最精华、生物多样性最富集的区域纳入国家公园体系。2021 年 12 月,农业农村部印发《长江生物多样性保护实施方案(2021—2025 年)》。这是我国首个针对长江水生生物多样性保护出台的专项实施方案,对长江水生生物资源恢复和水生生物多样性提升具有重要意义。2021 年 12 月 21 日,农业农村部修订发布了《长江水生生物保护管理规定》以加强长江流域水生生物保护和管理,维护生物多样性,保障流域生态安全。

长江生物多样性保护的措施包括:在重要水生生物产卵场、索饵场、越冬场和洄游通道等关键生境,通过构建水生生物生态廊道和生物多样性保护网络,落实长江流域水生生物保护行动,完善生态补偿机制;在闸坝阻隔的自然水体之间，通过灌江纳苗、江湖连通和设置过鱼设施等措施，满足水生生物洄游习性和种质交换需求；完善增殖放流管理机制，加强增殖放流支撑保障体系建设。具体来说，管理机制包括合理规划增殖放流水域、科学确定增殖放流物种和严禁放流不符合生态要求的水生生物等；体系建设包括加快苗种供应体系建设、推进开展定点放流水生生物和完善增殖放流科技支撑体系等。

加快恢复水生生物种群适宜规模，严禁向天然开放水域放流外来物种、人工杂交或有转基因成分的物种，防范外来物种入侵和种质资源污染。探索建立多元化保护工作格局，设立长江水生生物保护基金，鼓励企业和公众支持、资助长江水生生物保护事业。开展长江流域水生生物资源与生态环境调查评价工作，建立水生生物资源资产台账，定期向社会公众发布长江水生生物及其关键栖息地状况。

（2）珍稀濒危物种拯救行动

农业农村部制定并推动落实《长江生物多样性保护实施方案（2021—2025年）》，通过健全完善资源监测网络，建立长江生物完整性指数评价体系以拯救珍稀濒危物种，努力修复长江流域渔业天然“基因库”。同时还印发《关于进一步规范长江流域水生生物增殖放流工作的通知》，对科学规范增殖放流行为提出了明确要求。

大力实施珍稀物种拯救行动，组织人工环境下的中华鲟长江生态环境逐渐恢复生活史接力繁育技术攻关，实施长江鲟野外种群重建放流，开展长江江豚生态科学考察，推动就地保护和迁地保种繁育等。实施以中华鲟、长江鲟、长江江豚为代表的珍稀濒危水生生物抢救性保护行动。在三峡库区、长江故道、河口、近海等水域建设一批中华鲟接力保种基地，开展中华鲟生活史关键环节生境保护和分段驯养繁育，以人工技术条件满足中华鲟江海洄游习性需求。制定中华鲟规模化增殖放流规划，在长江中下游夹江、故道、水库、湖泊等水域建设一批中华鲟迁地保护水域。开展长江鲟亲本放归和幼鱼规模化放流工作，补充野生资源，推动实现长江鲟野生种群重建和恢复。加强长江江豚栖息地保护，开展长江中下游长江江豚迁地保护行动。在有条件的科研单位和水族馆建设长江珍稀濒危物种人工驯养繁育和科普教育基地。建立中华鲟、长江鲟人工驯养繁育基地以及长江江豚就地、迁地保护场所，加快提升中华鲟、长江江豚等重点保护物种涉及的保护区等级。推动成立由政府、研究机构、高校、社会团体和企业等多方力量共同参与的中华鲟、长江江豚、长江鲟保护联盟，凝聚社会力量，共同保护珍稀濒危物种。

（3）长江十年禁捕行动

2020年7月，国务院办公厅出台《关于切实做好长江流域禁捕有关工作的通知》，明确将长江流域重点水域禁捕和退捕渔民安置保障、打击长江流域非法捕捞、打击市场销售长江流域非法捕捞渔获物等纳入重点内容。农业农村部按照“一年起好步、管得住，三年强基础、顶得住，十年练内功、稳得住”的阶段性工作要求，先后印发了《长江十年禁渔工作“三年强基础”重点任务实施方案》《长江生物多样性保护实施方案（2021—2025年）》《长江水生生物保护管理规定》等方案和规定，从政策层面为长江禁捕搭建三年、五年、十年的政策框架。

为了推进水生生物多样性恢复，长江流域已长期实行禁渔期和禁渔区等禁渔制度：从2003年2月起，长江流域实行每年三个月禁渔的制度；从2015年12月起，调整为每年四个月禁渔的制度。从2017年1月起，流经云南、贵州、四川三省的长江重要支流赤水河率先实施“十年禁渔”试点。自2020年1月1日起，长江流域重点水域开启“常年禁捕”行动；长江流域332个自然保护区和水产种质资源保护区全面禁止生产性捕捞，长江流域各地的重点水域也将相继进入为期10年的禁捕期，从而更好地守护长江生物基因库。截至2020年12月，长江的渔船渔民退捕工作基本完成，在打击非法捕捞方面形成震慑，而且水生生物资源得到一定程度的恢复。从2021年1月起，长江干流，长江重要支流岷江、沱江、赤水河、嘉陵江、乌江、汉江和大渡河，以及通江湖泊鄱阳湖和洞庭湖（合称“一江两湖七河”）等重点水域全面实行“十年禁渔”制度。

在执法与监管方面，依托长江渔政特编船队和14个部省共建共管渔政基地，联合公安、海事、水利、市场监管等部门先后组织开展多次流域性同步执法行动，积极推动各地加大执法监管力度，形成水上打、陆上管、市场查的监管合力。农业农村部印发《渔政执法工作规范（暂行）》，开展执法能力线上线下培训，加强执法人员作风建设，提升渔政执法人员素质。开通设立中国渔政24小时应急值守和举报监督平台，专人受理违法举报线索；启动“亮江工程”，加快推进沿江渔政执法监管信息化建设。

通过开展“中国渔政亮剑2021”系列专项执法行动，切实抓好长江十年禁渔、海洋伏季休渔等江河湖海休禁渔管理工作，严厉打击违法捕捞生产活动。据不完全统计，各地累计查处渔业违法违规案件3.79万件，查获违法违规人员4.24万名，向司法机关移送涉嫌犯罪案件4 192件、涉案人员4 958名，清理取缔涉渔“三无”船舶2.49万艘、“绝户网”103.82万张（顶），有力震慑了涉渔违法犯罪活动，维护了渔业生产秩序。

在对退捕渔民安置保障方面，农业农村部会同人力资源和社会保障部、财政部借鉴脱贫攻坚有关经验做法，组织各地开展建档立卡“回头看”，逐船逐人登记造册、村乡公开公示、市县逐级审查上报、省级汇总复核，摸清退捕渔船渔民底数。多部门联合制定加强退捕渔民就业帮扶的一系列政策措施，督促各地加强就业帮扶的针对性，开发和设置“护渔员”等公益性岗位，兜底安置就业困难的退捕渔民；通过落实退捕渔民养老保险政策，提高补贴标准和保障水平，以保障退捕渔民的就业和生活。

在生态修复方面，根据《中华人民共和国环境影响评价法》等法律法规，严格开展涉渔工程对水生生物影响的专题审查，科学评价涉渔工程建设项目对水生生物及水域生态功能的影响，预防工程项目实施后对生态造成严重不良影响，保护水生生物资源和水域生态环境。通过组织开展涉保护区违规工程查处专项行动，及时督促整改、立案查处，坚决打击保护区内各类违法行为，督促落实生态补偿措施和经费。大力开展生态环境保护项目，与三峡集团签署合约，共同推进实施水生生物科学研究、种质保护、资源恢复等项目。

长江流域水生生物保护相关政策文件整理如表 2-1 所示。

表 2-1 长江流域水生生物保护政策文件

时间	文件标题	长江流域水生生物保护重点
2018.9.24	《国务院办公厅关于加强长江水生生物保护工作的意见》	到 2020 年，长江流域重点水域实现常年禁捕，水生生物保护区建设和监管能力显著提升
2019.12.27	《农业农村部关于长江流域重点水域禁捕范围和时间的通告》	长江流域范围内新建立的以水生生物为主要保护对象的自然保护区和水产种质资源保护区纳入全面禁捕范围
2020.7.4	《进一步加强长江流域重点水域禁捕和退捕渔民安置保障工作实施方案》	切实维护退捕渔民的社会保障权益；制定有针对性的转产转业安置方案；加强渔政执法队伍和能力建设
2020.7.4	《打击长江流域非法捕捞专项整治行动方案》	严格禁止非法渔获物交易利用行为；集中治理整顿“三无”船舶；固定联合执法模式，构建执法长效机制
2020.7.4	《打击市场销售长江流域非法捕捞渔获物专项行动方案》	严厉查处市场销售长江流域非法捕捞渔获物行为，打击销售网络，斩断违法链条，维护长江流域生态环境安全
2020.7.4	《国务院办公厅关于切实做好长江流域禁捕有关工作的通知》	聚焦水产品交易市场、餐饮场所等市场主体，依法依规严厉打击收购、加工、销售、利用非法渔获物等行为

续表

时间	文件标题	长江流域水生生物保护重点
2020.12.26	《中华人民共和国长江保护法》	国家对长江流域重点水域实行严格捕捞管理，在长江流域水生生物保护区全面禁止生产性捕捞
2021.8.19	《关于进一步加强生物多样性保护的意见》	长江水生生物完整性指数有所改善，基本建立生物多样性保护相关政策、法规、制度、标准和监测体系
2021.9.12	《关于深化生态保护补偿制度改革的意见》	建立健全分类补偿制度。加强水生生物资源养护，确保长江流域重点水域十年禁渔落实到位
2021.12.21	《长江水生生物保护管理规定》	加强长江流域水生生物保护和管理，维护生物多样性，保障流域生态安全
2022.8.31	《深入打好长江保护修复攻坚战行动方案》	建立健全长江流域水生生物监测体系，开展水生生物完整性指数评价

2.1.2 国土空间管制——净土保卫战

2020 年 12 月 26 日，《中华人民共和国长江保护法》(以下简称《长江保护法》)通过，并提出编制长江流域国土空间规划，科学有序统筹安排长江流域生态、农业、城镇等功能空间，划定生态保护红线、永久基本农田、城镇开发边界，优化国土空间结构和布局。长江流域资源保护和生态环境出现问题的原因很多，其中，国土空间管控不到位、管制机制不健全等是重要原因。首先，涉及空间治理的规划很多，各个规划功能不一、执行部门不一，既存在规划重叠的问题，又存在系统性不够的问题；其次，空间管制规范性不足，标准不统一。

以长江流域为单元，强化国土空间规划与用途管制，有其内在的科学逻辑性。国土空间生态修复遵循“山水林田湖草是生命共同体”理念，从单一的要素修复转向山水林田湖草等全要素的全流域综合治理，充分考虑自然生态环境的系统性、整体性特点。对长江流域国土空间实施用途管制，进一步健全和完善国土空间管控政策体系，推进空间治理能力现代化，加快国土空间优化调整进度，加大国土空间监管力度，进而促进长江流域节约资源和保护环境的空间格局的形成。

编制实施长江流域的国土空间规划，并制定差别化的国土空间用途管制政策，对健全长江流域管控体系，协调长江流域内各类国土空间的保护和开发利用大有裨益。建立长江流域统一、责权清晰、科学高效的国土空间规划体系，整体谋划新时代长江流域国土空间开发保护格局，综合考虑人口分布、经济布局、国土利用、生态环境保护等因素，科学布局生产空间、生活空间、生态空间，做好国土空间规划顶层设计，发挥国土空间规划在国家规划体系中的基础性作用，为国家发展规划落地实施提供空间保障。

（1）国土空间规划体系编制

2013 年，党的十八届三中全会《关于全面深化改革若干重大问题的决定》中首次使用“空间规划”，提出要“建立空间规划体系，划定生产、生活、生态空间开发管制界限，落实用途管制”。2018 年 5 月，中华人民共和国自然资源部（以下简称自然资源部）牵头组织召开长江经济带国土空间规划研讨会，对长江流域自然资源现状及潜在生态环境风险、三条控制线、流域土地开发利用情况及产业空间布局进行了协调性分析，研讨了生态环境保护、航运发展、水资源利用保护及岸线使用、农业面源污染等国土空间治理问题。针对长江流域的特点，2019 年 12 月 23 日，全国人民代表大会环境与资源保护委员会提请审议的《中华人民共和国长江保护法（草案）》强化“一盘棋”理念，主张在长江流域统一的国土空间规划视域下统领水污染防治、水资源利用以及流域空间范围内的岸线使用和航运发展等，发挥整体性合力。2020 年，自然资源部组织编制《长江经济带—长江流域国土空间规划（2021—2035 年）》，统筹谋划空间结构布局，统领水资源利用、水污染防治、岸线使用、航运发展等方面的空间利用任务，推动长江经济带绿色发展。将长江流域视作一个整体空间开展国土空间规划，统筹空间开发利用，实现全流域全要素国土空间统一用途管制，从而提升长江流域的治理水平。

开展资源环境承载能力和国土空间开发适宜性评价，识别湖区重要生态系统，有效衔接生态保护红线，合理安排各类空间和要素；优化国土空间开发保护布局，因地制宜开展湖泊水资源利用、水污染防治、水生态修复、水生生物保护等工作；加强重点湖泊流域保护治理规划实施监测评估预警，严格实施国土空间用途管制；加快编制长江流域国土空间规划，建立健全流域统一的空间规划体系；健全包括自然生态空间在内的所有国土空间用途管制制度，依托国土空间规划，逐级落实自然生态空间范围，分级分类制定管控规则和实施细则，细化生态保护红线正面清单和一般生态空间负面清单，明确转换规则，严格规划许可。

（2）国土空间监测指标体系制定

2019 年，《长江经济带国土空间监测指标体系》通过专家评审。项目建设综合考虑了长江经济带国土空间开发保护格局、主体功能管控单元、合理配置各类自然资源、生态保护修复等领域，从国土空间格局与发展、自然资源与生态保护修复、社会经济协调与进步以及沿江岸线保护 4 个方面，设计了包括 3 个层级、290 个指标因子的多尺度、多层次、持续性的国土空间监测指标体系。该指标体系丰富了长江经济带监测的视角，成果可服务于国土空间的生态保护、协调发展和开发管控。

（3）土壤污染防治行动

2021 年 11 月 2 日，《中共中央 国务院关于深入打好污染防治攻坚战的意见》印发实施，对以更高标准打好净土保卫战提出了具体要求。目前，《土壤污染防治行动计划》确定的受污染耕地安全利用率和污染地块安全利用率“双 90%”目标任务已顺利完成，初步遏制土壤污染加重趋势，基本管控土壤污染风险，土壤环境质量总体保持稳定。根据《中华人民共和国土壤污染防治法》的基本法规标准体系，生态环境部颁布实施污染地块等土壤环境管理部门规章，制定系列土壤污染风险管控标准与指南；完成土壤污染状况详查，初步查明我国农用地和重点行业企业用地污染“家底”；不断加强土壤污染源头防控，发布土壤污染重点监管单位名录 1 万余家，开展涉镉等重金属重点行业企业排查整治工作；有序推进农用地分类管理，完成耕地土壤环境质量类别划分，建立用地准入管理制度，将建设用地土壤环境管理要求纳入城市规划和供地管理，并公布建设用地土壤污染风险管控和修复名录；建设运行全国土壤环境信息化管理平台，实现土壤环境数据资源共享，基本建成土壤环境监测网络。生态环境部组织开展危险废物环境风险专项排查整治行动，重点排查多家企业和多个化工园区，超额完成重点行业重点重金属污染物排放量控制的目标任务。2020 年底前基本实现固体废物零进口目标，“洋垃圾”被彻底挡在国门之外。

长江流域国土空间管制相关政策文件整理如表 2-2 所示。

表 2-2　长江流域国土空间管制政策文件

时间	文件标题	长江流域国土空间管制重点
2018.12.31	《长江保护修复攻坚战行动计划》	完善生态环境空间管控体系，编制实施长江经济带国土空间规划，划定管制范围，严格管控空间开发利用
2018.8.31	《中华人民共和国土壤污染防治法》	发布污染地块等土壤环境管理部门规章，制定系列土壤污染风险管控等标准与指南
2019.3.5	《长江经济带国土空间监测指标体系》	从国土空间格局与发展、自然资源与生态保护修复、社会经济协调与进步以及沿江岸线保护四方面设计国土空间监测指标体系

续表

时间	文件标题	长江流域国土空间管制重点
2019.10.24	《关于在国土空间规划中统筹划定落实三条控制线的指导意见》	统筹划定落实生态保护红线、永久基本农田、城镇开发边界三条控制线
2020.9.8	《关于加强土壤污染防治项目管理的通知》	通过土壤污染源头防控、状况调查、风险评估等项目执行土壤污染防治专项行动
2020.9.16	《土壤污染隐患排查技术指南(征求意见稿)》	提出土壤污染预防设施和措施结合,通过土壤污染隐患排查,及时发现并消除土壤污染隐患
2020.12.26	《中华人民共和国长江保护法》	"一盘棋"理念,在长江流域统一的国土空间规划视域下统领水污染防治、水资源利用以及流域空间范围内的岸线使用和航运发展
2021.11.2	《中共中央 国务院关于深入打好污染防治攻坚战的意见》	加强生态环境分区管控,衔接国土空间规划分区和用途管制要求,将生态保护红线、环境质量底线、资源利用上线的硬约束落实到环境管控单元

此外,在长江流域推进土壤污染治理与修复技术应用试点项目和土壤污染综合防治先行区建设。"无废城市"建设试点形成了一批可复制可推广的示范模式。生态环境部与公安部、最高人民检察院联合严厉打击危险废物环境违法犯罪行为,组织开展危险废物专项排查整治行动,共同排查相关企业和化工园区,并完成长江经济带重点尾矿库污染治理。

2.1.3 排污口整治与工业污染治理——碧水保卫战

(1) 长江入河排污口整治

生态环境部联合中华人民共和国国家发展和改革委员会(以下简称国家发展改革委)印发《长江保护修复攻坚战行动计划》以后,2019 年 2 月 15 日,长江入河排污口排查整治专项行动暨试点工作启动会在重庆召开,打响了长江入河排污口排查整治工作的"发令枪"。专项行动以长江干流(四川省宜宾市至入海口江段)、主要支流(岷江、沱江、赤水河、嘉陵江、乌江、清江、湘江、汉江、赣江)及太湖流域为工作重点,共涉及上海、重庆两个直辖市,以及沿江其他 9 个省的 58 个地级市和 3 个省直管县级市,计划通过两年左右时间,重点完成"查、测、溯、治"四项主要任务。

排污口排查工作是排污口排查整治专项行动的开端,实现了"有口皆查、应查尽查"的目标,全面摸清长江入河排污口底数,推动形成权责清晰、监控到位、管理规范的入河排污口监管体系,为长江水环境质量改善奠定基础。重庆市渝北区和江苏省泰州市作为全国首批试点地区,率先启动排查整治。总结其经验，合理可行的“三级排查”技术路线逐渐完善：一级排查通过无人机遥感得到高分辨率的航测图像，解译出疑似排污口信息，逐一甄别录入手机App中；二级排查是由人员进行实地拉网式排查，徒步核查水下、草下、码头下等航测盲区，对一级排查进行校验，提高排查的有效性和可信度；三级排查是指通过专家攻坚排查，最终实现规范统一、质量优先的目标。2019年，5 000多人次对长江干流及9条主要支流岸线2.4万余千米及沿岸2千米区域进行实地排查，共查出60 292个入河排污口，约为之前掌握数据的30倍。

2020年，长江经济带11个省(市)按照“一口一策”的原则，开展长江入河排污口现场监测、溯源和整治工作，实行排污口的规范管理和整治销号制度，坚决打好长江保护修复攻坚战。各地对照本区域内的长江入河排污口清单，将排污单位自行监测与主管部门抽查抽测相结合，逐一开展溯源行动，确定污水来源，明确责任主体。生态环境部建立长江入河排污口整治工作定期调度制度，每月发布环境质量报告，每季度通报预警信息，实现省、市、县三级跨界断面水质实时监测预警，提升水质监测预警能力，厘清各方水污染防治责任。按照“有口必核、应测尽测、有口必溯”的原则要求，完善排污口溯源台账，并及时将溯源情况录入长江入河排污口排查整治系统，为排污口整治打好基础。建立入河排污口网上设置审核系统，各地根据生态环境部排污口分类、命名、编码与标志牌设置规则，实行“一口一策”整治方案，并建立整治销号制度，参考重庆市渝北区和江苏省泰州市泰兴市试点整治销号流程，整治完成一个，销号一个。重庆通过部市互动、省市联合、部门协作、市区合力，横向联动、纵向一体，深入推进长江入河排污口排查整治试点，排查点位22万个，4 228个排污口被纳入全面整治范围，建成全国首个排污口查询预警系统。安徽省长江干流入河排污口排查监测溯源工作已全面完成。四川实行市县两级生态环境质量每月排名、生态环境违法典型案例每月通报制度，推动长江所有生态环境问题彻底整改、限时归零。2018年至2020年，国家移交四川的62个长江生态环境问题，已整改完成41个，其中，2020年新增完成19个，较整改方案提前完成1个。自查发现的282个长江生态环境问题中，已整改完成247个。长江经济带11个省(市)严格执行“清单制＋责任制＋销号制”，逐项整改到位，对已完成整改任务的及时开展暗访抽查，不断巩固整改成果，按照全面覆盖、查源溯本、建章立制、长效管理的原则，建立统一的排查整治体系。

长江入河排污口排查整治政策相关文件整理如表2-3所示。

表 2-3　长江入河排污口整治政策文件

时间	文件标题	长江入河排污口整治重点
2019.4.24	《关于做好入河排污口和水功能区划相关工作的通知》	加快推进入河排污口监督管理、科学监测、申请受理及设置审核工作
2020	《长江入河和渤海地区入海排污口排查整治专项行动监测实施工作要点》	将排污单位自行监测与主管部门抽查抽测相结合，加强长江生态环境保护综合监管
2020.5	《2020 年重点流域水生态状况调查监测方案》	设置 180 个监测点位，开展长江流域水生态状况及变化趋势研究分析工作
2020	《长江、黄河和渤海入海（河）排污口排查整治分类规则（试行）》	将排污口分为工业、农业农村、城镇生活污水排口等 7 大类 15 小类
2020	《长江、黄河和渤海入海（河）排污口命名与编码规则（试行）》	明确长江入河排污口命名与编码规则
2020	《长江、黄河和渤海入海（河）排污口标志牌设置规则（试行）》	明确应设置标志牌的排污口类型，规定一个标志牌对应一个排污口
2020	《关于交办长江入河排污口清单的函》	明确市（州）要建立整治验收销号制度

（2）工业污水治理

为落实《长江保护修复攻坚战行动计划》任务要求，生态环境部会同有关部门及各地党委、政府协同推进，多措并举，深入开展长江经济带工业园区污染整治专项行动。一是积极开展长江经济带工业园区污水处理设施整治专项行动，重点解决工业园区污水管网不完善、污水处理能力不足等问题。目前，长江经济带省级及以上工业园区已建成超 6 万千米污水管网，99%以上的省级及以上工业园区已建成污水集中处理设施，园区工业废水基本实现了应收尽收。二是深入开展长江经济带污水处理厂按证排污一系列工作。长江经济带 11 个省（市）的生态环境部门提前摸底排查，宣贯培训、集中填报审核、按期调度督办，采取层层调查上报、网格化摸底排查等方式，结合污染源普查、环境统计、总量减排、在线监测等数据库，认真比对相关数据，全面摸清辖区内污水处理厂底数，并于 2019 年 8 月底前完成污水处理厂排污许可证核发任务。其中，长江经济带 11 个省（市）共计发放污水处理厂排污许可证 4 342 张，实现对工业废水集中污水处理厂和城镇污水处理厂排污许可管理全覆盖。此外，还摸清了存在尚未投运、位于禁建区、停产等不予核发的情形，共 38 家污水处理厂属于这些情况。这一举措为规范重点地区污水处理厂运营、督促企业按证排污打下坚实基础，为打好长江保护修复攻坚战提供有力支撑。2020 年以来，各地开展污水处理厂无证排污检查和证后监管执法工作，加大对污水处理厂无证排污和不按证排污的打击力度。对已发证污水处理厂，督促其按许可证要求提交执行报告、自行监测报告，并及时进行信息公开，接受公众监督。三是支持生态工业园区建设。以区域生态环境质量改善为目标，衔接落实长江保护法、“三线一单”生态环境分区管控等要求，严格长江流域产业园区规划环评审查。推动国家生态工业示范园区创建活动，作为工业园区领域生态文明建设实践，生态工业示范园区已成为引领工业领域绿色低碳循环发展的典范。四是推动工业废水资源化利用。2021年1月4日，经国务院同意，国家发展改革委等部门联合印发《关于推进污水资源化利用的指导意见》，文件将推动工业废水资源化利用作为重点，实施工业废水循环利用工程，推动有条件的工业园区统筹废水综合治理与资源化利用；实施污水近零排放科技创新试点工程，选择有代表性的国家高新技术产业开发区开展技术综合集成与示范，研发集成低成本、高性能工业废水处理技术和装备。

长江经济带工业污水治理相关政策文件整理如表2-4所示。

表2-4　长江经济带工业污水治理政策文件

时间	文件标题	长江经济带工业污水治理重点
2019.4.29	《城镇污水处理提质增效三年行动方案(2019—2021年)》	加快补齐城镇污水收集和处理设施短板，尽快实现污水管网全覆盖、全收集、全处理
2019.5.27	《长江经济带工业园区污水处理设施整治专项行动工作方案》	明确2020年底前省级及以上工业园区实现污水管网全覆盖、污水集中处理设施达标稳定运行任务
2021.1.4	《关于推进污水资源化利用的指导意见》	推动工业废水循环、资源化利用，实施污水近零排放科技创新试点工程

2.1.4　农业面源污染防治——碧水保卫战

农业面源污染，是指农业生产过程中由于化肥、农药、地膜等化学投入品的不合理使用，以及畜禽水产养殖废弃物、农作物秸秆等处理不及时或不当，所产生的氮、磷、有机质等营养物质，在降雨和地形的共同驱动下，以地表、地下径流和土壤侵蚀为载体，在土壤中过量累积或进入受纳水体，对生态环境造成的污染。长江流域是我国重要的粮油、畜禽和水产品等主产区，农业面源污染是长江水体污染的重要来源之一。自2016年以来，总磷污染已经成为长江流域的主要污染问题，长江经济带农业源总磷排放量占比最大，为68.08%，其中，畜禽养殖和种植业总磷排放量分别占总磷总排放量的34.38%和29.56%。自《关于加快推进长江经济带农业面源污染治理的指导意见》印发实施以来，我国以畜禽养殖粪污治理为重点，加强农业面源污染治理，加快畜禽养殖废弃物处理配套设施建设，积极推进粪污资源化利用，深入开展长江流域农业面源污染防治系列工作。

针对长江流域农田污染治理，一是通过推广机械施肥、种肥同播、水肥一体化等高效施肥技术，以及缓控释肥料、水溶性肥、生物肥等新型高效肥料，提高利用效率；鼓励秸秆还田、种植绿肥、积造农家肥、开发商品有机肥；以果菜茶大县和畜牧大县等为重点，推动有机肥替代化肥，从而推进化肥减施增效。二是通过提高重大病虫疫情监测预警的时效性和准确性，加快推广应用生物农药、高效低毒低残留农药，依法禁限用高毒农药；普及科学用药知识，推行精准施药；集成推广农作物病虫害绿色防控技术，大规模开展专业化统防统治，发展专业化防治服务组织，从而实现农药减量控害。三是通过强化秸秆收、储、运体系建设，大力开展秸秆肥料化、饲料化、能源化、基料化、原料化利用；完善农作物秸秆还田技术模式，加大秸秆还田力度；因地制宜发展秸秆热解气化、秸秆沼气等农村清洁能源，推动秸秆高值化综合利用与农村人居环境改善的有机结合；切实加强秸秆禁烧管控，在重点区域建立网格化监管制度，严防因秸秆露天焚烧造成区域性重污染天气，从而强化秸杆综合利用和禁烧管控。四是通过合理应用地膜覆盖技术，降低地膜覆盖依赖度，严禁生产和使用未达到新国家标准的地膜，从源头上保障地膜减量和可回收利用；推进地膜捡拾机械化，推动废旧地膜回收加工再利用；开展全生物可降解地膜研发和试验示范工作；加强农用化学包装废弃物回收处理，从而加强地膜等废弃物处理利用。

针对长江流域养殖污染治理，推广种养结合、以用促治方式，采用经济适用的肥料化、能源化处理工艺技术促进畜禽粪污资源化利用，鼓励渔业养殖尾水循环利用。以规模化畜禽养殖场为重点，探索完善运行机制，开展畜禽粪污资源化利用，促进种养结合农牧循环发展，实现到 2025 年全国畜禽粪污综合利用率达到 80%以上的目标。在长江经济带有条件的地区开展渔业养殖尾水的资源化利用，以池塘养殖为重点，开展渔业养殖尾水治理，实现循环利用、达标排放。

长江流域农业面源污染防治政策相关文件整理如表 2-5 所示。

表 2-5　长江流域农业面源污染防治政策文件

时间	文件标题	长江流域农业面源污染防治重点
2018.10.26	《关于加快推进长江经济带农业面源污染治理的指导意见》	加强农村生活污水排放监管，严格控制畜禽养殖污染，开展农业农村面源污染全覆盖、“拉网式”治理

续表

时间	文件标题	长江流域农业面源污染防治重点
2018.11.6	《农业农村污染治理攻坚战行动计划》	加强农村饮用水水源保护，加快推进农村生活垃圾污水治理，着力解决养殖业污染，有效防控种植业污染，提升农业农村环境监管能力
2020.12.26	《中华人民共和国长江保护法》	加强长江流域农业面源污染防治，科学使用农业投入品，减少化肥、农药施用，推广有机肥使用，科学处置农用薄膜、农作物秸秆等农业废弃物
2021.1.4	《关于推进污水资源化利用的指导意见》	稳妥推进农业农村污水资源化利用，实施农业农村污水以用促治工程
2021.3.20	《农业面源污染治理与监督指导实施方案(试行)》	加快建设试点地区农业面源污染监测网络，加强农业面源污染长期观测，建立农业面源污染调查监测体系
2021.11.2	《关于深入打好污染防治攻坚战的意见》	长江流域开展农业面源污染防治试点，着力突破面源污染防治瓶颈
2022.1.4	《关于做好2022年全面推进乡村振兴重点工作的意见》	加强农业面源污染综合治理，深入推进农业投入品减量化，加强畜禽粪污资源化利用，推进农膜科学使用回收，支持秸秆综合利用
2022.1.19	《农业农村污染治理攻坚战行动方案(2021—2025年)》	以长江经济带等为重点区域，加快推进农村生活污水垃圾治理，开展农村黑臭水体整治，实施化肥农药减量增效行动，深入实施农膜回收行动，加强养殖业污染防治等

2.1.5 大气污染防治——蓝天保卫战

(1) 挥发性有机物(VOCs)防治攻坚战

VOCs治理攻坚是打赢蓝天保卫战收官的重要任务，应加强组织实施，监测、执法、人员、资金保障等重点向VOCs治理攻坚行动倾斜，加强与相关部门、行业协会等协调配合，形成工作合力。进行钢铁行业超低排放改造和水泥、焦化、玻璃等行业深度治理，强化机动车污染管控，深入开展VOCs综合治理和源头替代；深入实施清洁柴油车(机)行动，淘汰国Ⅲ及以下排放标准汽车，推动氢燃料电池汽车示范应用，有序推广清洁能源汽车；进一步推进大中城市公共交通、公务用车电动化进程；不断提高船舶靠港岸电使用率；实施更加严格的车用汽油质量标准；加快大宗货物和中长途货物运输"公转铁""公转水"，大力发展公铁、铁水等多式联运。

(2) 细颗粒物($PM_{2.5}$)与臭氧(O_3)协同控制

针对秋冬季$PM_{2.5}$污染，加大重点区域、重点行业结构调整和污染治理力度，持续开展秋冬季大气污染综合治理专项行动。加强秸秆禁烧管控和采暖燃煤污染治理；加强兵地协作，钢铁、有色金属、化工等行业参照重点区域执行重污染天气应急减排措施，构建省市县三级重污染天气应急预案体系，实施重点行业企业绩效分级管理，依法严厉打击不落实应急减排措施行为；实施煤电机组和粗钢产能超低排放改造以及清洁取暖改造。

针对夏秋季臭氧污染，积极开展消耗臭氧层物质（ODS）专项执法行动，规范涉 CFC－11 等 ODS 单位的监督检测。VOCs 是形成臭氧的重要前体物，加强 VOCs 治理是现阶段控制臭氧污染的有效途径。以石化、化工、涂装、医药、包装印刷、油品储运销等行业领域为重点，安全高效推进挥发性有机物综合治理，实施原辅材料和产品源头替代工程；完善挥发性有机物产品标准体系，建立低挥发性有机物含量产品标识制度；完善挥发性有机物监测技术和排放量计算方法，在相关条件成熟后，研究适时将挥发性有机物纳入环境保护税征收范围；推进钢铁、水泥、焦化行业企业超低排放改造，重点区域钢铁、燃煤机组、燃煤锅炉实现超低排放；开展涉气产业集群排查及分类治理，推进企业升级改造和区域环境综合整治。

（3）二氧化硫（SO_2）、氮氧化物（NO_x）等其他气体防治

针对二氧化硫防治，推进工业炉窑大气污染综合治理，玻璃行业全面禁止掺烧高硫石油焦，焦炉煤气实施精脱硫，实行燃料清洁低硫化、低碳化替代。针对氮氧化物防治，推进燃气锅炉低氮改造、生物质锅炉安装烟气排放自动监控设施，高炉热风炉、轧钢热处理炉采用低氮燃烧技术，鼓励实施烧结机头烟气循环，主要城市控制汽车保有量，逐步减少氮氧化物排放；针对二氧化碳防治，强化秸秆综合利用和禁烧管控。

长江流域大气污染防治政策相关文件整理如表 2-6 所示。

表 2-6　长江流域大气污染防治政策文件

时间	文件标题	长江流域大气污染治理重点
2018.6.27	《打赢蓝天保卫战三年行动计划》	大力调整优化产业结构，强化区域联防联控，狠抓秋冬季污染治理，整治重点区域二氧化硫、氮氧化物、颗粒物、挥发性有机物的排放
2019.6.26	《重点行业挥发性有机物综合治理方案》	长三角地区大力推进源头替代，明确了石化、化工、工业涂装、包装印刷、油品储运销等重点行业 VOCs 治理任务
2019.7.1	《挥发性有机物无组织排放控制标准（GB 37822—2019）》	加强对 VOCs 无组织排放的控制和管理
2019.11.4	《长三角地区 2019—2020 年秋冬季大气污染综合治理攻坚行动方案》	加强区域大气污染联防联控，落实化工、钢铁等产业结构调整，严防“散乱污”企业反弹，实施公转铁、铁水联运等多式联运项目

续表

时间	文件标题	长江流域大气污染治理重点
2019.12.30	《消耗臭氧层物质监管指南(试行)》	规范涉 CFC－11 等 ODS 单位的监督检测
2020.6.23	《2020 年挥发性有机物治理攻坚方案》	加强组织实施监测、执法、人员、资金保障等重点向 VOCs 治理攻坚行动倾斜
2020.8.27	《生活垃圾焚烧飞灰污染控制技术规范(试行)》	明确生活垃圾焚烧飞灰收集、贮存、运输、处理和处置过程的污染控制技术
2021.11.2	《关于深入打好污染防治攻坚战的意见》	深入打好蓝天保卫战,加强重污染天气消除、臭氧污染防治、柴油货车污染治理、大气面源和噪声污染治理

2.1.6 生态系统管护——生态环境保护督察

(1) 划定生态保护红线

贯彻“山水林田湖草是生命共同体”理念,坚持保护优先、自然恢复为主的原则,统筹水陆,统筹上中下游,划定并严守生态保护红线,系统开展重点区域生态保护和修复工作,加强水生生物及特有鱼类的保护,防范外来有害生物入侵,增强水源涵养、水土保持等生态系统服务功能。2019 年 11 月,中共中央办公厅、国务院办公厅印发了《关于在国土空间规划中统筹划定落实三条控制线的指导意见》,落实最严格的生态环境保护制度、耕地保护制度和节约用地制度,将三条控制线作为调整经济结构、规划产业发展、推进城镇化不可逾越的红线。《长江保护法》落实中央文件精神,划定生态保护红线、永久基本农田、城镇开发边界作为长江经济带国土空间规划的核心内容。2018 年 2 月,国务院批准了长江经济带生态保护红线划定方案,包括水源涵养、生物多样性维护、水土保持、水土流失控制、石漠化控制和海岸生态稳定等 6 大类 144 个片区,构成了“三区十二带”为主的生态保护红线空间格局。其中,“三区”为川滇森林区、武陵山区和浙闽赣皖山区,“十二带”为秦巴山地带、大别山地带、若尔盖草原湿地带、罗霄山地带、江苏西部丘陵山地带、湘赣南岭山地带、乌蒙山—苗岭山地带、西南喀斯特地带、滇南热带雨林带、川滇干热河谷带、大娄山地带和沿海生态带。生态红线划定主要依据国家生态功能区划成果,针对长江经济带涉及的 11 个省(市),而不是依据流域分水岭划分的。“三区十二带”中除了川滇干热河谷带是河流带,沿海生态带是海岸线带外,其他都是山地森林区。根据国家生态文明建设的要求和美丽长江发展趋势,长江流域的生态环境保护红线除国家划分的“三区十二带”外,还包括国家级自然保护区、国际重要湿地、重要水源地、世界自然和文化遗产及风景名胜等。

(2) 自然保护地强化监督

2017年以来，生态环境部研究构建“53111”生态保护监管体系，开展2015—2020年全国生态状况调查评估，印发《关于加强生态保护监管工作的意见》和《自然保护地生态环境监管工作暂行办法》。2018年，结合长江流域生态保护红线划定，在水生生物重要栖息地和关键生境建立自然保护区、水产种质资源保护区或其他保护地，实行严格的保护和管理。2019年6月，国务院提出建成中国特色的以国家公园为主体的自然保护地体系，完善自然保护地体系的法律法规、管理和监督制度，提升自然生态空间承载力。建立自然保护地生态环境监管制度，联合相关部门持续开展“绿盾”自然保护地强化监督行动。因此，2020年以长江自然保护区监督检查专项行动和“绿盾2020”专项行动为抓手，长江流域各省(市)联合自然保护地相关主管部门开展了各项监督检查工作。

严肃查处各类生态破坏行为，以长江干流、主要支流和重点湖库的各级自然保护地为对象，以卫星遥感监测作为发现问题的主要手段，全面排查自然保护地中存在的对长江生态环境影响较大的开发建设活动。2021年，为全面加强生态环境保护的决策部署，生态环境部、交通运输部等多部门下发文件，要求各地联合组织开展“绿盾2021”行动，同时采取多种方式拓宽融资渠道，鼓励、引导和吸引政府与社会资本合作(PPP)参与长江生态环境保护修复。持续开展退耕还林还草还湿、天然林资源保护、河湖与湿地保护恢复、矿山生态修复、森林质量精准提升、长江防护林体系建设、野生动植物保护及自然保护区建设等生态保护修复工程。

(3) 生态环境督察执法

根据《中共中央 国务院关于全面加强生态环境保护 坚决打好污染防治攻坚战的意见》《中华人民共和国环境保护法》等，中共中央办公厅、国务院办公厅在2019年6月印发实施《中央生态环境保护督察工作规定》。该规定用以规范生态环境保护督察工作，压实生态环境保护责任。2020年，开展第二轮第二批中央生态环保督察，分别对3个省(市)、2家中央企业开展督察，并对2个部门开展督察试点。截至2024年4月，全国有31个省(区、市)和新疆生产建设兵团设立省级督察机构。

中央生态环境保护督察组进驻长江流域各省(市)进行环境督察工作。制作完成2020年长江经济带生态环境警示片，梳理169个问题清单；2018年和2019年警示片披露的315个问题已完成整改283个。督察旨在了解中共中央、国务院有关重大战略部署的贯彻落实情况；了解长江流域重大生态破坏、环境污染、生态环境风险，实地检查问题整改落实情况；了解人民群众反映突出的生态环境问题，以及生态环境保护思想的认识和责任落实情况，党政同责、一岗双责落实情况等。

长江流域生态管护政策文件整理如表 2-7 所示。

表 2-7　长江流域生态管护政策文件

时间	文件标题	长江流域生态管护重点
2018.12.31	《长江保护修复攻坚战行动计划》	以改善长江生态环境质量为核心，以长江干流、主要支流及重点湖库为突破口，统筹山水林田湖草系统治理
2020.12.24	《关于加强生态保护监管工作的意见》	积极推进生态保护红线监管、持续加强自然保护地监管，聚焦长江经济带等国家发展战略区域涉及的生物多样性保护优先区域
2021.11.2	《中共中央 国务院关于深入打好污染防治攻坚战的意见》	开展工业园区污染治理、“三磷”行业整治等专项行动，强化水环境综合治理等
2021.11.19	《关于实施“三线一单”生态环境分区管控的指导意见(试行)》	实施“三线一单”(生态保护红线、环境质量底线、资源利用上线和生态环境准入清单)生态环境分区管控制度

2.2　长江流域生态环境保护的成效

2.2.1　生态系统修复成效

(1) 生态保护红线评估优化

目前，全国生态保护红线划定工作全面完成，全国划定生态保护红线面积不低于 315 万平方千米。2019 年，中国“划定生态保护红线，减缓和适应气候变化”行动倡议，入选联合国“基于自然的解决方案”全球 15 个精品案例。2020 年，“生态保护红线——中国生物多样性保护的制度创新”案例入选联合国“生物多样性 100＋全球典型案例”中的特别推荐案例。

国务院批准长江经济带生态保护红线划定方案后，包括水源涵养、生物多样性维护、水土保持、水土流失控制、石漠化控制和海岸生态稳定等 6 大类 144 个片区，构成了“三区十二带”为主的生态保护红线空间格局。生态环境部已指导支持长江流域 11 个省(市)完成生态保护红线划定，共划定生态保护红线面积 52 万平方千米，占长江经济带国土面积的 24%；指导 11 个省(市)完成

“三线一单”编制，基本建成“三线一单”数据共享系统。

(2) 生态环保督查执法的成效

目前，全国31个省(区、市)和新疆生产建设兵团均已设立省级督察机构。自2018年起，生态环境部已制作完成6部长江经济带生态环境警示片，梳理了一系列生态环境问题，并组织、督导相关省(市)针对问题清单进行整改。截至2020年，全国494家垃圾焚烧发电厂全部完成“装、树、联”并公开自动监测数据，率先实现全行业稳定达标排放。全面推行“双随机、一公开”，开展执法检查58.74万家次。全国下达环境行政处罚决定书12.61万份，罚没款数额总计82.36亿元。推动印发《综合行政执法制式服装和标志管理办法》。全面实施举报奖励制度。组织开展2020年全国生态环境保护执法大练兵。成立生态环境部信访投诉举报工作领导小组，整合投诉举报管理机构，2020年共为各类专项行动转交提供线索近20万条。

2017年以来，生态环境部联合相关部门持续开展“绿盾”自然保护地强化监督。其中，2019—2020年，组织开展长江经济带各级各类自然保护地内采矿(石)、采砂、设立码头、开办工矿企业、挤占河(湖)岸、侵占湿地以及核心区内旅游开发和水电开发等八类焦点问题的实地核查、联合巡查，发现国家级自然保护区八类重点问题2 547个，整改完成2 315个。截至2020年底，国家级自然保护区内的5 503个重点问题点位，已整改完成5 038个，整改完成率为92%，较2019年底提高了21个百分点；长江经济带11个省(市)国家级自然保护区的1 388个重点问题点位，已整改完成1 217个，整改完成率为87.7%，较2019年底有明显提升。“绿盾”自然保护地强化监督工作的开展，有效遏制了长江经济带自然保护地受侵占破坏的趋势，长江流域自然保护地生态环境得到有效保护恢复。下一步，将持续开展“绿盾”自然保护地强化监督工作，严厉打击涉及长江岸线的自然保护地违法违规行为，督促问题整改落实。

(3) 长江生物多样性及禁渔的成效

2016年以来，生态环境部相继组织在长江干流、重要支流及洞庭湖、鄱阳湖开展鱼类、底栖动物、浮游生物及着生藻类的调查评估工作，为长江“十年禁渔”和生物多样性保护成效评估提供了基线数据。同时，生态环境部会同农业农村部、水利部制定了《重点流域水生生物多样性保护方案》，文件明确提出开展长江流域水生生物多样性调查与观测网络建设等水生生物多样性保护任务，重点保护长丝裂腹鱼、黄石爬鮡等高原冷水鱼类和长江江豚、中华鲟、达氏鲟、胭脂鱼等鱼类及其栖息地；下一步，继续推进长江流域水生生物多样性调查与观测网络建设，开展长江中游干流(宜宾至鄱阳湖口段)水生生物调查与评估。

2021 年 1—11 月，长江流域 19 个省(市)共接到举报电话 758 个，共出动渔政执法人员 158.3 万人次、执法船艇 14.5 万艘次，清理“三无”涉渔船舶 8 840 艘，清理违规网具 26.2 万顶，查办案件 1.2 万起，查获涉案船舶 1 618 艘，查获涉案人员 1.2 万人，司法移送 2 355 人。同时，随着长江禁捕退捕系列宣传片《十年禁渔看长江》的持续宣传，“水上不捕、市场不卖、餐馆不做、群众不吃”的十年禁渔理念深入人心。

率先实施全面禁捕的长江上游一级支流赤水河，现在鱼类资源明显恢复，生物多样性水平逐步提升，特有鱼类种类数由禁捕前的 32 种上升至 37 种，资源量达到禁捕前的 1.95 倍。鄱阳湖、洞庭湖、湖北宜昌和长江中下游江段江豚群体出现的频率明显增加，20 年未见的鲟鱼在洞庭湖被重新监测到，刀鱼现在能够上溯至长江中游和鄱阳湖。多个迹象表明，禁捕一年后，长江水生生物资源状况逐步好转，长江禁捕效果初步显现。

(4) 生态补偿机制完善

首先是国家层面对长江流域生态补偿的政策制定。中央及国家部委陆续出台了关于长江流域生态补偿的国家层面政策，从《中央财政促进长江经济带生态保护修复奖励政策实施方案》到《关于建立健全长江经济带生态补偿与保护长效机制的指导意见》等，对长江流域的生态补偿建设起到了指导作用。

其次是跨省区域生态补偿。长江流域多个省(市)进行了跨省生态补偿探索，并且取得了良好的成效，也积累了一定的跨区域生态补偿经验。全国首个跨省流域生态补偿机制是由安徽、浙江两省推进的新安江流域上下游横向生态补偿。此外，湖南、湖北、江西、安徽四省省会城市共同着力建设生态补偿长效机制；四川、云南、贵州三省推进赤水河流域横向生态保护补偿；湖南、重庆两省(市)推进酉水河流域省际横向生态保护补偿。

最后是省级范围内的横向生态补偿。一个省(市)内的生态补偿活动更容易推进和协调。长江流域生态补偿典型省(市)(如重庆、四川、湖北、江西、贵州等)已经制定了省(市)内流域横向生态补偿机制，各个省(市)的生态补偿对当地的生态建设起到重要作用。

长江流域已经初步建立起以政府为主导的中央和地方两个层次的生态补偿机制雏形。2019 年中央对长江经济带重点生态功能区转移支付资金达 295.58 亿元，比 2015 年增长近 100 亿元，占全年中央对地方重点生态功能区转移支付总额的 41%。就地方而言，长江流域各省(市)初步建立了以重要生态资源为保护对象、以一般性和专项财政投入为主要形式的补偿体系；区域之间也开展了横向生态补偿机制的试点工作，生态补偿跨区域合作不断深入和完善。

2.2.2 环境质量改善成效

（1）碧水保卫战

2018 年 12 月，生态环境部、国家发展改革委联合印发《长江保护修复攻坚战行动计划》，明确了长江需要着力解决的突出生态环境问题，提出了重点任务的路线图和时间表。《长江保护修复攻坚战行动计划》实施以来，有关部门和沿江各级人民政府组织开展了劣Ⅴ类国控断面整治、入河排污口排查整治、工业园区污染治理、黑臭水体整治、"三磷"排查整治等一系列专项行动，分省（市）制定工作落实方案，实施清单管理，推动解决了一大批"老、大、难"环境问题，长江水生态环境呈现逐年改善、持续向好的态势。2019 年，实地排查长江干流及 9 条主要支流岸线 2.4 万余千米，共查出入河排污口 60 292 个，约为之前掌握数量的 30 倍；1 474 个县级及以上集中式饮用水水源地的 3 161 个问题全部完成整治；110 个地级及以上城市共确定黑臭水体 1 372 个；长江经济带省级及以上工业园区建成 6 万余千米污水管网，实现污水集中处理设施建设；长江经济带 11 个省（市）281 家"三磷"企业（矿、库），均已完成问题整治。2020 年，长江流域水质优良（Ⅰ至Ⅲ类）断面比例为 96.7%，高于全国平均水平 13.3 个百分点，较 2019 年提高了 5 个百分点，干流首次全线达到Ⅱ类水质，国控断面实现全部消劣。2020 年长江流域水质状况如表 2-8 所示。

表 2-8　2020 年长江流域水质状况及年际比较

水体	断面数/个	比例/%						较 2019 年变化/%					
		Ⅰ类	Ⅱ类	Ⅲ类	Ⅳ类	Ⅴ类	劣Ⅴ类	Ⅰ类	Ⅱ类	Ⅲ类	Ⅳ类	Ⅴ类	劣Ⅴ类
流域	510	8.2	67.8	20.6	2.9	0.4	0.0	4.9	0.8	−0.8	−3.8	−0.6	−0.6
干流	59	10.2	89.8	0.0	0.0	0.0	0.0	3.4	−1.7	−1.7	0.0	0.0	0.0
主要支流	451	8.0	65	23.3	3.3	0.4	0.0	5.1	1.2	−0.7	−4.3	−0.7	−0.7
省界断面	60	8.3	78.3	13.3	0.0	0.0	0.0	5.0	−3.4	0.0	−1.7	0.0	0.0

注：表中数据均四舍五入，取约数。

（2）蓝天保卫战

自《打赢蓝天保卫战三年行动计划》和《长江保护修复攻坚战行动计划》印发实施以来，长江流域开展了重污染天气消除攻坚战、臭氧污染防治攻坚战、柴油货车污染治理攻坚战、大气面源和噪声污染治理等行动，重污染天数和大气污染物排放量有所减少，环境空气质量持续改善。2020 年，长江经济带废气中二氧化硫、氮氧化物、颗粒物排放量分别是 116.48 万吨、374.18 万吨、172.19 万吨，相较于 2019 年，分别下降了 34.9%、13.7%、52.9%，大气污染物治理效果显著。2020 年长江经济带 11 个省（市）废气中主要污染物排放量如表 2-9 所示。

表 2-9 2020 年长江经济带各省（市）废气中主要污染物排放量

地区	二氧化硫/万吨	较 2019 年变化/%	氮氧化物/万吨	较 2019 年变化/%	颗粒物/万吨	较 2019 年变化/%
上海市	0.54	−28.0	15.98	5.4	1.05	−31.8
江苏省	11.26	−60.4	48.50	−44.6	16.01	−60.8
浙江省	5.15	−33.8	38.73	1.8	8.60	−64.3
安徽省	10.86	−28.1	46.43	−19.0	12.99	−76.8
江西省	10.25	−54.9	28.33	−30.4	14.52	−63.7
湖北省	9.72	−16.8	49.80	39.8	18.91	−40.7
湖南省	10.24	−46.5	27.33	−26.3	21.46	−57.1
重庆市	6.75	−10.0	16.70	−4.7	8.47	−46.1
四川省	16.31	−13.3	40.45	−16.4	22.40	−35.2
贵州省	17.74	−24.1	27.49	18.7	18.21	−3.8
云南省	17.66	−25.1	34.44	4.7	29.57	−43.4
长江经济带	116.48	−34.9	374.18	−13.7	172.19	−52.9

2020 年长三角地区 41 个城市空气质量优良天数比例范围为 70.2%～99.7%，平均为 85.2%，比 2019 年上升 8.7 个百分点。其中，34 个城市空气质量优良天数比例在 80%～100%之间，7 个城市空气质量优良天数比例在 50%～80%之间。平均超标天数比例为 14.8%，其中，轻度污染占 12.3%，中度污染占 2.0%，重度污染占 0.5%，重度及以上污染天数比例同比下降 0.1 个百分点。以臭氧、$PM_{2.5}$、PM_{10} 和二氧化氮为首要污染物的超标天数分别占总超标天数的 50.7%、45.1%、2.9%和 1.4%，未出现以二氧化硫和一氧化碳为首要污染物的超标天。2020 年长三角地区六项污染物浓度如表 2-10 所示。

表 2-10 2020 年长三角地区六项污染物浓度及年际比较

地区	指标	浓度单位	浓度	较 2019 年变化/%
长三角地区	$PM_{2.5}$	微克/立方米	35	−14.6
	PM_{10}	微克/立方米	56	−13.8

续表

地区	指标	浓度单位	浓度	较2019年变化/%
长三角地区	臭氧	微克/立方米	152	−7.3
	二氧化硫	微克/立方米	7	−22.2
	二氧化氮	微克/立方米	29	−9.4
	一氧化碳	毫克/立方米	1.1	−8.3

（3）净土保卫战

在《土壤污染防治行动计划》和《长江保护修复攻坚战行动计划》指导下，长江流域净土保卫战稳步推进。一是积极配合全国人大常委会顺利完成《中华人民共和国土壤污染防治法》的执法检查和专题询问，重点行业企业土壤污染状况调查完成全部地块的初步采样调查工作，土壤污染状况详查结果显示，全国农用地土壤环境状况总体稳定，影响农用地土壤环境质量的主要污染物是重金属，其中镉为首要污染物。推进土壤污染治理与修复技术应用试点项目和土壤污染综合防治先行区建设，已完成《土壤污染防治行动计划》确定的“到2020年，受污染耕地安全利用率达到90%左右，污染地块安全利用率达到90%以上”的目标。二是长江经济带中的重庆市主城区、浙江省绍兴市、江苏省徐州市和青海省西宁市开展的深化“无废城市”建设试点工作，取得了较好成效，并在全国范围内形成了一批可复制可推广的示范模式。三是实现固体废物零进口目标，“洋垃圾”被彻底挡在国门之外。生态环境部与公安部、最高人民检察院联合严厉打击危险废物环境违法犯罪行为，组织开展危险废物专项排查整治行动，共排查4.7万家企业和200余个化工园区，基本完成长江经济带重点尾矿库污染治理，超额完成重点行业、重点重金属污染物下降10%的目标任务。2020年长江经济带危险废物产生量为2 642.86万吨，利用处置量为3 519.33万吨，是全国危险废物利用处理总量的43.6%，与2017年相比增加30.7%。2020年长江经济带危险废物处理利用情况及年际比较如表2-11所示。

表2-11　2020年长江经济带危险废物处理利用情况及年际比较

地区	危险废物产生量/万吨	较2017年变化/%	危险废物利用处置量/万吨	较2017年变化/%	危险废物年末贮存量/万吨	较2017年变化/%
上海	131.91	17.3	133.41	20.1	1.29	−62.8
江苏	522.05	−1.9	607.04	21.1	12.18	−89.8

续表

地区	危险废物产生量/万吨	较2017年变化/%	危险废物利用处置量/万吨	较2017年变化/%	危险废物年末贮存量/万吨	较2017年变化/%
浙江	444.79	13.7	464.49	24.8	9.74	−89.9
安徽	168.02	19.8	170.77	21.6	11.40	15.4
江西	147.66	0.8	178.97	32.0	30.92	−69.4
湖北	122.17	13.8	123.92	15.2	7.36	−35.5
湖南	218.63	−65.3	275.74	−56.4	27.58	−56.2
重庆	83.53	22.8	102.64	52.1	10.37	219.1
四川	456.89	48.5	458.56	54.4	49.66	65.1
贵州	57.05	15.0	74.45	49.0	2.91	−65.1
云南	290.16	−12.3	929.34	236.0	26.88	−96.1
长江经济带	2 642.86	−6.1	3 519.33	30.7	190.29	−83.1

注:因数据四舍五入,计算结果有微小偏差。

2.2.3 资源利用效率提升成效

(1) 水资源利用效率提升成效

2021年1月,国家发展改革委与其他部门联合印发《关于推进污水资源化利用的指导意见》,着力推进重点领域污水资源化利用,积极推动工业废水资源化利用。总的来看,长江经济带水资源利用效率得到较大程度的提升。2020年长江经济带万元国内生产总值用水量为54.4立方米,与2019年相比下降5.6立方米,是全国平均水平的95%。其中,上海、浙江、重庆万元国内生产总值用水量分别为25.2立方米、25.4立方米、28.0立方米,远低于全国平均水平。2020年长江经济带各省(市)万元国内生产总值用水量如表2-12所示。

表2-12 2020年长江经济带各省(市)万元国内生产总值用水量

地区	万元国内生产总值用水量/立方米
上海	25.2
江苏	55.7
浙江	25.4
安徽	69.4
江西	95.0

续表

地区	万元国内生产总值用水量/立方米
湖北	64.2
湖南	73.0
重庆	28.0
四川	48.7
贵州	50.5
云南	63.6
长江经济带	54.4

工业用水效率有所提升。2020 年长江经济带万元工业增加值用水量为 43.5 立方米，与 2019 年相比下降 9.8 立方米，是全国平均水平的 76%。其中，浙江万元工业增加值用水量最低，为 15.8 立方米，远低于全国平均水平；安徽、江苏和上海万元工业增加值用水量较为突出，均高于长江经济带平均水平，工业用水效率有待进一步提升。2020 年长江经济带各省（市）万元工业增加值用水量如表 2-13 所示。

表 2-13　2020 年长江经济带各省（市）万元工业增加值用水量

地区	万元工业增加值用水量/立方米
上海	60.0
江苏	62.8
浙江	15.8
安徽	68.9
江西	56.3
湖北	54.5
湖南	46.9
重庆	24.5
四川	17.5
贵州	40.5
云南	30.3
长江经济带	43.5

《关于推进污水资源化利用的指导意见》指出要稳妥推进农业农村污水资源化利用，实施农业农村污水以用促治工程，逐步建设完善农业污水收集处理再利用设施，处理达标后实现就近灌溉回用。在长江经济带、京津冀、珠三角

等有条件的地区开展渔业养殖尾水的资源化利用，以池塘养殖为重点，开展水产养殖尾水治理，实现循环利用、达标排放。总体上，长江经济带各省(市)农业灌溉水利用效率有所提升。2020 年长江经济带农业灌溉水有效利用系数为 0.551，与 2019 年相比提高 0.005，是全国平均水平的 97.5%。其中，上海农业灌溉水有效利用系数最高，为 0.738，远高于长江经济带其他省(市)水平。2020 年长江经济带各省(市)农业灌溉水有效利用系数如表 2-14 所示。

表 2-14 2020 年长江经济带各省(市)农业灌溉水有效利用系数

地区	农业灌溉水有效利用系数
上海	0.738
江苏	0.616
浙江	0.602
安徽	0.551
江西	0.515
湖北	0.528
湖南	0.541
重庆	0.504
四川	0.484
贵州	0.486
云南	0.492
长江经济带	0.551

(2) 土地资源利用效率提升成效

2020 年，长江经济带农业土地出产率为 4.36 万元/公顷，较 2019 年增长了 0.25 万元/公顷，高出全国平均农业土地出产率 0.08 万元/公顷，并尚有提高的潜力。其中，浙江农业土地出产率较突出，高达 7.91 万元/公顷；安徽和江西农业土地出产率分别为 2.86 万元/公顷、2.99 万元/公顷，均低于长江经济带平均水准。2020 年长江经济带各省(市)农业土地出产率如表 2-15 所示。

表 2-15 2020 年长江经济带各省(市)农业土地出产率

地区	农业土地出产率(万元/公顷)
上海	5.41
江苏	5.49
浙江	7.91

续表

地区	农业土地出产率(万元/公顷)
安徽	2.86
江西	2.99
湖北	4.38
湖南	4.01
重庆	4.73
四川	4.77
贵州	5.08
云南	4.15
长江经济带	4.36

(3) 能源资源利用效率提升成效

长江流域是我国重要的粮油、畜禽和水产品等主产区,也是经济和人口相对集中、河流水系比较发达的区域。近年来,长江经济带各省(市)不断加强农业面源污染治理工作,取得了一定成效。2020年,长江经济带各省(市)污水排放量较2019年比例有所下降,但由于资源开发强度大、生产经营方式不合理、历史欠账多,农业面源污染仍是长江水体污染的重要来源之一。2020年,长江经济带一般工业固体废物产生量占全国的27%以上,较2019年有所下降,与此同时,2020年长江经济带一般工业固体废物平均综合利用率为66.08%,远高于全国平均水平。长江是经济带沿江省(市)的重要饮用水源,水体中的污染物不仅会污染生态环境,还会通过食物链危害人体健康,因此需要对经济带废物产生量进行调查分析以改善长江水质状况,促进流域社会、经济和环境的可持续协调发展。2020年长江经济带各省(市)一般工业固体废物产生量和综合利用率见表2-16。

表2-16　2020年长江经济带各省(市)一般工业固体废物产生量和综合利用率

地区	一般工业固体废物产生量/万吨	一般工业固体废物综合利用率/%
上海	1 809	94.09
江苏	11 870	91.54
浙江	4 591	99.02
安徽	14 012	85.83
江西	12 083	45.50

续表

地区	一般工业固体废物产生量/万吨	一般工业固体废物综合利用率/%
湖北	8 987	68.74
湖南	4 360	75.00
重庆	2 272	84.02
四川	14 903	37.95
贵州	9 516	69.46
云南	17 473	51.85
长江经济带	101 876	66.08

注:因数据四舍五入,计算结果有偏差。

在一般工业固体废物产生量方面,产生量最低的为上海,较为突出的是位于西部地区的四川和云南,其产生量分别是 14 903 万吨和 17 473 万吨,较长三角地区的江苏分别高出 25.56%和 47.20%。在综合利用率方面,长三角地区综合利用率较高,而江西、四川和云南均低于长江经济带平均水平。四川和云南地处长江上游,是重要的水源涵养地和生态屏障,如果固体废物处置不当,将会严重影响长江经济带的生态环境安全,因此两省迫切需要提高污染防治水平并加强风险防控工作。

2.2.4 总体成效

长江经济带生态环境系统深入贯彻习近平生态文明思想,认真落实党中央、国务院决策部署,统筹做好疫情防控、经济社会发展和生态环境保护工作,坚决打赢打好污染防治攻坚战,综合施策、精准施策,改进方式、把握节奏,协同推动经济高质量发展和生态环境高水平保护,取得了积极进展和明显成效。

生态修复成效显著。2017 年以来,生态环境部联合相关部门持续开展"绿盾"自然保护地强化监督,有效遏制了长江经济带自然保护地受侵占、被破坏的趋势,长江流域自然保护地生态环境得到有效保护恢复。同时,生态环境部会同农业农村部、水利部制定了《重点流域水生生物多样性保护方案》,明确提出开展长江流域水生生物多样性调查与观测网络建设等水生生物多样性保护任务,禁捕一年之后,长江水生生物资源状况逐步好转,生物多样性水平逐步提升,长江禁捕效果初步显现。

生态补偿机制不断完善。在中央及国家部委出台的《中央财政促进长江经济带生态保护修复奖励政策实施方案》和《关于建立健全长江经济带生态补偿与保护长效机制的指导意见》等文件指导下，长江流域已经初步建立起以政府为主导的中央和地方两个层次的生态补偿机制雏形。长江流域各省(市)初步建立了以重要生态资源为保护对象、以一般性和专项财政投入为主要形式的补偿体系；区域之间也开展了横向生态补偿机制的试点，生态补偿跨区域合作不断深入和完善。

碧水保卫战取得重要进展。2018 年 12 月，生态环境部、国家发展改革委联合印发《长江保护修复攻坚战行动计划》，明确了长江需要着力解决的突出生态环境问题，保好水、治差水，坚持长江经济带“共抓大保护、不搞大开发”。目前，已全面完成长江入河排污口排查，长江流域纳入消劣行动的国控断面均已消除劣Ⅴ类。目前，长江干流全部实现Ⅱ类及以上水质，长江水生态环境呈现逐年改善、持续向好的态势。

蓝天保卫战成效持续显现。蓝天保卫战是重中之重，自《打赢蓝天保卫战三年行动计划》和《长江保护修复攻坚战行动计划》印发实施以来，长江流域开展了重污染天气消除攻坚战、臭氧污染防治攻坚战、柴油货车污染治理攻坚战、大气面源和噪声污染治理等行动，重污染天数和大气污染物排放量有所减少，环境空气质量持续改善。

在《土壤污染防治行动计划》和《长江保护修复攻坚战行动计划》的指导下，长江流域净土保卫战扎实稳步推进，已实现固体废物零进口目标，“洋垃圾”被彻底挡在国门之外，这是生态文明建设的重要标志性成果。长江经济带中，重庆市主城区、浙江省绍兴市、江苏省徐州市和青海省西宁市开展的深化“无废城市”建设试点工作，取得了较好成效，并在全国范围内形成一批可复制、可推广的示范模式。生态环境部与公安部、最高人民检察院联合严厉打击危险废物环境违法犯罪行为，超额完成重点行业、重点重金属污染物下降 10％的目标任务，净土保卫战稳步扎实推进。

人民群众的幸福感和获得感大幅提升，长江经济带经济社会保持可持续健康发展，实现了在发展中保护、在保护中发展的目标。

03

第三章

长江流域生态健康评价的指标体系与方法

长江流域横跨我国东部、中部和西部三大经济区，流域总面积约 180 万平方千米，是世界第三大流域，流域内拥有 4 300 多种水生生物，是我国重要的水生生物种质资源宝库。长江流域生态健康状况对维系区域生态平衡、保障我国生态安全、促进人类生存发展具有重要意义。然而，伴随着拦河筑坝、江湖阻隔、水质污染等因素，长江流域生态功能退化，生物多样性维护功能下降，生态系统健康受到了严重威胁。为此，对长江流域开展健康评价成了亟待解决的难题。

要想维护长江流域生态健康，了解流域内生态环境状况及时空演变过程，就需要解决流域内的人地矛盾。开展科学有效的生态健康评价、分析不健康成因是针对性制定流域生态修复与保护方案的前提。合理筛选健康评价指标是进行流域生态健康评价的重要步骤，因此，本章重点围绕流域生态健康评价的指标体系与方法，进一步探究构建长江流域生态健康综合评价模型。

3.1 长江流域生态健康评价指标构建的原则

3.1.1 科学客观性原则

评估结果的客观、真实与评价指标选择的科学性有着直接的关系。流域生态健康评价是一个复杂的系统，涉及多个学科的交叉综合，其包含的知识理论十分广泛。指标体系的选取应建立在科学的基础上，能够充分反映长江流域生态系统健康的内在机制，指标概念需明确，测算方法应标准，统计计算方法应规范，具体指标应能度量和反映长江流域复杂的生态健康特征。

3.1.2 系统完备性原则

评价指标体系所选取的指标应是一个有机的整体，能够全面反映流域生态系统的自然社会和经济健康状态的各个方面。考虑长江流域的空间特征，指标选择应既包含自然指标又包含社会经济指标；同时，构建的指标体系还应尽可能包括生态系统的状态、压力、服务生态功能和管理等方面因素。

3.1.3 动态可比性原则

本研究将长江流域分为上游、中游与下游三段开展生态健康评价，为使得评价结果在时间序列与不同的河段之间具有一定的可比性，在各年份与各个河段采取统一评价体系的评价指标和方法。

3.1.4 可操作性原则

指标的选取应来源可靠，并易于从统计资料或者相关部门获得；指标应便于操作，可测量或者方便量化。此外，指标选取的空间、密度应适宜。若密度过大，一方面会造成工作量巨大，另一方面部分统计资料无法获取；若密度过小，则不能反映系统的空间差异。

3.2 长江流域生态健康影响因素和评价维度

3.2.1 社会经济因素

社会经济系统是流域复合生态系统的组成部分，因此，评价流域生态系统健康必须考虑社会经济范畴。社会经济的发展对长江流域生态环境的占有与破坏加剧，极大地影响了流域的生态健康。长江经济带面积约 205 万平方千米，占全国的 21%，人口和经济总量均超过全国的 40%。健康的流域生态系统必须满足流域社会经济可持续发展的要求。社会经济指标包括经济学指标，如人均 GDP、失业率等；社会指标，如人口密度、人均资源和能量消费等，用以评价社会经济对生态环境造成的压力。此外，社会经济范畴还包括流域内的主要经济活动、流域土地利用和分布、施肥及农业灌溉、流域保护、公众参与、环境意识、社会公共政策和相关法律等方面。

3.2.2 资源承载因素

资源承载因素是长江流域基本生存和发展的支撑因素，资源承载因素及其代表的资源承载能力决定了流域生态健康发展的基本生产资料。长江经济带拥有较为丰富的自然资源，其中具有生态环境价值的自然资源包括水资源、土地资源、林业资源和湿地资源。因此评价长江流域生态健康，在资源承载方面需要考虑水资源、土地资源、能源资源与生物资源等对流域生态健康起到基础作用的因素。

3.2.3 环境容量因素

环境容量是指在确保人类生存和发展不受危害、自然生态平衡不受破坏的前提下，某一环境所能容纳污染物的最大负荷值。随着社会经济的不断发展以及环境污染对长江流域生态的影响，在评价长江流域生态健康时需要考虑长江流域的环境容量因素。因此,需要将气象、水文、地质、植被等自然条件,以及生物种群特征、污染物处理等指标纳入考虑范围。

3.2.4 污染负荷因素

污染负荷是指某一环境所能容纳污染物的负荷值。长江生态环境污染主要表现在水污染、空气污染、固体废弃物污染、自然灾害等几个方面。随着社会经济的不断发展以及环境污染对长江流域生态的影响,在评价长江流域生态健康时需要考虑长江流域的污染负荷因素。因此,需要将水文与植被等自然条件,以及污染物处理投入等社会经济条件及其相关指标纳入考虑范围。

3.2.5 生态修复能力

充分发挥生态的修复能力能够大面积迅速恢复植被和改善生态系统,因此流域生态修复能力也是长江流域生态健康的重要影响因素。由于长江流域特殊的气候,大部分地区雨量充沛,水土流失问题严重。因此,流域生态的自我修复对流域生态健康评价十分重要,在对这方面进行评价时需要将自然保护区占比与水土流失修复面积等指标纳入考虑范围。

3.2.6 资源环境治理投入

资源环境治理投入与流域生态健康呈正相关关系,资源环境治理投入能够有效地预防流域生态的破坏,极大地提高流域的修复效率。2020 年以来,各项环保政策的相继出台以及环保专项债的加持,围绕长江生态环境治理的诸多板块随之释放出巨大的投资空间。仅就水环境治理板块而言,长江流域治理投资空间就超过 1 600 亿元。因此,在评价长江流域生态健康时需要将政府环保投入占比等因素纳入考虑范围。

3.3 长江流域生态健康评价指标体系

长江流域是包含多种生态系统的复杂综合体,由草地、林地、水域、人类活动地域等共同组成,其生态环境受全球变化和人类社会共同影响,流域的复杂性与动态性特征决定了对其进行生态健康评价研究是一项复杂的工作。因此,从流域实际情况出发,选取科学可行的方法构建流域生态健康评价指标体系,对流域生态保护和规划管理具有重要意义。

3.3.1 长江流域生态健康评价指标初选

流域生态健康研究由河流生态健康研究延伸而来，起源于19世纪末期欧洲各国对污染严重河流进行的水质评价。早期的河流生态健康研究主要从河流自身角度出发，评价重点主要聚焦于水质及周边的生态环境质量。伴随着研究的逐步深入，基于河流管理的视角，各研究学者表示健康的河流生态系统不但要维持生态系统的结构和功能，还应强调对人类的经济社会价值。伴随着研究尺度的拓宽，河流生态健康研究难以对流域生态系统的健康进行全面评价，各研究学者逐步对流域尺度展开探索。国内外早期的流域生态健康研究主要集中在水质、生境、河岸带质量、水生物、水文等环境质量状态方面，后续重点关注流域生态健康的综合评价，研究学者们亦对流域生态系统服务能力及可持续发展开启了深入研究。

自2005年开始，在长江水利委员会推出的“维护健康长江、促进人水和谐”治江方针指导下，各研究单位、科研人员针对长江开发与保护现状，围绕如何平衡开发与保护、如何评价流域健康等问题，提出了适合长江开发与保护特点的健康河流理论、健康长江评价体系及综合管理标准化体系，并开展了长江流域重点河湖健康评价。

长江水利委员会提出的长江健康指标体系的总目标层是维护长江健康、促进人水和谐，系统层包括生态环境保护系统、防洪安全保障系统和水资源开发利用系统，状态层是指在系统层下设置水土资源与水环境状况、河流完整性与稳定性、水生物多样性、蓄泄能力、服务能力5个状态层，指标层是指采用可以获得的定量指标或定性指标反映长江的健康状况。定量指标有河道生态需水量满足程度、水功能区水质达标率、水土流失比例、血吸虫病传播阻断率、天然湿地保留率、优良河势保持率、通航水深保证率、鱼类生物完整性指数、防洪工程措施完善率、防洪非工程措施完善率、水资源开发利用率、水能资源利用率12个定量指标，以及珍稀水生动物存活状况、水系连通性2个定性指标。可见，长江水利委员会认为长江健康指标体系除河流、河道健康外，还需包含流域面上的水土健康与生态健康，以及社会用水和防洪工程、非工程措施健康等。

然而，受限于技术手段与评价指标的数据采集难度，2005年长江健康指标体系更注重各河流本身的健康质量，评价指标以小尺度、微观层面为主，未能从流域生态环境、社会环境、生态系统功能、流域综合管理等宏观层面多角度出发，从而缺乏宏观大尺度下对长江流域的生态健康综合评价。与此同时，缺乏人类活动对流域生态健康影响的评价指标，难以准确评估人类活动对流域生态健康影响的风险，因此，评价结果难以全面反映长江流域整体的生态健康。

2013 年，原环境保护部（现生态环境部）发布《流域生态健康评估技术指南（试行）》（环办函〔2013〕320 号）。该指南表明其适用范围为县域以上尺度，面积小于等于 5 万平方千米的流域生态健康评估，其他尺度的流域生态健康评估可参照使用。长江流域是世界第三大流域，流域总面积约 180 万平方千米，是典型的大尺度流域。因此，本研究以《流域生态健康评估技术指南（试行）》为参考，以地理空间系统及遥感影像为基础，从宏观视角探究大尺度流域的生态健康情况。

流域生态健康具有三大特征，分别为：保持物理、化学和生物的结构完整性；生态功能发挥良好，包括自然生态功能和社会服务功能；人类活动对流域生态系统的威胁较小，流域生态系统在人类活动干扰下能够自我恢复。

因此，长江流域生态健康应满足“维持系统内部的稳定性和完整性、抵抗外界胁迫的弹性和自恢复能力、可持续地提供生态系统服务功能、利于人类经济社会发展”四个方面，如图 3-1 所示。

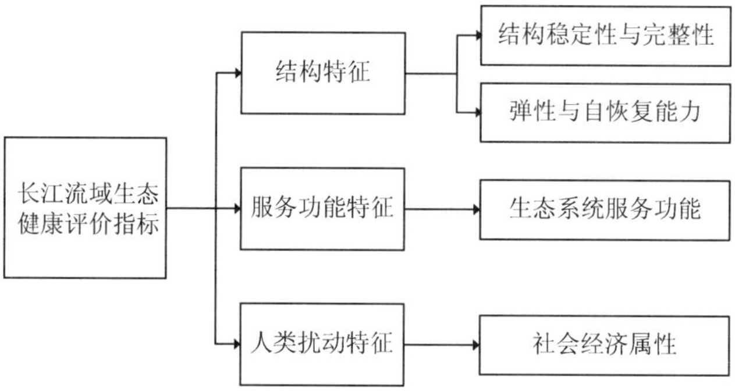

图 3-1　长江流域生态健康评价指标的理论框架

评价指标主要包括资源、环境指标及社会、经济指标，以常规的、易于获取的统计值或测量值指标为主，如水质达标率、人口密度等。关于生态指标，从不同的尺度考察，指标会存在很大的差异。基于层级系统原理，流域系统一般可划分为全流域、区域、景观、生态系统、群落、种群、个体、细胞、基因、分子等多个层次。

考虑到长江流域的研究范围大、涉及学科领域广、影响因素及评价指标偏多，依托大尺度研究范围和评价指标的可获取性，本书主要从景观层面和生态系统层面加以研究。其中，景观层面主要反映景观格局的异质性及其变化规律、斑块间的相互作用等。由于景观层面的变化往往取决于其下一层次(生态系统层次)各种扰动的集合,因此从景观层面开展长江流域生态健康评价更能体现健康影响的累积效应。此外,生态系统层面往往与流域内具体的开发项目具有一致的空间尺度,从该层面开展健康评价能直观反映人类活动对生态系统的影响。

同时,多数与流域相关的生态系统服务功能通常与水的特性有关,例如能量流动、物质循环、信息传递等功能。与河流生态系统不同,流域生态系统是流域内河流湖泊、土壤、湿地等子系统的集合体,其生态健康与各子系统息息相关。因此,查阅并梳理相关文献后,本研究对长江流域生态健康评价指标进行初选,筛选结果如表 3-1 所示。

表 3-1　长江流域生态健康评价指标初选

指标来源	指标内容	指标初选
资源	流域水文水资源	水位变化、年径流深差额、河道年崩岸长度、输沙模数、水资源开发利用率、水库建设累积指数、水文调节指数
	景观资源	净初级生产力(NPP)、归一化植被指数(NDVI)
环境	自然环境	降水量、温度、风速、自然灾害指数、面源污染强度
	流域水环境	水质达标率、水土流失率、水域面积率、植被覆盖率、土壤侵蚀指数、水温、盐度
生态	流域水生态	水生生物完整性指数、水生植物完整性指数、河流连通性、河流断流率、湿地保留率、生态需水量保证率
	景观生态格局	景观破碎度、景观均匀度、景观多样性、景观蔓延度、斑块结合度、散布与并列指数
	景观生态功能	生态系统弹性、生态系统服务价值
社会经济	人类干扰	人口密度、人均 GDP、万元 GDP 用水量、城镇化率、人类干扰指数
	流域管理的直接效益(防洪、供水、发电、灌溉、航运等)	供水保证率、防洪工程措施完善率、水电开发率、饮水安全保证率、通航水深保证率
	流域管理的环境保护举措	污水处理率、除涝率、水土流失治理率、自然保护区建设、流域政策管理

3.3.2　长江流域生态健康评价指标体系选择

在对长江流域生态健康进行评价时,首先要建立流域生态健康评价指标体系,以保证后续的评价工作可以顺利进行。当前,国内有关流域生态健康评价的研究仍处于初级探索阶段。常运用的指标体系有SENCE(社会-经济-自然复合生态系统)指标体系、PSR(压力-状态-响应)指标体系、DPSIR(驱动力-压力-状态-影响-响应)指标体系、生态足迹指标体系等。选定的指标也较为宽泛,不仅包括水环境质量、河流形态、水生生物和生态系统服务功能等方面,也涵盖了社会经济、人为干扰、环境物理化学特征等多个方面。

"压力-状态-响应"(Pressure-State-Response,简称PSR)模型最初是由加拿大统计学家David J. Rapport和Anthony Marcus Friend提出的,后来由经济合作与发展组织(Organization for Economic Co-operation and Development,简称OECD)和联合国环境规划署(United Nations Environment Programme,简称UNEP)于二十世纪八九十年代共同发展起来,用于研究环境问题。它提出了一种全新的评价模式,即评价对象的"压力-状态-响应"指标与参照标准相对比,这种模式受到了国内外很多学者的推崇,已被广泛地应用于水土资源、区域环境可持续发展、环境健康评价指标体系研究等多个领域。

"压力-状态-响应"模型以其独特的方式,表达了人与环境之间的相互作用关系(如图3-2所示),即人类为了自身的生存和发展需要从自然环境中获取必要的资源,在此过程中反作用于自然环境,从而改变了自然环境原本的状态与质量;受到人类活动影响而改变的自然环境又反过来对人类社会活动造成影响,进而影响到人类意识和行为的变化,使得人类对环境变化做出反应。如此一步又一步地循环,"压力-状态-响应"这一关系便得以在人与环境之间确立,从而回答了"发生了什么""为什么发生""将会如何发展"三个基本问题。

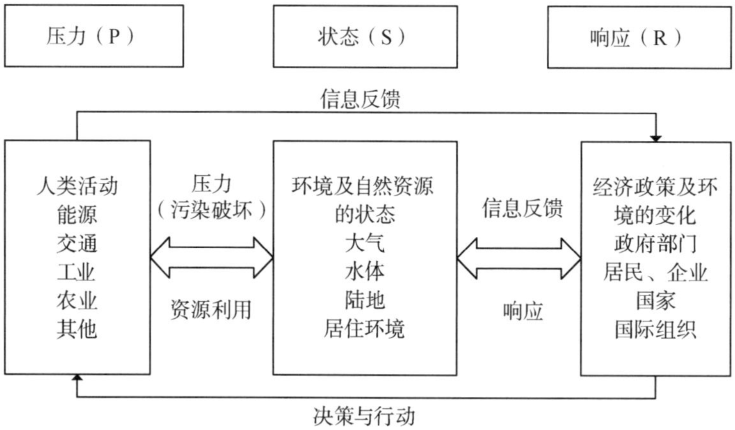

图3-2 "压力-状态-响应"模型

流域生态系统是以人类为主要要素的复合生态系统，作为“社会-经济-自然”复合生态系统，流域在人类社会与生态环境间扮演了重要角色。因此，健康的流域生态系统除了满足自身状态及相关禀赋外，还需充分展现生态格局、生态功能与生态压力。长江流域生态健康受多重维度的影响，伴随着长江大保护系列行动的开展，人类对长江流域的治理由“被动”转为“主动”，除遭受环境破坏引起的被动“响应”外，更多地向着主动治理的方向发展。因此，借鉴杨俊、张锋等学者的研究，在 DPSIR 模型的基础上加入“管理”维度，构成“驱动力-压力-状态-影响-响应-管理”(Driving-Pressure-State-Impact-Response-Management，简称 DPSIRM)模型。

DPSIRM 模型涵盖了生态系统受威胁的被动补救性措施与人类为提升生态系统安全性的主动修复治理措施，以对长江流域的生态健康进行全过程综合评价。同时，为充分囊括影响长江流域生态健康的评价指标，本研究在传统 DPSIRM 模型的基础上，结合“活力-组织-弹性-功能”理论，在“状态”部分引入生态系统服务功能评价指标。改进后的 DPSIRM 模型将扩充对长江流域生态健康状态的评价维度，除生态系统的物理化学状态和外部干扰以外，对生态系统服务功能也进行了良好评价，如图 3-3 所示。

长江流域生态健康评价涉及相当复杂的人与环境关系，中间的影响因素颇多。因此，以 DPSIRM 模型为基础，构建长江流域生态健康评价指标体系，具有一定的科学性与合理性。

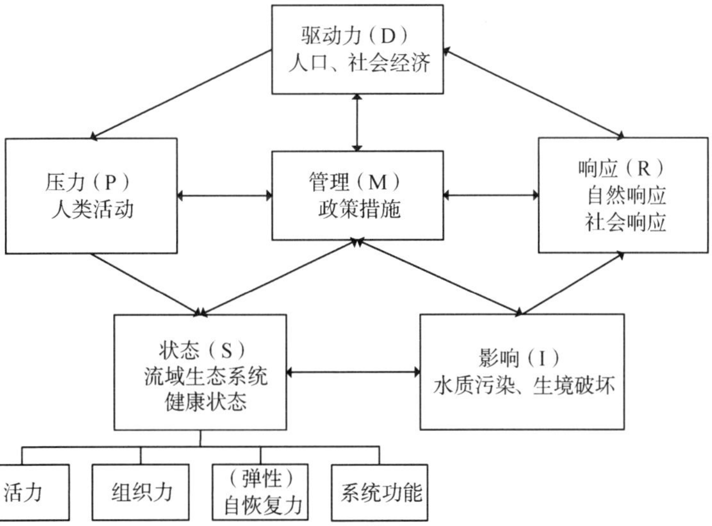

图 3-3 “驱动力-压力-状态-影响-响应-管理”模型

3.3.3 长江流域生态健康评价指标体系构建

对长江流域生态健康进行评价，要综合考虑生态环境、经济影响和社会因素，同时还应顾及生态结构、经济体系以及社会构成在不同管理政策条件下所产生的动态变化，从而实现长江流域生态健康的持续性。从整体性、代表性和可操作性 3 个方面出发，结合生态系统的组成、生态特征、功能作用、经济社会的影响等多方面选取 32 个评价指标，构建长江流域生态健康评价指标体系。

基于层次分析法，结合 DPSIRM 模型，将指标体系分为三个部分：目标层(A)，准则层(B)和指标层(C)。目标层的目的是确立考查目标，这里是指长江流域生态健康状况(A)；准则层包括生态系统的驱动力(B1)、压力(B2)、状态(B3)、影响(B4)、响应(B5)和管理(B6)；指标层(C)由 32 个可度量的指标组成。具体指标体系如图 3-4 所示。

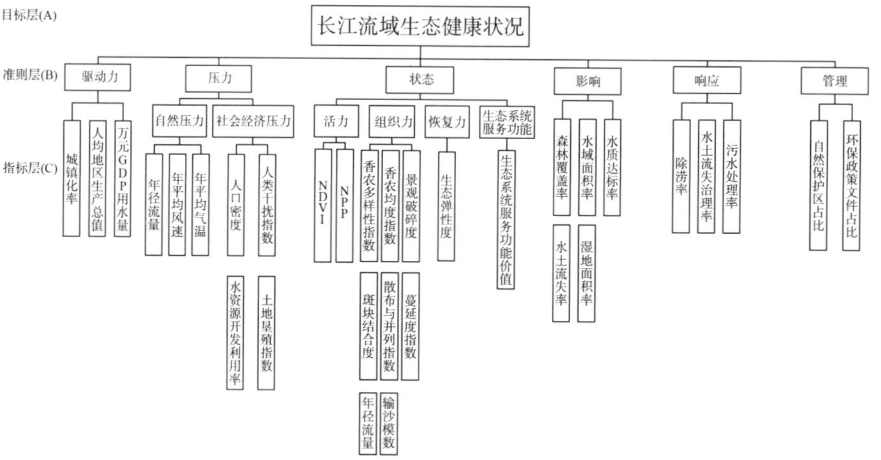

图 3-4 长江流域生态健康评价指标体系

具体指标内容、指标趋向、数据来源如表 3-2 所示。

(1) 驱动力指标

驱动力指标是流域生态健康变化的驱动因素，主要受到来自社会、经济、环境等多方面的影响。

① 城镇化率：表征流域范围内城市化程度，即城镇人口占总人口(包括农业与非农业)的比重，单位为“%”。

表 3-2　长江流域生态健康评价指标体系

目标层	准则层		指标层	指标趋向
长江流域生态健康状况A	驱动力B1		城镇化率 C1	−
			人均地区生产总值 C2	+
			万元 GDP 用水量 C3	−
	压力B2	自然压力	年降水量 C4	+
			年平均风速 C5	−
			年平均气温 C6	−
		社会经济压力	人口密度 C7	−
			人类干扰指数 C8	−
			水资源开发利用率 C9	−
			土地垦殖指数 C10	−
	状态B3	活力	归一化植被指数(NDVI)C11	+
			净初级生产力(NPP)C12	+
		组织力	香农多样性指数 C13	+
			香农均度指数 C14	+
			景观破碎度 C15	−
			斑块结合度 C16	+
			散布与并列指数 C17	+
			蔓延度指数 C18	+
			年径流量 C19	−
			输沙模数 C20	−
		恢复力	生态弹性度 C21	+
		生态系统服务功能	生态系统服务功能价值 C22	+
	影响B4		森林覆盖率 C23	+
			水域面积率 C24	+
			水质达标率 C25	+
			水土流失率 C26	−
			湿地面积率 C27	+
	响应B5		除涝率 C28	+
			水土流失治理率 C29	+
			污水处理率 C30	+
	管理B6		自然保护区占比 C31	+
			环保政策文件占比 C32	+

② 人均地区生产总值：表征该区域的社会发展压力，即一年内实现的地区生产总值与所属范围内常住人口的比值，单位为“元”。

③ 万元 GDP 用水量：表征该区域的用水效率，由总用水量除以总 GDP 得出，单位为“立方米”。

(2) 压力指标

压力指标包括自然压力和社会经济压力两类，体现了自然变化、人类干扰等对流域生态健康的压力。

① 自然压力

a. 年降水量：表征流域内降水情况，一年中每月降水量的平均值的总和就是年降水量，单位为“毫米”。

b. 年平均风速：表征流域内风资源状况，指在给定时间内瞬时风速的平均值，单位为“米/秒”。

c. 年平均气温：表征流域内气温状况，指全年各日的日平均气温的算术平均值，单位为“℃”。

② 社会经济压力

a. 人口密度：流域内单位面积的人口数量，表征人口压力，体现人口密集程度，通常以每平方千米或每公顷内的常住人口为计算单位，单位为“人/平方千米”。

b. 人类干扰指数：表征由于人类生产、生活和其他社会活动形成的干扰对环境和生态系统施加的各种影响，单位为“%”。

人类干扰指数=(耕地面积+城乡、工矿、居民用地面积)/总面积×100%

c. 水资源开发利用率：表征水资源开发利用程度，指流域或区域用水量占水资源可利用量的比例，常指地表水资源开发利用，单位为“%”。

水资源开发利用率=(年总用水量/年水资源总量)×100%

d. 土地垦殖指数：表征流域内土地开垦状况，根据统计解释后的景观类型图中耕地面积与总面积的比值可得，单位为“%”。

土地垦殖指数=耕地面积/总面积×100%

(3) 状态指标

状态指标不仅反映了环境要素的变化，还体现了环境政策的终极目标，其中主要包括自然环境现状和生态系统状况等，指标选择主要考虑环境或生态系统的生物、物理化学特征及生态功能。从景观、湿地功能、生物及物理化学等多个角度选取了以下指标。

① 活力

a. 归一化植被指数(NDVI)：表征景观视角下流域植被的活力，归一化植被指数又称植被覆盖指数,是植被的生长状态和植被覆盖度的最佳指示因子。研究表明,NDVI 与植被的生产能力两者为正相关,因此使用年均 NDVI 能较好地衡量流域的初级生产力,体现流域活力。

NDVI 起源于植被在可见红光(R)和近红外(NIR)波谱上的吸收和反射特性的差异,绿色植被进行光合作用的叶绿素对近红外波段吸收强烈,而比值形式的植被指数可以消除由于传感器等因素造成的多用误差,计算公式如式(3-1)所示:

$$NDVI = \frac{P(NIR) - P(R)}{P(NIR) + P(R)} \tag{3-1}$$

式中,$NDVI$ 为归一化植被指数;$P(NIR)$ 为近红外波段的反射值;$P(R)$ 为红光波段的反射值。

b. 净初级生产力(NPP):表征流域生物活力,净初级生产力又是生物第一性潜在生产率,指单位时间内生物通过光合作用所吸收的碳除植物自身呼吸的碳损耗所剩的部分。由 Miami 模型计算,计算公式如式(3-2)所示,单位为"克/(米^2 · 年)"。

$$\begin{aligned} NPP(T) &= 3\,000/(1 + e^{1.315-0.119T}) \\ NPP(P) &= 3\,000 \times (1 + e^{-0.000\,664P}) \end{aligned} \tag{3-2}$$

式中,T 为年平均气温(℃);P 为年均降水量(毫米)。

选取二者中的最低值作为各计算点的 NPP。

② 组织力

包含 6 个景观格局指标和 2 个流域水文水资源指标。

a. 香农多样性指数(SHDI):景观多样性指标,表征流域生境多样性,体现流域内景观丰度及复杂度。香农多样性指数是指不同类型的景观要素或生态系统在空间结构、功能机理和时间动态等方面的多样性和异质性。SHDI 的大小反映了景观要素的多少和各景观要素数量占总要素比例的变化。SHDI=0 时说明景观是均质的且由单一要素所构成;当 SHDI 趋于最大值时说明此时构成景观要素的元素大于或等于两个,且每种斑块类型面积占总面积的比例是一致的。

b. 香农均度指数(SHEI):景观多样性指标,表征流域景观格局稳定性,反映流域景观类型中每种斑块在流域总面积上散布的不均匀程度,其比值由小到大表示各类景观在流域中的分布由不均匀到均匀,且 0≤SHEI≤1。当 SHEI 趋于 1 时,景观斑块分布的均匀程度最大。其中,景观丰富度越高的地区往往生态系统越稳定，SHEI 低对应的生态系统稳定性低。

c. 景观破碎度(C)：景观密度指标，表征流域景观被分割的破碎程度，反映景观空间结构的复杂性，在一定程度上反映了人类对景观的干扰程度。景观破碎是自然或人为干扰所导致的景观由单一、均质和连续的整体趋向于复杂、异质和不连续的斑块镶嵌体的过程，景观破碎化是生物多样性丧失的重要原因之一，它与自然资源保护密切相关。计算公式如式(3-3)所示，单位为“个/公顷”。

$$C_i = PD = \frac{N_i}{A_i} \tag{3-3}$$

式中，C_i 为景观 i 的破碎度；N_i 为景观斑块数(个)；A_i 为景观总面积(公顷)。

其中景观破碎度也常用斑块密度 PD 表示。PD 值大，表明一定面积上斑块规模小，破碎化程度高；反之，表明景观类型完好。

d. 斑块结合度(COHESION)：景观连通性指标，表征流域景观物理连通性，突显斑块在景观中的聚集和分散状态，单位为“%”，且 0＜COHESION≤100%。当 COHESION 结果趋近 0 时，斑块呈现完全分散状态；结果越趋近 100，斑块结合度越强，呈聚集状分布。

e. 散布与并列指数(IJI)：景观聚散性指标，表征流域景观格局分布，对受到外部干扰严重制约的生态系统分布特征加以显著反映，单位为“%”。当 IJI 取值较小时，表明该斑块类型仅与少数几种其他类型相邻接。

f. 蔓延度指数(CONTAG)：景观聚散性指标，表征流域景观格局完整性，根据景观聚集情况体现流域景观格局优势斑块的连接性，描述了景观里斑块类型的团聚程度或延展趋势，单位为“%”，且 0＜CONTAG≤100%。CONTAG 越高证明流域景观格局越完整，有利于防止农业非点源污染的渗透与扩散。CONTAG 越低对应外界活动干扰在景观格局中容易发生扩散的风险越高。

g. 年径流量：表征流域内河流水资源情况，指一定时段内通过河流某一断面的水量，单位为“亿立方米”。

h. 输沙模数：表征流域侵蚀产沙强度，是流域内地貌、地面组成物质、气候、植被覆盖度以及人类活动对泥沙综合影响的结果和反映。输沙模数即某一时段内流域输沙量与相应集水面积的比值，单位为“吨/平方千米”。

③ 恢复力

流域恢复力由综合弹性值 E_{RES} 来表征，计算公式如式(3-4)所示：

$$E_{RES} = \sum_{i=1}^{n} \frac{A_i \times T_i}{A} \tag{3-4}$$

式中，E_{RES} 为综合弹性值；A_i 指第 i 类景观的面积；T_i 指第 i 类景观的弹性度分值；A 为流域面积。

根据相关文献对不同景观类型生态弹性度赋值情况，本书研究中具体弹性度赋值如表 3-3 所示。

表 3-3　不同景观类型生态弹性度赋值表

景观类型	水域	耕地	林地	草地	建设用地	未利用地
T_i 分值	0.9	0.5	0.7	0.7	0.2	0.1

④ 生态系统服务功能

流域生态系统服务功能由生态系统服务价值 ESV 来表征，单位为“元”，计算公式如式(3-5)所示：

$$ESV=\sum_{i=1}^{n}(P_i \times L_i) \tag{3-5}$$

式中，ESV 为生态系统服务价值；P_i 指第 i 类土地利用类型的单位面积生态系统服务价值单价，单位为“元/公顷”；L_i 为第 i 类土地利用类型面积，单位为“公顷”；n 为土地利用类型数量。

生态系统服务功能类型各不相同，不同的服务功能之间相互影响、相互制约。根据 Robert Costanza、谢高地等人的研究，生态系统服务功能涵盖“供给服务、调节服务、支持服务、文化服务”4 类，具体包括食物生产、原材料生产、气体调节、气候调节、水源涵养、废物处理、土壤形成与保护、生物多样性保护、娱乐文化 9 类。根据中国的实际情况，2007 年，谢高地对 200 位国内知名生态学学者进行了问卷调查，制定了“中国陆地生态系统单位面积生态服务价值当量表”。目前，该价值当量表被各研究学者广泛采纳，然而，该当量表中忽视了建设用地的计算。

建设用地由于地表覆盖物以建筑物或不透水层为主，在已有研究中常将建设用地的生态系统服务价值忽略或者按照零值计算，这不足以反映其真实的生态系统服务价值，以建设用地为主要特征的聚居生存系统是重要的生态类型之一，它对气体调节、气候调节、水源涵养、废物处理等生态服务影响有负向积累效应，对土壤保持和美学景观等支持服务、文化服务功能有正向积累效应。

因此，结合丁聪、邓舒洪、汪清川等人的研究，将生态系统土地利用分为 6 个一级类型：水域、耕地、林地、草地、建设用地和未利用地，具体当量表如表 3-4 所示。

表 3-4　生态系统单位面积生态服务价值当量表

一级类型		水域	耕地	林地	草地	建设用地	未利用地
供给服务	食物生产	0.53	1.00	0.33	0.43	0.02	0.02
	原材料生产	0.35	0.39	2.98	0.36	0.04	0.04
调节服务	气体调节	0.51	0.72	4.32	1.50	−2.42	0.06
	气候调节	2.06	0.97	4.07	1.56	−3.87	0.13
	水源涵养	18.77	0.77	4.09	1.52	−7.51	0.07
	废物处理	14.85	1.39	1.72	1.32	−4.53	0.26
支持服务	土壤形成与保护	0.41	1.47	4.02	2.24	0.17	0.17
	生物多样性保护	3.43	1.02	4.51	1.87	0.00	0.40
文化服务	娱乐文化	4.44	0.17	2.08	0.87	2.08	0.24
总计		45.35	7.90	28.12	11.67	−16.02	1.39

注：因数据四舍五入，计算结果有微小偏差。

基于价值当量表（表 3-4），结合长江流域土地利用现状及相关文献研究，并根据"1 个标准单位生态服务价值当量因子的经济价值量等于每年平均粮食单产市场价值的 1/7"的规则，计算长江流域上、中、下游各生态系统服务价值当量因子。将长江上、中、下游 2010 年至 2020 年的平均粮食单位面积产量5 417.00 千克/公顷、6 186.49 千克/公顷、6 608.84 千克/公顷作为基准粮食单位产量，参考《中国农产品价格调查年鉴》将 2010 年至 2020 年粮食价格均值 3.72 元/千克作为基准价格（含籼稻、粳稻、小麦、玉米、大豆、籼米、粳米 7 类），计算得出长江上、中、下游当量因子分别为 2 878.76 元/（公顷・年）、3287.66 元/（公顷・年）、3 512.13 元/（公顷・年）。最终得出长江流域上、中、下游各地不同土地利用类型生态系统服务功能价值单价，具体价值如表 3-5 至表 3-7 所示，单位：元/公顷。

表 3-5　长江上游不同陆地生态系统单位面积生态服务价值表　　单位：元/公顷

一级类型		水域	耕地	林地	草地	建设用地	未利用地
二级类型		水体	农田	森林	草地	建设用地	荒漠
供给服务	食物生产	1 525.74	2 878.76	949.99	1 237.87	57.58	57.58
	原材料生产	1 007.57	1 122.72	8 578.70	1 036.35	115.15	115.15
调节服务	气体调节	1 468.17	2 072.71	12 436.24	4 318.14	−6 966.60	172.73
	气候调节	5 930.25	2 792.40	11 716.55	4 490.87	−11 140.80	374.24
	水源涵养	54 034.33	2 216.65	11 774.13	4 375.72	−21 619.49	201.51
	废物处理	42 749.59	4 001.48	4 951.47	3 799.96	−13 040.78	748.48

续表

一级类型		水域	耕地	林地	草地	建设用地	未利用地
支持服务	土壤形成与保护	1 180.29	4 231.78	11 572.62	6 448.42	489.39	489.39
	生物多样性保护	9 874.15	2 936.34	12 983.21	5 383.28	0.00	1 151.50
文化服务	娱乐文化	12 781.69	489.39	5 987.82	2 504.52	5 987.82	690.90
总计		130 551.77	22 742.20	80 950.73	33 595.13	−46 117.74	4 001.48

注:因数据四舍五入,计算结果有微小偏差。

表 3-6　长江中游不同陆地生态系统单位面积生态服务价值表　单位:元/公顷

一级类型		水域	耕地	林地	草地	建设用地	未利用地
二级类型		水体	农田	森林	草地	建设用地	荒漠
供给服务	食物生产	1 742.46	3 287.66	1 084.93	1 413.69	65.75	65.75
	原材料生产	1 150.68	1 282.19	9 797.23	1 183.56	131.51	131.51
调节服务	气体调节	1 676.71	2 367.12	14 202.69	4 931.49	−7 956.14	197.26
	气候调节	6 772.58	3 189.03	13 380.78	5 128.75	−12 723.24	427.40
	水源涵养	61 709.38	2 531.50	13 446.53	4 997.24	−24 690.33	230.14
	废物处理	48 821.75	4 569.85	5 654.78	4 339.71	−14 893.10	854.79
支持服务	土壤形成与保护	1 347.94	4 832.86	13 216.39	7 364.36	558.90	558.90
	生物多样性保护	11 276.67	3 353.41	14 827.35	6 147.92	0.00	1 315.06
文化服务	娱乐文化	14 597.21	558.90	6 838.33	2 860.26	6 838.33	789.04
总计		149 095.38	25 972.51	92 449.00	38 366.99	−52 668.31	4 569.85

注:因数据四舍五入,计算结果有微小偏差。

表 3-7　长江下游不同陆地生态系统单位面积生态服务价值表　单位:元/公顷

一级类型		水域	耕地	林地	草地	建设用地	未利用地
二级类型		水体	农田	森林	草地	建设用地	荒漠
供给服务	食物生产	1 861.43	3 512.13	1 159.00	1 510.22	70.24	70.24
	原材料生产	1 229.25	1 369.73	10 466.15	1 264.37	140.49	140.49
调节服务	气体调节	1 791.19	2 528.73	15 172.40	5 268.20	−8 499.35	210.73
	气候调节	7 234.99	3 406.77	14 294.37	5 478.92	−13 591.94	456.58
	水源涵养	65 922.68	2 704.34	14 364.61	5 338.44	−26 376.10	245.85
	废物处理	52 155.13	4 881.86	6 040.86	4 636.01	−15 909.95	913.15
支持服务	土壤形成与保护	1 439.97	5 162.83	14 118.76	7 867.17	597.06	597.06
	生物多样性保护	12 046.61	3 582.37	15 839.71	6 567.68	0.00	1 404.85

续表

一级类型		水域	耕地	林地	草地	建设用地	未利用地
文化服务	娱乐文化	15 593.86	597.06	7 305.23	3 055.55	7 305.23	842.91
总计		159 275.10	27 745.83	98 761.10	40 986.56	−56 264.32	4 881.86

注:因数据四舍五入,计算结果有微小偏差。

(4) 影响指标

在人类活动的不断干扰下,流域生态系统的内部结构和功能发生改变,造成景观的严重破碎化,进而逐步丧失生物多样性。影响指标体现了人类干扰对流域生态健康的影响。

① 森林覆盖率:表征流域森林状态,指森林面积占土地总面积的比率,单位为“%”。

② 水域面积率:表征流域水域状态,根据统计解释后的景观类型图中水域面积与总面积的比值可得,单位为“%”。

水域面积率=水域面积/总面积×100%

③ 水质达标率:表征流域水体的水质状态,其中Ⅳ类以下水质为恶劣(主要污染指标为化学需氧量、高锰酸钾指数和五日生化需氧量),水质达标率可由水质达标断面数计算,单位为“%”。

水质达标率=流域Ⅲ类及以上水质监测断面数/流域全部监测断面数×100%

④ 水土流失率:表征流域水土流失状态,单位为“%”。

水土流失率=区域水土流失面积/区域土地总面积×100%

⑤ 湿地面积率:表征流域湿地状态,单位为“%”。

湿地面积率=区域湿地面积/区域土地总面积×100%

(5) 响应指标

当人类意识到环境破坏的严重后果时,会采取相应的保护措施,响应指标体现了人类对流域生态系统变化的响应以及对流域生态健康变化的防治手段。

① 除涝率:表征人类对流域进行的防洪除涝举措,单位为“%”。

除涝率=年除涝面积/原水土流失面积×100%

② 水土流失治理率:表征人类水土治理成效,单位为“%”。

水土流失治理率=年水土流失治理面积/原水土流失面积×100%

③ 污水处理率:表征人类污水处理成效,指经过处理的生活污水、工业废水量占污水排放总量的比率,单位为“%”。

污水处理率=经过处理的生活污水、工业废水/污水排放总量×100%

（6）管理指标

管理指标是管理部门为使流域生态系统遵循自身繁衍生息的规律，向着健康、良性的方向发展而采取的必要管理措施。

① 自然保护区占比：表征流域内自然保护区面积变化，单位为“%”。

自然保护区占比＝自然保护区面积/区域面积×100%

② 环保政策文件占比：体现政府对流域治理的相关管理工作，通过政府当年在环保领域的政策文件数量加以计算，单位为“%”。

环保政策文件占比＝环保政策文件数/当年新增政策文件数×100%

3.4 长江流域生态健康评价方法

3.4.1 生态健康评价常用方法

生态健康评价的普遍方法是对生态系统结构和功能的综合指标进行辨别，以反映生态系统的整体特征。根据评价原理，目前生态健康的评价方法主要有两种：预测模型法和指数评价法，其中指数评价法又包括指示物种法和指标体系法两类。

（1）预测模型法

预测模型法主要是将假设河流在无人为干扰条件下理论上应该存在的物种组成与河流实际的生物组成进行比较，从而评价河流的健康状况。代表性的方法有河流无脊椎动物预测和分类系统（River in Vertebrate Prediction and Classification System，RIVPACS）、澳大利亚河流评价系统（Australian River Assessment Scheme，AUSRIVAS），主要用于河流健康评价。

RIVPACS 是由英国淡水生态研究所（现为英国沃林福德生态与水文学研究中心）提出的，它利用区域特征预测河流自然状况下应存在的大型底栖动物，并将预测值与该河流大型底栖动物的实际监测值相比较，从而评价河流健康状况。AUSRIVAS 是一种用于河流生物健康评价的快速预测系统，它是在澳大利亚政府开展的国家河流健康计划中建立起来的。针对澳大利亚河流的特点，AUSRIVAS 在评价数据的采集和分析方面对 RIVPACS 方法进行了修改，利用大型底栖动物科级分类单元代替属级分类单元进行模型预测，使得预测模型可以广泛用于澳大利亚河流健康状况的评价。

预测模型法具体评价流程为：

① 选取无人为干扰或人为干扰非常小的河流作为参照河流；

② 调查参照河流的物理化学特征及生物组成；

③ 建立参照河流物理化学特征与相应生物组成之间的经验模型；

④ 调查被评价河流的物理化学特征，并将调查结果代入经验模型，得到河流健康情况下应具备的生物组成(E)；

⑤ 调查被评价河流的实际生物组成(O)；

⑥ 实际生物组成与应具备的生物组成比值(O/E)即反映被评价河流的健康状况，比值越接近1，则表明该河流越接近自然状态，其健康状况也就越好。

(2) 指数评价法

另一类方法则是指数评价法，指数评价法依托健康评价标准对河流或流域的生物、物理化学、水文形态、人类干扰等各类特征指标进行评分，将各项得分累计后的总分作为评价其生态健康状况的主要依据。指数评价法包括指示物种法和指标体系法两类。

① 指示物种法

指示物种法包括单物种评价法和多物种评价法，主要以生态系统的指示物种(包括关键种、特有种、指示种、濒危种等)的数量、生产力、结构功能、生物量或生理生态指标等来描述生态系统的健康状况。常用的指示物种法有生物完整性指数 *IBI*(Index of Biotic Integrity)、澳大利亚的溪流状况指数 *ISC*(Index of Stream Condition)、底栖动物指数 *BI*(Biotic Index)等。

② 指标体系法

指标体系法主要根据生态系统的特征及其服务功能建立评价指标体系，通过数学方法定量研究以评价生态健康状况，是目前生态健康评价的主要方法。在指标体系法中，存在单因子指标法和综合指标体系法两种方法。单因子指标法仅侧重某单一指标的描述，难以反映生态系统的整体特质，而综合指标体系法则能构建涵盖生态、环境、经济、资源等多个子系统的评价体系，因此被国内外各学者广泛使用。

目前，国内外已有许多学者开展了生态健康评价的定量研究工作，常采用模糊综合评价法、层次分析法、神经网络识别法、物元可拓模型法、集对分析法、突变级数法、TOPSIS(Technique for Order Preference by Similarity to Ideal Solution)模型等。健康评价指标体系的选择多基于多准则决策分析技术完成。早期的指标体系研究主要从“资源-环境-社会-经济复合子系统”等包容性子系统的角度选择指标，随着生态系统健康评价强调生态系统质量与人类活动之间的因果关系，VOR（活力-组织力-恢复力）、PSR（压力-状态-响应）、DPSIR（驱动力-压力-状态-影响-响应）、DPSIRM（驱动力-压力-状态-影响-响应-管理）等指标体系模型逐步出现。此外，由于生态系统是一个综合的、全面的复杂系统，健康评价中应充分涵盖时间与空间两类模式。因此，生态健康评价应更多地考虑整体时空动态演变，而不是一味地分析单一时间或地点的局部健康。

指标体系法具体评价流程为：

a. 明确对象系统，即建立概念模型；

b. 选取评价指标，建立评价指标体系；

c. 将指标体系无量纲化；

d. 确定每个指标在评价体系中的权重；

e. 合成各指标的评价值，通过模型计算得出健康隶属度；

f. 根据综合评价值的大小，将各被评价对象排序。根据隶属度综合分析，得到整体生态健康状况。

3.4.2 长江流域生态健康评价方法比选

一个好的健康评价方法应具备以下 6 个特征：把复杂的生态现象简单化、定量化、可视化，能够提供简单易解释的评价结果，能够较好地展现人类干扰行为（破坏与修复），和一个适当的评价尺度相联系，与管理目标相联系，具有科学的理由。因此，在环境经济学、景观生态学、地理科学等相关学科基础上，对长江流域生态健康评价方法进行比选，最终选取指标体系法对长江流域生态健康开展评价，如表 3-8 所示。

表 3-8 长江流域生态健康评价方法比选

评价方法	适用范围	优点	缺点
预测模型法	在无人为干扰下的理论状态，主要应用在大型底栖动物的预测评价和河流物理与化学健康评价，不适用于流域生态健康评价	能较为精确地预测某地理论上应该存在的生物量，并通过单一物种对河流健康状况进行比较	仅考虑了大型底栖动物，未能将水质及生境退化与生物条件相联系，且适用背景是无人为干扰下的理论状态，难以反映流域的真实状态，具有局限性
指示物种法	适用于存在指示种或关键种的简单生态健康评价，不适用于流域生态健康评价	通过指示物种等微观指标充分体现了流域中水生动植物的生物完整性，对生物健康进行评价	筛选标准不明确，鉴定困难、定量性较差；且未考虑社会经济和人类健康因素，难以全面反映流域整体生态健康状况

续表

评价方法	适用范围	优点	缺点
指标体系法	适用于以人类活动为主导的复杂生态系统健康评价，适用于流域生态健康评价	涵盖生态、环境、经济、资源等多个子系统的评价体系，能对流域整体生态健康进行评价	指标体系的选择对最终评价结果影响较大，且综合评价指数一定程度上将掩盖单个参数的信息

自 1925 年美国的 Streeter 和 Phelps 建立 S－P 模型（Streeter-Phelps Model）以来，流域生态健康评价模型就在不断地更新与发展。在 20 世纪 60 年代以前，国内外学者对流域的健康评价主要集中在水质标准上，以此发展出了水污染指数评价法、模糊综合评价法、物元分析法及神经网络法等评价方法。但流域评价过程总会存在许多不确定因素，因此国内外研究人员相继提出了更多的评价模型及方法。目前采用较多的评价方法主要有水基系统评价模型、改进物元分析模型、PSR 相关概念模型（Pressure-State-Response Model）以及景观格局分析方法等，具体如表 3-9 所示。

表 3-9　长江流域生态健康评价方法具体选择

评价方法	适用范围	主要指标参数	与长江流域评价研究的适配度
水基系统评价模型	评价研究区的稳态、和谐度和演进率	水资源开发利用率、饮用水源水质达标率、稳定态演进率、和谐态演进率等	主要以水文尺度围绕流域中河流等水基系统本身，缺乏流域其余子系统、人类活动等的影响
改进物元分析模型	评价物理、化学、生物等微观指标	溶解氧、氨氮、高锰酸钾指数、化学需氧量、五日生化需氧量、粪大肠菌群、锰、铅等微观水环境指标	主要采用微观视角，评价指数重点围绕河流水质、河流本身的结构状态，研究数据难获取且难以充分体现流域整体健康结构
PSR 相关概念模型	评价研究区的压力、状态、响应等	人类活动、人口密度、工农业、流域生态环境变化、生物、流域面积变化、生态功能退化、制度和政策管理影响等	能较好体现人类活动与流域生态变化的影响，能较好适用于流域这类社会-经济-自然复合生态系统的健康评价
景观格局分析方法	评价研究区的景观格局、景观演变过程	景观多样性指数、优势度指数、均匀度指数、破碎化指数等	通过景观大尺度，充分利用遥感数据与景观数据可视化地展现流域景观演变过程，突出流域整体的生态健康变化

综上，本书将采用由 PSR 概念衍生的 DPSIRM 模型和景观格局分析方法综合开展长江流域生态健康评价。

3.4.3 长江流域生态健康评价模型构建

目前，指标体系法是评价流域生态健康常用的方法，首先选择具有生态学意义的特征指标，其次对其分类、度量、确定权重，最后建立合适的模型进行评价分析。由于所选择的生态系统类型具有差别性或研究区域的特殊性，指标参数及其权重系数是有差别的。指标的选择考虑到流域的自然、社会、经济和人类健康状况，具有综合性和全面性，因而评价结果较可靠、全面。

(1) 生态健康评价指标标准化处理

由于各项评价指标内容及意义的不同，导致不同指标量纲上存在明显差异，难以进行直接比较，因此，为保证各项指标在长江流域生态健康评价中的指示作用，需对各评价指标进行标准化处理。研究采用极差标准化方法对评价指标进行标准化处理，并根据不同指标的内涵，将各项指标划分为对长江流域生态健康具有积极意义的正向指标和对长江流域生态健康具有消极意义的负向指标两种，并分别利用相应的计算公式加以计算，归一化后其数值范围均在 0～1 之间。

正向指标标准化公式：

$$\overline{X}_{ij}=\frac{X_{ij}-X_{j\min}}{X_{j\max}-X_{j\min}} \tag{3-6}$$

负向指标标准化公式：

$$\overline{X}_{ij}=\frac{X_{j\max}-X_{ij}}{X_{j\max}-X_{j\min}} \tag{3-7}$$

式中，$\overline{X}_{ij}$ 为长江流域第 i 年第 j 个指标标准化后的数值；$X_{j\max}$ 和 $X_{j\min}$ 分别为第 j 个指标的最大值和最小值。

根据 DPSIRM 模型可知，正向指标包括：人均地区生产总值、年降水量、归一化植被指数(NDVI)、净初级生产力(NPP)、香农多样性指数、香农均度指数、斑块结合度、散布与并列指数、蔓延度指数、生态弹性度、生态系统服务价值、森林覆盖率、水域面积率、水质达标率、湿地面积率、除涝率、水土流失治理率、污水处理率、自然保护区占比、环保政策文件占比；负向指标包括：城镇化率、万元 GDP 用水量、年平均风速、年平均气温、人口密度、人类干扰指数、水资源开发利用率、土地垦殖指数、景观破碎度、年径流量、输沙模数、水土流失率。

(2) 生态健康评价指标权重测算

生态系统健康评价中的指标权重对于评价结果和研究目的有重要意义，

由于不同指标在生态系统健康中的重要性不同，所以需采用合理方法对评价指标进行赋权，见表 3-10。

表 3-10　随机一致性指标(*RI*)

n	1	2	3	4	5	6	7	8	9	10	11	12
RI	0	0	0.52	0.89	1.12	1.26	1.36	1.41	1.46	1.49	1.52	1.54

① 层次分析法

层次分析法(AHP)是美国运筹学家 T. L. Saaty 于 20 世纪 70 年代提出的对方案的多指标系统进行分析的一种层次化、结构化决策方法，它将决策者对复杂系统的决策思维过程模型化、数量化。应用这种方法，决策者将研究的问题分成多个层次，每个层次下设多个指标，通过指标间的两两比较，确定一个指标对另一个指标的重要性程度，综合人的判断来确定各指标的相对重要性。

a. 层次结构模型构建

根据研究目的及内容，将层次分析法与 DPSIRM 模型相结合，按照要素不同属性自上而下建立目标层、准则层和方案层三个层级。目标层为长江流域生态健康评价研究；准则层为 DPSIRM 模型中驱动力、压力、状态、影响、响应和管理六方面内容；方案层为所选 32 项评价指标。

b. 成对比较矩阵模型构建及检验

将研究中各个要素通过构建判断矩阵来表示其相互重要关系，采用成对比较法和 1～9 标度法对要素 a_{ij} 进行赋值表示其相对重要程度，并通过检验矩阵中定义一致性指标与随机一致性比例来判断其是否具备满足科研需求的一致性。其中，一致性指标计算公式为：

$$\lambda_{\max} = \sum_{i=1}^{n} \frac{(AW)_i}{nW_i} \tag{3-8}$$

$$CI = \frac{\lambda_{\max} - n}{n - 1} \tag{3-9}$$

式中，CI 为一致性指标；$\lambda_{\max}$ 为矩阵最大特征根；n 为矩阵特征值。

当 $CI=0$ 时，矩阵具有完全一致性；CI 越接近于 0，一致性越满意；反之，CI 越大，一致性越差。

随机一致性比例计算公式为：

$$CR = \frac{CI}{RI} \tag{3-10}$$

式中，CR 为矩阵随机一致性比例；CI 为一致性指标；RI 为随机一致性指标。

一般当 $CR < 0.1$ 时，则判断矩阵具有满意的一致性；当 $CR \geqslant 0.1$ 时，则判断矩阵需要调整。

c. 根据判断矩阵计算各评估指标相对于上一层指标的权重。

d. 将所有指标的权重进行汇总，计算各指标在同一层次的整体权重。

② 熵权法

由于对流域生态健康评价指标权重的选取往往存在一定的主观性，易对流域生态健康评价的结果产生影响，因此，为避免人为赋值带来的主观影响，对各项指标进行标准化处理后常结合熵权法确定客观指标权重。

"熵"这一概念来自热力学，表示体系的混乱程度。在信息论中，熵反映的是体系的无序程度，同时也可以评定信息量的多少。某项指标的数值差别越大，其信息量越大，则其权重越大；指标的数值差别越小，其信息量越小，则其权重越小；若一指标的全部数值均为一个数，其对评价则没有意义。利用信息熵来确定各评价指标的权重，实际上是通过指标的有效信息来判断其对应的重要性，从而赋予权重。

熵权法计算权重主要包含 3 个步骤：

a. 原始数据标准化

设 m 个评价指标，n 个评价对象得到的原始数据矩阵 $\boldsymbol{X}$：

$$\boldsymbol{X} = \begin{bmatrix} x_{11} & x_{12} & \cdots & x_{1n} \\ x_{21} & x_{22} & \cdots & x_{1n} \\ \vdots & \vdots & \ddots & \vdots \\ x_{m1} & x_{m2} & \cdots & x_{mn} \end{bmatrix} \tag{3-11}$$

标准化矩阵后，得到矩阵 $\boldsymbol{R}$ ：

$$\boldsymbol{R} = (r_{ij})_{m \times n} \tag{3-12}$$

式中，x_{ij} 为第 i 年第 j 个指标的实际值；r_{ij} 为第 i 年第 j 个指标的标准值；$r_{ij} \in [0,1]$。

b. 计算信息熵

第 i 年第 j 个指标的熵值 F_j 定义：

$$P_{ij} = \frac{\overline{X}_{ij}}{\sum_{i=1}^{m} \overline{X}_{ij}} \tag{3-13}$$

$$F_j = \left[\frac{(-1)}{\ln m}\right] \sum_{i=1}^{m} (P_{ij} \times \ln P_{ij}) \tag{3-14}$$

式中，F_j 为第 i 年第 j 个指标的信息熵。

当 $P_{ij} = 0$ 时，$\ln P_{ij}$ 没有意义，因此对 P_{ij} 进行如下修正：

$$P_{ij} = \frac{1 + \overline{X}_{ij}}{\sum_{i=1}^{m} (1 + \overline{X}_{ij})} \tag{3-15}$$

c. 计算评价指标的熵权

熵权 W_j 定义为：

$$W_j = (1 - F_j) / \sum_{j=1}^{n} (1 - F_j) \tag{3-16}$$

式中，W_j 为第 i 年第 j 个指标的熵权；F_j 为第 i 年第 j 个指标的信息熵。

③ 基于"AHP-熵权法"的组合赋权

为了克服层次分析法与熵权法的局限性，根据最小鉴别信息原理确定二者的组合权重。由层次分析法得到的主观权重为 $w' = (w'_1, w'_2, \cdots, w'_n)^T$，由熵权法得到的客观权重为 $w'' = (w''_1, w''_2, \cdots, w''_n)^T$，且满足 $0 < w'_i < 1, 0 < w''_i < 1, \sum w'_i = 1, \sum w''_i = 1$，式中 $i = 1, 2, \cdots, n$。

因此，组合权重 w_i 为：

$$w_i = \frac{\sqrt{w'_i w''_i}}{\sum_{i=1}^{n} \sqrt{w'_i w''_i}} \tag{3-17}$$

3.4.4 长江流域生态健康指数构建

(1) 长江流域生态健康综合评价指数

由于长江流域生态健康评价指标包括驱动力、压力、状态、影响、响应、管理六个层次，故采用各单项指标的加权求和法，分别计算各层次的健康指数，最后基于综合指数法测算研究区域生态健康综合指数，得出长江流域综合健康指数 I_{CH} (Composite Health Index)。

综合健康指数的计算公式为：

$$I = \sum_{i=1}^{m} I_i \cdot W_i \tag{3-18}$$

$$I_{CH}=(\sum_{i=1}^{m}I_i\cdot W_i)\cdot Q_{驱动力}+(\sum_{j=1}^{n}I_j\cdot W_j)\cdot Q_{压力}+(\sum_{k=1}^{p}I_k\cdot W_k)\cdot Q_{状态}$$
$$+(\sum_{a=1}^{x}I_a\cdot W_i)\cdot Q_{影响}+(\sum_{b=1}^{y}I_b\cdot W_i)\cdot Q_{响应}+(\sum_{c=1}^{z}I_c\cdot W_i)\cdot Q_{管理} \tag{3-19}$$

式中，I 为生态健康指数；I_{CH} 为研究区综合健康指数；m 、n 、p 、x 、y 、z 分别指代健康评价指标体系中驱动力、压力、状态、影响、响应、管理层面的指标个数；i 、j 、k 、a 、b 、c 指代第几个指标，即 I_i 指代第 i 个指标对应的标准化值；W_i 指代第 i 个指标的权重值；Q 指代健康评价指标体系中各层级对应的权重值。

(2) 长江流域生态健康评价指数分级

利用各评价指标与其对应的权重值对长江流域生态健康进行综合评价后，根据长江流域生态健康综合指数 I_{CH} 所对应的等级，确定其生态健康状况。目前生态健康评价并未形成统一标准，因此借鉴《流域生态健康评估技术指南(试行)》(环办函〔2013〕320 号)及相关文献研究，对长江流域生态健康评价指数进行分级，将其分为很健康、健康、亚健康、一般病态、病态五级，具体分级标准如表 3-11 所示。

表 3-11　长江流域生态健康评价指数分级

健康分级	健康状态	长江流域生态健康状态
1 级	很健康 (0.8～1.0)	流域生态系统拥有极强的生态活力，生态弹性与生态功能完整，整体结构合理，外界扰动压力小，无生态异常出现，流域生态系统极其稳定，流域生态很健康
2 级	健康 (0.6～0.8)	流域生态系统体现较强活力，生态弹性与生态功能较完整，整体结构较合理，存在部分外界扰动压力但能自行恢复，无生态异常出现，流域生态系统较为稳定，流域生态健康
3 级	亚健康 (0.4～0.6)	流域生态系统体现较强活力，生态弹性与生态功能较完整，整体结构处于合理范围，存在较大外界扰动压力且将达到生态阈值，已有部分生态异常出现，流域生态亚健康
4 级	一般病态 (0.2～0.4)	流域生态系统活力较低，缺乏生态弹性与生态功能，已出现结构缺陷，存在大量外界扰动压力，出现大量生态异常，流域生态系统恶化并呈现不健康趋势
5 级	病态 (0～0.2)	流域生态系统活力极低，几乎无生态弹性与生态功能，整体结构被破坏，外界扰动压力极强，生态异常大面积出现，出现严重生态退化现象，流域生态不健康

04

第四章

长江流域生态健康指数测度与分析

4.1 长江流域生态健康指数测度的数据来源

4.1.1 评价区域范围

长江是世界第三、我国第一长河，发源于青藏高原的唐古拉山主峰各拉丹冬雪山，干流全长 6 300 余千米，自西而东流经青海、四川、西藏、云南、重庆、湖北、湖南、江西、安徽、江苏、上海等 11 个省（自治区、直辖市），最后注入东海。支流展延至贵州、甘肃、陕西、河南、浙江、广西、广东、福建 8 个省（自治区）。

长江流域包括长江干流和支流流经的广大区域，涉及 19 个省（自治区、直辖市），流域总面积 180 万平方千米。长江流域地势由西向东呈阶梯式下降，横跨我国“第一级阶梯”、“第二级阶梯”和“第三级阶梯”，地貌类型复杂，区域内有高原、山地、丘陵、盆地和平原。气候类型以亚热带季风气候为主，植被类型以针叶林、阔叶林、栽培植被、灌丛、草甸和草丛为主。长江流域是中国具有全球影响力的内河经济带、东中西互动合作的协调发展带和生态文明建设的先行示范带。但经济发展的同时，受气候变化和人类活动的共同影响，长江流域部分地区生态环境脆弱，植被生长对气候变化和人类活动响应敏感，流域生态健康受到威胁。

2018 年 11 月，中共中央、国务院明确要求充分发挥长江经济带横跨东、中、西三大板块的区位优势，以共抓大保护、不搞大开发为导向，以生态优先、绿色发展为引领，依托长江黄金水道，推动长江上中下游地区协调发展和沿江地区高质量发展。对长江流域而言，长江经济带地区涉及了长江上中下游不同流域的统筹协调、一二三产业不同领域的转型发展，对长江流域生态健康起到了决定性作用。

长江经济带覆盖 11 个省（市），面积约 205 万平方千米，人口规模和经济总量占据全国近半，是我国人口最多、产业规模最大、辐射区域最广的流域经济带。在长期开发建设过程中，长江经济带沿岸地区出现了森林退化、湿地萎缩、物种濒危现象。农业、工业、城镇化等沿江生态环境保护的重点领域面临突出资源环境问题，影响区域绿色转型发展，制约“十四五”可持续发展战略的实施。因此，分别对长江上游、中游和下游地区开展生态健康评价，以期将现代社会经济发展建立在流域生态系统动态平衡的基础上，为流域规划、管理、保护及综合治理提供科学依据，助力长江流域健康发展。

（1）长江上游地区

长江上游地区主要包括四川省、云南省、贵州省和重庆市四个行政区域，总面积约113.87万平方千米。长江上游地区跨越中国大地形的第一、第二级阶梯，处于青藏高原下降到华中丘陵平原区之间的过渡地带，山地、高原面积占全区总面积的90%以上。地貌类型复杂多样，山地高原广阔，平地面积狭小，拥有横断山区、喀斯特景观区等特殊地貌类型。由于高海拔特征和长江上游辽阔的地域及其过渡性，长江上游地区成为了规模宏大、具有全球意义的生态脆弱带和全球环境变化的敏感区。同时，长江上游地区特殊的自然环境和区位，以及丰富的自然资源和生物多样性，决定着其在长江流域和全国有着突出的生态战略地位。

（2）长江中游地区

长江中游地区包括湖南省、湖北省、江西省三省，总面积约56.46万平方千米，是推动长江上中下游协同发展及全国东中西部互动合作的关键地带，是长江流域绿色发展战略的重要组成部分。长江中游地区地形条件复杂，以丘陵山地为主，属北亚热带季风气候，四季分布均匀，热量充足，年温差较小，夏季高温多雨，冬季气温适中，雨量充沛，季节变化大。该地区地理位置条件优越，承东启西、连南接北，交通便利，长江水系横穿境内构成综合立体交通走廊。随着中部崛起和长江经济带等国家战略的稳步实施，长江中游地区经济发展水平大大提高，成为长江流域绿色发展的重要中转点和接力点之一。

（3）长江下游地区

长江下游地区包括上海市、江苏省、浙江省和安徽省四个行政区域，总面积约35.91万平方千米。长江下游地区冬凉夏热，四季分明，降水丰沛，属于亚热带湿润季风气候，是我国人口最稠密、经济最发达、城市化水平最高、对外开放度最大的地区。长江下游地区是我国在参与全球化进程中有着重大影响的地区，在我国国家现代化建设大局和全方位开放格局中具有举足轻重的战略地位，是长江流域绿色发展的关键一环。

4.1.2 数据来源与说明

（1）气象数据

气象数据来源于中国气象数据网（https://data.cma.cn），从中选取长江流域各省（自治区、直辖市）气象站点的年降水量、年平均风速、年均气温数据。

（2）遥感数据

遥感数据来源于中国科学院资源环境科学数据平台（https://www.resdc.

cn)，选取2010年、2015年和2020年中国土地利用遥感监测数据，其中2010年数据基于Landsat-TM/ETM遥感影像解译，2015年与2020年数据基于Landsat 8遥感影像解译。同时选取2010年、2015年1千米植被指数NDVI数据及2020年1—6月1千米植被指数NDVI数据，该数据均基于SPOT/VEGETATION以及MODIS等卫星遥感影像解译。

中国土地利用/土地覆盖数据的分类系统采用三级分类系统，其中一级分为6类，包括耕地、林地、草地、水域、建设用地和未利用地，具体含义如表4-1所示。

表4-1 中国土地利用/土地覆盖数据分类

编号	名称	含义
1	耕地	指种植农作物的土地，包括熟耕地、新开荒地、休闲地、轮歇地、草田轮作物地；以种植农作物为主的农果、农桑、农林用地；耕种三年以上的滩地和海涂
2	林地	指生长乔木、灌木、竹类，以及沿海红树林地等林业用地
3	草地	指以生长草本植物为主，覆盖度在5%以上的各类草地，包括以牧为主的灌丛草地和郁闭度在10%以下的疏林草地
4	水域	指天然陆地水域和水利设施用地
5	建设用地	指城乡居民点及工矿、交通等用地
6	未利用地	目前还未利用的土地，包括难利用的土地

(3) 景观数据

本研究中景观指数的计算软件选用Fragstats 4.2，其主要的用途就是计量景观格局指数。Fragstats中的景观指数分为三组，分别代表了三种不同的应用尺度：

① 斑块级别(patch-level)指标，该指标主要是对单个斑块结构特征加以反映，在进行景观级别指标计算的时候，是不可或缺的基础；

② 斑块类型级别(class-level)指标，该指标主要是对不同斑块类型各自的结构特征加以反映；

③ 景观级别(landscape-level)指标，该指标主要是对整体结构特征加以反映。

为科学合理地分析长江流域生态系统的景观格局，本研究从三种尺度及类型水平、景观水平等方面选取了其中6个景观格局指数进行计算，即香农多样性指数(SHDI)、香农均度指数(SHEI)、景观破碎度(C)、斑块结合度(COHESION)、散布与并列指数(IJI)、蔓延度指数(CONTAG)。

(4) 经济社会数据

经济社会数据来源于各省市统计年鉴、《中国水资源公报》、《环境年鉴》、《中国水土保持公报》等，包括城镇化率、人均地区生产总值、万元GDP用水量等。

(5) 水文数据

水文数据来源于《长江泥沙公报》，包括年径流量与输沙模数。

长江流域生态健康评价指标数据来源如表 4-2 所示。

表 4-2　长江流域生态健康评价指标数据来源

目标层	准则层		指标层	数据来源
长江流域生态健康状况	驱动力		城镇化率	各省市统计年鉴
			人均地区生产总值	各省市统计年鉴
			万元 GDP 用水量	《中国水资源公报》
	压力	自然压力	年降水量	中国气象数据网（https://data.cma.cn）
			年平均风速	中国气象数据网（https://data.cma.cn）
			年平均气温	中国气象数据网（https://data.cma.cn）
		社会经济压力	人口密度	各省市统计年鉴
			人类干扰指数	遥感解译
			水资源开发利用率	《中国水资源公报》
			土地垦殖指数	遥感解译
	状态	活力	归一化植被指数（NDVI）	中国科学院资源环境科学数据平台（https://www.resdc.cn）
			净初级生产力(NPP)	Miami 模型计算
		组织力	香农多样性	Fragstats 4.2 计算
			香农均度指数	Fragstats 4.2 计算
			景观破碎度	Fragstats 4.2 计算
			斑块结合度	Fragstats 4.2 计算
			散布与并列指数	Fragstats 4.2 计算
			蔓延度指数	Fragstats 4.2 计算
			年径流量	《长江泥沙公报》
			输沙模数	《长江泥沙公报》
		恢复力	生态弹性度	遥感解译
		生态系统服务功能	生态系统服务价值	遥感解译

续表

目标层	准则层	指标层	数据来源
长江流域生态健康状况	影响	森林覆盖率	《环境年鉴》
		水域面积率	遥感解译
		水质达标率	《环境年鉴》
		水土流失率	《中国水土保持公报》
		湿地面积率	《环境年鉴》、遥感解译
	响应	除涝率	《环境年鉴》
		水土流失治理率	《环境年鉴》
		污水处理率	《环境年鉴》
	管理	自然保护区占比	《环境年鉴》
		环保政策文件占比	各省市统计年鉴

4.1.3　数据处理

（1）气象数据（表 4-3）

表 4-3　气象数据

区域		2010 年			2015 年			2020 年		
流域	省（市）	年降水量（毫米）	年平均风速（米/秒）	年平均气温（℃）	年降水量（毫米）	年平均风速（米/秒）	年平均气温（℃）	年降水量（毫米）	年平均风速（米/秒）	年平均气温（℃）
长江上游	四川省	1 034.48	1.35	14.94	1 062.82	1.56	15.54	1 179.74	1.75	15.05
	云南省	1 095.28	1.80	17.10	1 120.25	1.73	16.99	1 064.41	1.87	17.04
	贵州省	1 150.20	1.75	15.97	1 361.60	1.65	16.38	1 425.77	1.81	15.94
	重庆市	1 071.43	1.15	17.17	1 208.10	1.55	17.64	1 383.45	1.64	17.19
长江中游	湖南省	1 684.19	1.80	17.62	1 599.75	1.75	17.64	1 716.83	1.90	17.64
	湖北省	1 279.30	1.66	16.69	1 265.19	1.75	16.89	1 719.03	1.84	16.88
	江西省	2 215.44	1.68	18.02	2 190.98	1.69	18.29	2 010.84	1.83	18.69
长江下游	上海市	1 182.97	2.91	16.93	1 651.35	2.61	16.94	1 603.92	2.58	17.8
	江苏省	1 009.82	2.45	15.63	1 314.90	2.13	15.83	1 286.67	2.18	16.61
	浙江省	1 758.98	2.18	17.36	1 876.95	2.05	17.66	1 587.17	2.09	18.48
	安徽省	1 255.24	2.18	15.81	1 381.27	2.22	15.82	1 684.74	2.19	16.31

基于 Miami 模型，通过气象数据测算出净初级生产力（NPP），如表 4-4 所示。

表 4-4　净初级生产力(NPP)

区域		净初级生产力(NPP)［克/(米^2・年)］		
流域	省(市)	2010 年	2015 年	2020 年
长江上游	四川省	1 841.08	1 891.43	1 850.37
	云南省	2 017.75	2 009.09	2 015.40
	贵州省	1 926.95	1 960.34	1 924.49
	重庆市	2 023.25	2 059.73	2 024.82
长江中游	湖南省	2 058.19	2 059.73	2 059.73
	湖北省	1 985.25	2 001.17	2 000.38
	江西省	2 088.67	2 108.93	2 138.45
长江下游	上海市	2 004.34	2 005.14	2 071.98
	江苏省	1 898.90	1 915.44	1 978.85
	浙江省	2 038.09	2 061.26	2 123.02
	安徽省	1 913.79	1 914.61	1 954.67

(2) 遥感数据(表 4-5 至表 4-6)

表 4-5　遥感数据(一)

区域		2010 年			2015 年			2020 年		
流域	省(市)	人类干扰指数(%)	土地垦殖指数(%)	归一化植被指数(NDVI)	人类干扰指数(%)	土地垦殖指数(%)	归一化植被指数(NDVI)	人类干扰指数(%)	土地垦殖指数(%)	归一化植被指数(NDVI)
长江上游	四川省	25.55	24.80	0.732 1	25.56	24.60	0.776 7	25.36	24.38	0.558 2
	云南省	18.47	17.86	0.759 7	18.51	17.75	0.816 7	18.76	17.52	0.652 9
	贵州省	28.35	27.98	0.781 6	28.57	27.66	0.824 7	28.77	27.42	0.728 8
	重庆市	47.29	46.02	0.790 5	47.36	45.29	0.8155	48.42	45.51	0.780 9
长江中游	湖南省	30.30	28.69	0.782 7	30.46	28.32	0.805 6	30.75	28.03	0.729 2
	湖北省	39.82	36.80	0.800 0	39.99	36.16	0.803 7	40.15	35.97	0.701 3
	江西省	29.02	26.97	0.777 8	29.26	26.72	0.798 3	29.66	26.41	0.703 8
长江下游	上海市	76.67	49.86	0.549 6	76.61	47.67	0.549 4	67.60	34.67	0.387 0
	江苏省	81.57	65.17	0.744 1	81.69	64.19	0.679 6	80.95	60.24	0.587 7
	浙江省	31.24	25.28	0.776 4	31.75	24.50	0.770 4	31.63	22.90	0.704 7
	安徽省	65.79	57.06	0.814 7	65.80	56.45	0.779 0	65.84	55.38	0.663 5

表 4-6　遥感数据(二)

区域		2010 年		2015 年		2020 年	
流域	省(市)	水域面积率(%)	湿地面积率(%)	水域面积率(%)	湿地面积率(%)	水域面积率(%)	湿地面积率(%)
长江上游	四川省	0.81	1.98	0.87	3.61	0.98	2.54
	云南省	0.74	0.61	0.87	1.43	1.00	0.10
	贵州省	0.28	0.45	0.29	1.19	0.68	0.04
	重庆市	1.26	0.52	1.30	2.51	1.59	0.18
长江中游	湖南省	3.45	5.79	3.48	4.81	3.41	1.11
	湖北省	6.32	4.99	6.37	7.77	6.26	0.33
	江西省	4.16	5.99	4.19	5.45	4.31	5.45
长江下游	上海市	21.80	53.68	21.67	73.27	26.41	7.84
	江苏省	13.81	16.32	13.60	27.51	14.90	4.12
	浙江省	3.06	7.88	2.91	10.91	3.39	1.58
	安徽省	5.24	4.73	5.27	7.46	5.27	0.34

注:其中 2020 年湿地面积率来自第三次全国国土调查数据。

通过遥感解译面积测算生态弹性度及生态系统服务价值,如表 4-7 所示。

表 4-7　生态弹性度及生态系统服务功能价值

区域		生态弹性度			生态系统服务价值(亿元)		
流域	省(市)	2010 年	2015 年	2020 年	2010 年	2015 年	2020 年
长江上游	四川省	0.631 2	0.632 0	0.630 5	24 901.22	24 842.02	25 031.53
	云南省	0.665 0	0.666 2	0.670 1	19 568.34	19 555.61	19 562.21
	贵州省	0.644 5	0.645 4	0.646 8	8 311.34	8 244.39	8 189.54
	重庆市	0.607 0	0.606 6	0.604 5	4 503.27	4 450.50	4 565.94
长江中游	湖南省	0.647 2	0.648 3	0.648 3	15 365.23	15 264.31	15 127.49
	湖北省	0.633 0	0.633 5	0.633 3	12 378.71	12 244.65	12 166.48
	江西省	0.652 7	0.653 8	0.655 7	12 203.33	12 095.18	11 985.22
长江下游	上海市	0.563 8	0.566 1	0.619 9	266.87	251.63	309.37
	江苏省	0.532 7	0.530 7	0.532 4	3 435.66	3 316.19	3 205.95
	浙江省	0.660 8	0.665 1	0.675 9	7 088.97	6 940.38	6 967.02
	安徽省	0.565 8	0.565 2	0.564 2	5 978.98	5 908.09	5 775.97

(3) 景观数据

景观数据的处理全部基于遥感解译所得流域土地利用分类图进行。利用长江流域内各行政区边界矢量图对土地利用分类图进行裁剪得出流域内各地区土地分类现状图,并将其全部导出为 TIFF 格式。将 TIFF 格式的各地区土地利用分类图分别导入 Fragstats 4.2,根据研究需求选择相应的景观指标,经过计算分析导出景观指数(表 4-8、表 4-9)。

表 4-8 景观数据(一)

区域		2010 年			2015 年			2020 年		
流域	省(市)	香农多样性指数	香农均度指数	景观破碎度(个/公顷)	香农多样性指数	香农均度指数	景观破碎度(个/公顷)	香农多样性指数	香农均度指数	景观破碎度(个/公顷)
长江上游	四川省	2.17	0.70	0.12	2.18	0.71	0.12	2.19	0.72	0.13
	云南省	1.99	0.66	0.13	2.00	0.67	0.13	2.04	0.68	0.14
	贵州省	1.89	0.65	0.17	1.91	0.66	0.17	1.93	0.67	0.17
	重庆市	1.94	0.69	0.15	1.97	0.70	0.15	1.94	0.67	0.15
长江中游	湖南省	1.76	0.60	0.18	1.81	0.61	0.20	1.83	0.62	0.20
	湖北省	2.07	0.70	0.18	2.10	0.71	0.19	2.11	0.72	0.19
	江西省	1.80	0.61	0.18	1.82	0.62	0.18	1.84	0.63	0.19
长江下游	上海市	1.70	0.65	0.10	1.75	0.65	0.11	1.89	0.68	0.08
	江苏省	1.83	0.62	0.10	1.84	0.62	0.11	1.89	0.61	0.10
	浙江省	1.53	0.51	0.15	1.56	0.52	0.15	1.61	0.53	0.15
	安徽省	1.86	0.63	0.11	1.88	0.64	0.11	1.90	0.66	0.11

表 4-9 景观数据(二)

区域		2010 年			2015 年			2020 年		
流域	省(市)	蔓延度指数(%)	散布与并列指数(%)	斑块结合度(%)	蔓延度指数(%)	散布与并列指数(%)	斑块结合度(%)	蔓延度指数(%)	散布与并列指数(%)	斑块结合度(%)
长江上游	四川省	39.22	61.81	97.53	38.87	62.37	97.47	37.29	64.16	97.09
	云南省	40.15	60.47	93.20	39.75	61.14	93.17	38.54	62.42	92.69
	贵州省	39.05	58.67	92.32	38.28	59.94	92.20	37.55	60.96	91.61
	重庆市	36.85	61.17	92.31	35.91	62.48	92.06	38.09	61.33	93.65
长江中游	湖南省	43.73	57.54	96.70	42.12	59.73	96.25	41.54	60.28	96.55
	湖北省	35.70	63.16	93.88	34.67	64.58	93.72	34.43	64.69	94.28
	江西省	43.29	61.52	97.37	42.43	62.63	97.24	42.03	63.00	97.26

续表

区域		2010 年			2015 年			2020 年		
流域	省（市）	蔓延度指数(%)	散布与并列指数(%)	斑块结合度(%)	蔓延度指数(%)	散布与并列指数(%)	斑块结合度(%)	蔓延度指数(%)	散布与并列指数(%)	斑块结合度(%)
长江下游	上海市	47.55	60.65	96.02	46.95	59.72	95.78	48.51	64.51	94.89
	江苏省	49.36	57.13	97.08	49.31	56.86	96.99	49.95	54.64	97.06
	浙江省	53.68	60.90	98.38	52.85	61.76	98.31	52.28	61.99	98.74
	安徽省	48.02	57.09	98.38	47.26	58.12	98.36	45.43	59.94	98.28

（4）经济社会数据

在 Excel 中分析并计算水质达标率、水土流失率、水土流失治理率等社会经济数据（表 4-10 至表 4-13）。

表 4-10　社会经济数据（一）

区域		2010 年			2015 年			2020 年		
流域	省（市）	城镇化率(%)	人均地区生产总值(元)	万元 GDP 用水量(立方米)	城镇化率(%)	人均地区生产总值(元)	万元 GDP 用水量(立方米)	城镇化率(%)	人均地区生产总值(元)	万元 GDP 用水量(立方米)
长江上游	四川省	40.18	21 182.00	134.01	48.27	36 775.00	88.34	56.73	58 125.54	48.75
	云南省	34.70	15 752.00	204.18	42.93	28 806.00	110.21	50.05	51 975.20	63.62
	贵州省	33.81	13 119.00	220.33	42.96	29 847.25	92.83	53.15	46 266.70	50.54
	重庆市	53.02	27 596.00	109.01	61.47	52 321.00	50.26	69.46	78 170.36	28.04
长江中游	湖南省	43.30	24 719.00	202.77	50.79	42 753.86	114.32	58.76	62 900.25	73.02
	湖北省	49.70	27 906.00	180.37	57.18	50 653.85	101.96	62.89	74 440.47	64.20
	江西省	44.06	21 253.00	253.62	52.30	36 724.00	146.98	60.44	56 871.06	95.01
长江下游	上海市	89.30	76 074.00	73.58	88.53	103 795.54	41.32	89.30	155 768.08	25.19
	江苏省	60.58	52 840.00	133.30	67.49	87 995.00	81.94	73.44	121 230.95	55.69
	浙江省	61.62	51 711.00	73.23	66.32	77 643.69	43.39	72.17	100 620.32	25.37
	安徽省	43.01	20 888.00	237.15	50.97	35 996.56	131.19	58.33	63 426.47	69.36

表 4-11　社会经济数据(二)

区域		2010 年			2015 年			2020 年		
流域	省(市)	人口密度(人/平方千米)	水资源开发利用率(%)	森林覆盖率(%)	人口密度(人/平方千米)	水资源开发利用率(%)	森林覆盖率(%)	人口密度(人/平方千米)	水资源开发利用率(%)	森林覆盖率(%)
长江上游	四川省	165.98	8.94	34.31	168.79	11.96	35.22	174.00	7.32	40.03
	云南省	116.60	7.62	47.50	120.30	8.02	50.03	123.20	8.67	65.04
	贵州省	198.00	10.61	31.61	201.00	8.45	37.09	219.00	6.78	60.00
	重庆市	351.00	18.61	34.85	373.00	17.31	38.43	390.00	9.14	52.50
长江中游	湖南省	310.00	17.05	44.76	320.00	17.22	47.77	314.00	14.40	59.96
	湖北省	308.00	23.60	31.14	315.00	29.66	38.40	311.00	15.89	42.00
	江西省	267.00	10.54	58.32	273.00	12.28	60.01	279.00	14.48	63.86
长江下游	上海市	3 632.00	317.63	9.41	3 809.00	114.39	10.74	3 830.00	166.38	18.49
	江苏省	767.00	143.99	10.48	776.00	79.13	15.80	791.00	105.26	16.80
	浙江省	534.00	15.75	57.41	587.00	13.24	59.07	634.00	15.97	61.00
	安徽省	426.00	31.15	26.06	440.00	31.58	27.53	437.00	20.95	30.22

表 4-12　社会经济数据(三)

区域		2010 年			2015 年			2020 年		
流域	省(市)	水质达标率(%)	水土流失率(%)	水土流失治理率(%)	水质达标率(%)	水土流失率(%)	水土流失治理率(%)	水质达标率(%)	水土流失率(%)	水土流失治理率(%)
长江上游	四川省	82.50	25.04	1.97	61.30	23.25	3.01	90.50	22.27	4.60
	云南省	55.00	28.59	2.88	64.40	27.33	3.17	81.30	25.54	5.13
	贵州省	71.80	31.37	1.99	89.40	27.71	4.90	99.30	26.68	5.43
	重庆市	100.00	38.02	2.87	81.50	36.53	5.06	94.40	30.52	5.25
长江中游	湖南省	91.80	15.24	1.32	85.30	17.63	3.88	95.90	14.09	5.64
	湖北省	86.60	30.05	3.75	84.20	19.10	5.81	93.90	17.03	4.48
	江西省	80.50	20.03	5.80	86.20	15.95	7.83	94.70	14.13	5.25
长江下游	上海市	23.50	—	—	14.70	—	—	74.10	0.05	—
	江苏省	84.40	6.12	3.40	54.50	5.30	5.62	97.80	2.18	4.56
	浙江省	74.30	9.06	7.59	72.90	8.60	5.66	94.60	7.12	6.12
	安徽省	79.30	9.92	2.39	84.30	8.88	10.07	92.90	8.62	6.65

表 4-13　社会经济数据(四)

区域		2010 年			2015 年			2020 年		
流域	省(市)	除涝率(%)	污水处理率(%)	自然保护区占比(%)	除涝率(%)	污水处理率(%)	自然保护区占比(%)	除涝率(%)	污水处理率(%)	自然保护区占比(%)
长江上游	四川省	0.01	74.8	18.32	0.02	88.50	17.05	0.01	96.86	30.50
	云南省	0.04	93.4	7.58	0.06	91.00	7.29	0.15	97.63	14.32
	贵州省	0.03	86.8	5.40	0.13	95.20	5.07	0.05	97.44	4.83
	重庆市	—	91.7	10.05	—	94.80	10.04	—	98.17	9.76
长江中游	湖南省	0.07	75.00	5.88	0.04	92.70	6.18	0.10	97.79	11.27
	湖北省	0.07	81.00	5.16	0.72	93.40	5.65	0.97	96.97	8.02
	江西省	0.19	80.8	6.69	0.42	87.70	7.35	0.16	97.48	6.59
长江下游	上海市	—	83.3	14.83	—	92.90	21.45	—	96.68	18.11
	江苏省	3.53	87.60	5.27	9.75	93.90	4.94	66.78	96.82	8.21
	浙江省	0.16	82.7	1.85	1.47	92.00	1.90	0.35	97.69	3.13
	安徽省	1.28	88.5	3.58	1.34	96.70	3.27	1.93	97.43	3.60

通过水土、环境、生态三个关键词检索，计算出各年环保政策文件占比，如表 4-14 所示。

表 4-14　环保政策文件占比

区域		环保政策文件占比(%)		
流域	省(市)	2010 年	2015 年	2020 年
长江上游	四川省	3.63	1.32	3.62
	云南省	3.09	7.58	4.41
	贵州省	2.68	4.89	3.05
	重庆市	2.29	2.24	7.33
长江中游	湖南省	2.98	2.83	4.01
	湖北省	6.82	2.17	7.19
	江西省	1.63	1.09	3.12
长江下游	上海市	1.05	2.28	5.57
	江苏省	1.89	2.43	3.06
	浙江省	3.04	2.61	5.27
	安徽省	1.31	2.76	3.74

（5）水文数据

根据《长江泥沙公报》可知，长江干流主要水文控制站涵盖直门达、石鼓、攀枝花、向家坝、朱沱、寸滩、宜昌、沙市、汉口、大通 10 处水文站，其中直门达、石鼓、攀枝花、向家坝、朱沱、寸滩地处长江上游，宜昌、沙市、汉口地处长江中游，大通水文站地处长江下游。

表 4-15　水文数据

区域		2010 年		2015 年		2020 年	
流域	水文站点	年径流量（亿立方米）	输沙模数（吨/平方千米）	年径流量（亿立方米）	输沙模数（吨/平方千米）	年径流量（亿立方米）	输沙模数（吨/平方千米）
长江上游	直门达	187.3	132.0	104.1	28.30	227.5	143.00
	石鼓	444.1	134.0	317.8	55.60	515.4	293.00
	攀枝花	592.1	162.0	451.3	9.88	647.9	8.18
	向家坝	1 492.0	329.0	1 290.0	1.32	1 586.0	2.72
	朱沱	2 544.0	232.0	2 387.0	30.50	3 179.0	141.00
	寸滩	3 400.0	243.0	3 044.0	37.90	4 221.0	216.00
长江中游	宜昌	4 048.0	32.6	3 946.0	3.69	5 442.0	46.50
	沙市	3 819.0	—	3 645.0	—	4 978.0	—
	汉口	7 472.0	74.6	6 752.0	42.30	8 794.0	59.50
长江下游	大通	10 220.0	108.0	9 139.0	68.00	11 180.0	96.20

注：2010 年，《长江泥沙公报（2010）》暂未将直门达水文站与向家坝水文站列为长江干流主要水文控制站，2012 年，向家坝水文站被确立为国家基本水文站，并完成向家坝工程一期蓄水水文观测任务。综合考虑，直门达与向家坝水文站缺失的 2010 年水文数据由 2012 年水文数据暂行替代。

4.2　长江上游地区生态健康指数

4.2.1　评价思路与方法

通过参考国内外流域生态健康评价的研究成果，结合对长江流域的资料查阅，分析其生态组成和社会经济结构，构建出长江流域生态健康综合评价指标体系。采用基于层次分析法的综合指数评价法，结合 ArcGIS 10.4、ENVI 5.3

和 Fragstats 4.2 软件，对分级指标逐级评分、逐级加权，然后进行综合评分，最终得到每个评估单元的生态健康指数以及各层次各指标的生态健康加权值。整体评估流程包括评估指标分值的计算、分项指标分值的计算、专项指标分值的计算、生态健康指数的计算与生态健康分级。

4.2.2 评价过程

(1) 长江上游指标标准化

① 驱动力指标(表 4-16)

表 4-16 驱动力指标

指标	2010 年	2015 年	2020 年
城镇化率	0.655 5	0.677 6	0.624 0
人均地区生产总值	0.434 7	0.345 8	0.387 7
万元 GDP 用水量	0.480 1	0.413 7	0.446 4

② 压力指标(表 4-17)

表 4-17 压力指标

指标	2010 年	2015 年	2020 年
年降水量	0.461 2	0.419 6	0.550 5
年平均风速	0.442 3	0.597 2	0.445 7
年平均气温	0.392 4	0.477 4	0.413 6
人口密度	0.610 5	0.622 2	0.612 6
人类干扰指数	0.602 9	0.601 7	0.6100
水资源开发利用率	0.6520	0.632 4	0.492 6
土地垦殖指数	0.598 5	0.597 9	0.600 3

③ 状态指标(表 4-18)

表 4-18 状态指标

指标	2010 年	2015 年	2020 年
NDVI	0.766 0	0.808 4	0.680 2
NPP	0.610 3	0.527 1	0.592 7
香农多样性指数	0.383 9	0.388 9	0.365 4
香农均度指数	0.675 0	0.685 0	0.685 0

续表

指标	2010 年	2015 年	2020 年
景观破碎度	0.538 0	0.550 0	0.554 3
斑块结合度	0.293 1	0.307 8	0.392 3
散布与并列指数	0.592 4	0.607 3	0.393 0
蔓延度指数	0.596 2	0.597 0	0.462 0
年径流量	0.609 1	0.604 9	0.623 9
输沙模数	0.627 7	0.522 3	0.547 8
生态弹性度	0.636 9	0.637 6	0.638 0
生态系统服务价值	0.481 3	0.481 7	0.477 5

④ 影响指标(表 4-19)

表 4-19　影响指标

指标	2010 年	2015 年	2020 年
森林覆盖率	0.343 5	0.335 8	0.574 3
水域面积率	0.502 6	0.537 1	0.420 3
水质达标率	0.496 1	0.457 3	0.559 7
水土流失率	0.559 7	0.589 2	0.517 3
湿地面积率	0.287 6	0.411 2	0.270 0

⑤ 响应指标(表 4-20)

表 4-20　响应指标

指标	2010 年	2015 年	2020 年
除涝率	0.555 6	0.454 5	0.428 6
水土流失治理率	0.502 7	0.500 0	0.605 4
污水处理率	0.638 4	0.578 4	0.507 6

⑥ 管理指标(表 4-21)

表 4-21　管理指标

指标	2010 年	2015 年	2020 年
自然保护区占比	0.382 2	0.400 0	0.390 4
环保政策文件占比	0.472 0	0.429 3	0.362 7

(2) 确定权重

① 层次分析法(AHP)

获取准则层判断矩阵并归一化处理计算其权重 W(表 4-22 至表 4-28)。

表 4-22　准则层判断矩阵

指标	B1	B2	B3	B4	B5	B6	W
B1	1	3/2	2/3	2/3	3	4	0.19
B2	3/2	1	1/2	1/2	2	3	0.16
B3	3/2	2	1	3/2	4	5	0.28
B4	3/2	2	2/3	1	4	5	0.25
B5	1/3	1/2	1/4	1/4	1	2	0.07
B6	1/4	1/3	1/5	1/5	1/2	1	0.05

$\lambda_{max}=6.23$,$CI=0.046$,$RI=1.26$,$CR=0.0365<0.1$,具有满意的一致性。

表 4-23　驱动力指标判断矩阵

指标	C1	C2	C3	W
C1	1	1	2/3	0.285
C2	1	1	2/3	0.285
C3	3/2	3/2	1	0.430

$\lambda_{max}=3$,$CI=0$,$RI=0.52$,$CR=0<0.1$,具有满意的一致性。

表 4-24　压力指标判断矩阵

指标	C4	C5	C6	C7	C8	C9	C10	W
C4	1	1	1	1/5	1/5	1/3	1/3	0.050
C5	1	1	1	1/5	1/5	1/3	1/3	0.050
C6	1	1	1	1/5	1/5	1/3	1/3	0.050
C7	5	5	5	1	1	2	2	0.275
C8	5	5	5	1	1	2	2	0.275
C9	3	3	3	1/2	1/2	1	1	0.150
C10	3	3	3	1/2	1/2	1	1	0.150

$\lambda_{max}=7.0081$,$CI=0.00135$,$RI=1.36$,$CR=0.001<0.1$,具有满意的一致性。

表 4-25　状态指标判断矩阵

指标	C11	C12	C13	C14	C15	C16	C17	C18	C19	C20	C21	C22	*W*
C11	1	1	1/2	2/5	1/3	1/3	1/3	1/3	2/5	2/5	2	3	0.042
C12	1	1	1/2	2/5	1/3	1/3	1/3	1/3	2/5	2/5	2	3	0.042
C13	2	2	1	4/5	2/3	2/3	2/3	2/3	4/5	4/5	4	6	0.082
C14	5/2	5/2	5/4	1	5/6	5/6	5/6	5/6	1	1	5	15/2	0.100
C15	3	3	3/2	6/5	1	1	1	1	6/5	6/5	6	9	0.125
C16	3	3	3/2	6/5	1	1	1	1	6/5	6/5	6	9	0.125
C17	3	3	3/2	6/5	1	1	1	1	6/5	6/5	6	9	0.125
C18	3	3	3/2	6/5	1	1	1	1	6/5	6/5	6	9	0.125
C19	5/2	5/2	5/4	1	5/6	5/6	5/6	5/6	1	1	5	15/2	0.100
C20	5/2	5/2	5/4	1	5/6	5/6	5/6	5/6	1	1	5	15/2	0.100
C21	1/2	1/2	1/4	1/5	1/6	1/6	1/6	1/6	1/5	1/5	1	3/2	0.020
C22	1/3	1/3	1/6	2/15	1/9	1/9	1/9	1/9	2/15	2/15	2/3	1	0.014

$\lambda_{max}=12, CI=0, RI=1.54, CR=0<0.1$，具有满意的一致性。

表 4-26　影响指标判断矩阵

指标	C23	C24	C25	C26	C27	*W*
C23	1	2	1/2	1/2	3	0.19
C24	1/2	1	1/4	1/4	3/2	0.09
C25	2	4	1	1	3	0.32
C26	2	4	1	1	3	0.32
C27	1/3	2/3	1/3	1/3	1	0.08

$\lambda_{max}=5.0776, CI=0.0194, RI=1.12, CR=0.0173<0.1$，具有满意的一致性。

表 4-27　响应指标判断矩阵

指标	C28	C29	C30	*W*
C28	1	1/2	1/2	0.2
C29	2	1	1	0.4
C30	2	1	1	0.4

$\lambda_{max}=3, CI=0, RI=0.52, CR=0<0.1$，具有满意的一致性。

表 4-28　管理指标判断矩阵

指标	C31	C32	W
C31	1	10/9	0.53
C32	9/10	1	0.47

$\lambda_{max}=2$，$CI=0$，$RI=0$，$CR=0<0.1$，具有满意的一致性。

综合以上判断矩阵的计算结果，得出 AHP 法权重值，如表 4-29 所示。

表 4-29　长江流域生态健康评价指标权重赋值表——AHP 法

指标	B1	B2	B3	B4	B5	B6	W_j
	0.19	0.16	0.28	0.25	0.07	0.05	
C1	0.285						0.054 15
C2	0.285						0.054 15
C3	0.430						0.081 70
C4		0.050					0.008 00
C5		0.050					0.008 00
C6		0.050					0.008 00
C7		0.275					0.044 00
C8		0.275					0.044 00
C9		0.150					0.024 00
C10		0.150					0.024 00
C11			0.042				0.011 76
C12			0.042				0.011 76
C13			0.082				0.022 96
C14			0.100				0.028 00
C15			0.125				0.035 00
C16			0.125				0.035 00
C17			0.125				0.035 00
C18			0.125				0.035 00
C19			0.100				0.028 00
C20			0.100				0.028 00
C21			0.020				0.005 60
C22			0.014				0.003 92

续表

指标	B1	B2	B3	B4	B5	B6	W_j
	0.19	0.16	0.28	0.25	0.07	0.05	
C23				0.19			0.047 50
C24				0.09			0.022 50
C25				0.32			0.080 00
C26				0.32			0.080 00
C27				0.08			0.020 00
C28					0.2		0.014 00
C29					0.4		0.028 00
C30					0.4		0.028 00
C31						0.53	0.026 50
C32						0.47	0.023 50

② 熵权法权重及“AHP-熵权法”综合权重测算

根据归一化后的指标测算其权重，结果如表 4-30 所示。

表 4-30 长江上游生态健康评价指标权重赋值表

——熵权法权重及“AHP-熵权法”综合权重

指标	熵权法权重	综合权重 W_j
C1	0.005 6	0.022 9
C2	0.021 4	0.044 9
C3	0.011 0	0.039 5
C4	0.042 7	0.024 3
C5	0.072 5	0.031 7
C6	0.020 0	0.016 7
C7	0.000 3	0.004 9
C8	0.000 2	0.003 5
C9	0.063 1	0.051 2
C10	0.000 1	0.002 0
C11	0.029 2	0.024 4
C12	0.016 3	0.018 2
C13	0.001 7	0.008 2

续表

指标	熵权法权重	综合权重 W_j
C14	0.000 2	0.003 5
C15	0.000 6	0.006 2
C16	0.033 6	0.045 2
C17	0.130 0	0.088 8
C18	0.053 1	0.056 7
C19	0.000 8	0.006 2
C20	0.025 7	0.035 3
C21	0.000 1	0.001 0
C22	0.000 1	0.000 6
C23	0.188 1	0.124 5
C24	0.034 3	0.036 6
C25	0.024 7	0.058 5
C26	0.011 3	0.039 6
C27	0.070 1	0.049 3
C28	0.042 8	0.032 2
C29	0.031 8	0.039 3
C30	0.036 3	0.041 9
C31	0.000 9	0.006 3
C32	0.031 5	0.035 8

4.2.3 指数分析

经测算，2010 年长江上游地区生态健康指数为 0.500 4，2015 年长江上游地区生态健康指数为 0.494 6，2020 年长江上游地区生态健康指数为 0.482 2。健康指数均介于 0.4～0.6，健康状态 3 级，属亚健康范畴，表明流域生态系统体现较强活力，生态弹性与生态功能较完整，整体结构处于合理范围，存在较大外界扰动压力且将达到生态阈值，已有部分生态异常出现，流域生态亚健康。同时，2010 年至 2020 年长江上游地区生态健康指数正逐步减小，说明长江上游流域生态健康有恶化趋势，需强化长江上游流域生态健康综合治理。

下面分别从驱动力因子、压力因子、状态因子、影响因子、响应因子和管理因子六方面来分析 2010 年至 2020 年长江上游地区生态健康情况。

经测算，驱动力因子的加权值在 2010 年、2015 年与 2020 年分别为 0.053 5、0.047 4、0.049 3，呈现先减小后缓慢增大的趋势，说明 2010 年至 2015 年长江上游地区生态健康驱动力影响增强，2015 年至 2020 年长江上游地区生态健康驱动力影响被削弱。

经测算，压力因子的加权值在 2010 年、2015 年与 2020 年分别为 0.071 5、0.075 9、0.066 0，呈现先缓慢增大后减小的趋势，说明 2010 年至 2015 年长江上游地区生态压力减小，2015 年至 2020 年长江上游地区生态压力增大。

经测算，状态因子的加权值在 2010 年、2015 年与 2020 年分别为 0.165 2、0.163 1、0.139 2，呈现逐步减小的趋势，且 2015 年至 2020 年具有明显减小的趋势，说明 2010 年至 2020 年长江上游地区生态健康状态正在逐步恶化，呈现不健康态势。在状态因子中，长江上游地区生态健康“组织力”状态因素变化巨大，其加权值在 2010 年、2015 年与 2020 年分别为 0.134 4、0.132 9、0.110 9，从单项指标评价来说，“斑块结合度”“散布与并列指数”呈现明显变化趋势，说明长江上游地区景观格局发生改变，其景观连通性被逐步破坏。

经测算，影响因子的加权值在 2010 年、2015 年与 2020 年分别为 0.126 5、0.131 8、0.153 4，呈现逐步增大的趋势，说明 2010 年至 2020 年长江上游地区生态健康影响因子正被逐步修复，其中“森林覆盖率”变化突出。

经测算，响应因子的加权值在 2010 年、2015 年与 2020 年分别为 0.064 4、0.058 6、0.058 9，呈现先减小后缓慢增大的趋势，说明 2010 年至 2015 年长江上游地区生态健康响应减弱，2015 年至 2020 年长江上游地区生态健康响应逐步增强。

经测算，管理因子的加权值在 2010 年、2015 年与 2020 年分别为 0.019 3、0.017 9、0.015 5，呈现减小趋势，其中“环保政策文件占比”呈现明显减小趋势。由于影响因子、响应因子及管理因子均涉及人类对流域的综合治理手段，因此综合该三类因子进行分析，其综合加权值在 2010 年、2015 年与 2020 年分别为 0.210 3、0.208 3、0.227 7，呈现先减小后增大的趋势，说明 2010 年至 2015 年人类对长江上游地区生态健康的综合治理被削弱，自长江大保护战略实施以来，2015 年至 2020 年人类对长江上游地区生态健康的综合治理逐步增强，且治理模式由被动响应逐步向主动管理发展。

4.3 长江中游地区生态健康指数

4.3.1 评价思路与方法

通过参考国内外流域生态健康评价的研究成果，结合对长江流域的资料查阅，分析其生态组成和社会经济结构，构建出长江流域生态健康综合评价指标体系。采用基于层次分析法的综合指数评价法，结合 ArcGIS 10.4、ENVI 5.3 和 Fragstats 4.2 软件，对分级指标逐级评分、逐级加权，然后进行综合评分，最终得到每个评估单元的生态健康指数以及各层次各指标的生态健康加权值。整体评估流程包括评估指标分值的计算、分项指标分值的计算、专项指标分值的计算、生态健康指数的计算与生态健康分级。

4.3.2 评价过程

(1) 长江中游指标标准化

① 驱动力指标(表 4-31)

表 4-31 驱动力指标

指标	2010 年	2015 年	2020 年
城镇化率	0.627 1	0.587 9	0.531 1
人均地区生产总值	0.507 0	0.477 6	0.447 7
万元 GDP 用水量	0.564 7	0.575 2	0.571 2

② 压力指标(表 4-32)

表 4-32 压力指标

指标	2010 年	2015 年	2020 年
年降水量	0.470 6	0.453 8	0.335 8
年平均风速	0.619 0	0.333 3	0.619 0
年平均气温	0.433 6	0.488 1	0.526 7
人口密度	0.348 8	0.368 8	0.361 9
人类干扰指数	0.627 2	0.629 4	0.632 0
水资源开发利用率	0.500 5	0.571 9	0.648 8
土地垦殖指数	0.608 3	0.610 2	0.610 2

③ 状态指标(表 4-33)

表 4-33　状态指标

指标	2010 年	2015 年	2020 年
NDVI	0.786 8	0.802 5	0.711 4
NPP	0.568 4	0.514 5	0.476 6
香农多样性指数	0.376 3	0.366 7	0.350 0
香农均度指数	0.636 7	0.646 7	0.655 0
景观破碎度	0.369 6	0.474 8	0.507 6
斑块结合度	0.602 7	0.572 9	0.587 2
散布与并列指数	0.569 4	0.467 4	0.538 9
蔓延度指数	0.648 4	0.653 4	0.645 2
年径流量	0.645 8	0.634 4	0.626 1
输沙模数	0.597 4	0.256 3	0.590 7
生态弹性度	0.644 3	0.645 2	0.645 8
生态系统服务价值	0.351 8	0.349 1	0.352 6

④ 影响指标(表 4-34)

表 4-34　影响指标

指标	2010 年	2015 年	2020 年
森林覆盖率	0.500 4	0.477 9	0.607 2
水域面积率	0.415 8	0.415 2	0.438 6
水质达标率	0.513 3	0.516 7	0.466 7
水土流失率	0.558 9	0.488 9	0.662 1
湿地面积率	0.600 0	0.405 4	0.384 1

⑤ 响应指标(表 4-35)

表 4-35　响应指标

指标	2010 年	2015 年	2020 年
除涝率	0.333 3	0.519 6	0.356 3
水土流失治理率	0.514 1	0.496 2	0.554 6
污水处理率	0.655 6	0.625 7	0.540 7

⑥ 管理指标(表 4-36)

表 4-36　管理指标

指标	2010 年	2015 年	2020 年
自然保护区占比	0.490 2	0.437 3	0.435 2
环保政策文件占比	0.420 0	0.540 2	0.406 2

(2) 确定权重(表 4-37)

表 4-37　长江中游生态健康评价指标权重赋值表

指标	AHP 法权重	熵权法权重	综合权重 W_j
C1	0.054 15	0.014 4	0.043 6
C2	0.054 15	0.006 2	0.028 6
C3	0.081 70	0.000 2	0.005 9
C4	0.008 00	0.041 7	0.028 5
C5	0.008 00	0.185 1	0.060 1
C6	0.008 00	0.015 4	0.017 3
C7	0.044 00	0.000 9	0.009 6
C8	0.044 00	0.000 1	0.003 3
C9	0.024 00	0.034 3	0.044 8
C10	0.024 00	0.000 1	0.002 4
C11	0.011 76	0.011 8	0.018 4
C12	0.011 76	0.014 2	0.020 2
C13	0.022 96	0.001 5	0.009 1
C14	0.028 00	0.000 5	0.005 7
C15	0.035 00	0.038 4	0.057 3
C16	0.035 00	0.001 4	0.010 8
C17	0.035 00	0.018 3	0.039 5
C18	0.035 00	0.000 1	0.002 9
C19	0.028 00	0.000 6	0.006 2
C20	0.028 00	0.275 3	0.137 0
C21	0.005 60	0.000 1	0.001 2
C22	0.003 92	0.000 1	0.001 0

续表

指标	AHP 法权重	熵权法权重	综合权重 W_j
C23	0.047 50	0.031 3	0.060 2
C24	0.022 50	0.001 4	0.008 6
C25	0.080 00	0.005 4	0.032 4
C26	0.080 00	0.047 4	0.096 1
C27	0.020 00	0.100 7	0.070 0
C28	0.014 00	0.079 9	0.052 2
C29	0.028 00	0.006 0	0.020 2
C30	0.028 00	0.021 4	0.038 2
C31	0.026 50	0.007 1	0.021 4
C32	0.023 50	0.039 3	0.047 4

4.3.3 指数分析

经测算，2010 年长江中游地区生态健康指数为 0.533 8，2015 年长江中游地区生态健康指数为 0.463 3，2020 年长江中游地区生态健康指数为 0.530 4。健康指数均介于 0.4～0.6，健康状态 3 级，属亚健康范畴，表明流域生态系统体现较强活力，生态弹性与生态功能较完整，整体结构处于合理范围，存在较大外界扰动压力且将达到生态阈值，已有部分生态异常出现，流域生态亚健康。同时，2010 年至 2020 年长江中游地区生态健康指数呈现先减小后增大的状态，说明长江中游流域生态健康有恢复的趋势，需进一步加强长江中游流域生态健康综合治理。

下面分别从驱动力因子、压力因子、状态因子、影响因子、响应因子和管理因子六方面来分析 2010 年至 2020 年长江中游地区生态健康情况。

经测算，驱动力因子的加权值在 2010 年、2015 年与 2020 年分别为 0.045 2、0.042 7、0.039 4，呈现逐步减小的趋势，说明 2010 年至 2020 年长江中游地区生态健康驱动力影响增强，其中"城镇化率""人均地区生产总值"变化较为突出。

经测算，压力因子的加权值在 2010 年、2015 年与 2020 年分别为 0.087 4、0.074 1、0.092 0，呈现先减小后增大的趋势，说明 2010 年至 2015 年长江中游地区生态压力增大，2015 年至 2020 年长江中游地区生态压力减小。

经测算，状态因子的加权值在 2010 年、2015 年与 2020 年分别为 0.171 9、0.126 0、0.174 1，呈现先减小后增大的趋势。说明 2010 年至 2015 年长江中游地区生态健康状态正在逐步恶化，呈现不健康趋势，而2015年至2020年长江中游地区生态健康状态正在逐步恢复。在状态因子的分析中，发现长江中游地区生态健康“组织力”状态因素变化巨大，其加权值在2010年、2015年与2020年分别为0.144 9、0.099 8、0.150 3，从单项指标评价来说，“散布与并列指数”呈现明显变化趋势。说明2010年至2015年长江中游地区景观格局发生改变，其景观连通性被逐步破坏，2015年至2020年长江中游地区景观格局被逐步修复。

经测算，影响因子的加权值在2010年、2015年与2020年分别为0.146 1、0.124 5、0.146 0，呈现先减小后增大的趋势。说明2010年至2015年长江中游地区生态健康影响因子正被破坏，而2015年至2020年长江中游地区生态健康影响因子正被逐步修复，其中“森林覆盖率”“水土流失率”变化突出。

经测算，响应因子的加权值在2010年、2015年与2020年分别为0.052 8、0.061 0、0.050 4，呈现先增大后减小的趋势。说明2010年至2015年长江中游地区生态健康响应增强，而2015年至2020年长江中游地区生态健康响应逐步削弱。

经测算，管理因子的加权值在2010年、2015年与2020年分别为0.030 4、0.034 9、0.028 6，呈现先增大后减小的趋势，其中“环保政策文件占比”呈现主要变化。由于影响因子、响应因子及管理因子均涉及人类对流域的综合治理手段，因此综合该三类因子进行分析，其综合加权值在2010年、2015年与2020年分别为0.229 3、0.220 5、0.225 0，呈现先减小后增大的趋势，说明2010年至2015年人类对长江中游地区生态健康的综合治理被削弱，自长江大保护战略实施以来，2015年至2020年人类对长江中游地区生态健康的综合治理逐步增强，且治理模式由被动响应逐步向主动管理发展。

4.4 长江下游地区生态健康指数

4.4.1 评价思路与方法

通过参考国内外流域生态健康评价的研究成果，结合对长江流域的资料查阅，分析其生态组成和社会经济结构，构建出长江流域生态健康综合评价指标体系。采用基于层次分析法的综合指数评价法，结合ArcGIS 10.4、ENVI 5.3和Fragstats 4.2软件，对分级指标逐级评分、逐级加权，然后进行综合评分，最终得到每个评估单元的生态健康指数以及各层次各指标的生态健康加权值。整体评估流程包括评估指标分值的计算、分项指标分值的计算、专项指标分值的计算、生态健康指数的计算与生态健康分级。

4.4.2 评价过程

(1) 长江下游指标标准化

① 驱动力指标(表 4-38)

表 4-38 驱动力指标

指标	2010 年	2015 年	2020 年
城镇化率	0.554 6	0.537 9	0.516 3
人均地区生产总值	0.534 4	0.595 3	0.507 2
万元 GDP 用水量	0.657 9	0.631 2	0.576 4

② 压力指标(表 4-39)

表 4-39 压力指标

指标	2010 年	2015 年	2020 年
年降水量	0.389 7	0.429 2	0.638 0
年平均风速	0.657 5	0.638 4	0.653 1
年平均气温	0.751 4	0.596 5	0.543 8
人口密度	0.715 0	0.714 2	0.709 4
人类干扰指数	0.352 7	0.355 0	0.394 3
水资源开发利用率	0.631 0	0.541 8	0.593 3
土地垦殖指数	0.396 8	0.402 8	0.453 7

③ 状态指标(表 4-40)

表 4-40 状态指标

指标	2010 年	2015 年	2020 年
NDVI	0.721 2	0.694 6	0.585 7
NPP	0.466 1	0.405 7	0.460 1
香农多样性指数	0.606 1	0.617 2	0.732 8
香农均度指数	0.602 5	0.606 3	0.620 0
景观破碎度	0.701 0	0.712 2	0.536 9

续表

指标	2010 年	2015 年	2020 年
斑块结合度	0.612 3	0.612 4	0.6110
散布与并列指数	0.486 2	0.460 2	0.570 4
蔓延度指数	0.343 0	0.363 1	0.527 4
年径流量	0.515 7	0.461 1	0.564 1
输沙模数	0.615 7	0.387 7	0.548 5
生态弹性度	0.580 8	0.581 8	0.598 1
生态系统服务价值	0.575 4	0.576 0	0.564 0

④ 影响指标(表 4-41)

表 4-41 影响指标

指标	2010 年	2015 年	2020 年
森林覆盖率	0.342 3	0.363 0	0.335 5
水域面积率	0.422 5	0.423 9	0.395 4
水质达标率	0.312 4	0.602 0	0.664 6
水土流失率	0.408 8	0.359 4	0.481 6
湿地面积率	0.325 3	0.339 3	0.417 3

⑤ 响应指标(表 4-42)

表 4-42 响应指标

指标	2010 年	2015 年	2020 年
除涝率	0.444 1	0.338 5	0.341 3
水土流失治理率	0.398 1	0.336 3	0.582 1
污水处理率	0.487 1	0.398 9	0.470 3

⑥ 管理指标(表 4-43)

表 4-43 管理指标

指标	2010 年	2015 年	2020 年
自然保护区占比	0.349 2	0.306 4	0.342 6
环保政策文件占比	0.388 2	0.500 0	0.537 8

（2）确定权重（表 4-44）

表 4-44　长江下游生态健康评价指标权重赋值表

指标	AHP 法权重	熵权法权重	综合权重 W_j
C1	0.054 15	0.002 2	0.014 4
C2	0.054 15	0.012 1	0.033 6
C3	0.081 70	0.009 4	0.036 3
C4	0.008 00	0.113 7	0.039 5
C5	0.008 00	0.000 5	0.002 7
C6	0.008 00	0.062 1	0.029 2
C7	0.044 00	0.000 1	0.002 7
C8	0.044 00	0.004 2	0.017 7
C9	0.024 00	0.011 4	0.021 6
C10	0.024 00	0.006 9	0.016 9
C11	0.011 76	0.026 7	0.023 2
C12	0.011 76	0.007 6	0.012 4
C13	0.022 96	0.025 6	0.031 7
C14	0.028 00	0.000 5	0.004 7
C15	0.035 00	0.051 2	0.055 4
C16	0.035 00	0.000 0	0.000 4
C17	0.035 00	0.020 8	0.035 3
C18	0.035 00	0.072 6	0.066 0
C19	0.028 00	0.016 6	0.028 2
C20	0.028 00	0.086 1	0.064 3
C21	0.005 60	0.000 5	0.002 3
C22	0.003 92	0.000 3	0.001 3
C23	0.047 50	0.001 6	0.011 5
C24	0.022 50	0.001 8	0.008 4
C25	0.080 00	0.221 7	0.174 4
C26	0.080 00	0.026 9	0.060 7
C27	0.020 00	0.018 9	0.025 4
C28	0.014 00	0.027 2	0.025 5

续表

指标	AHP 法权重	熵权法权重	综合权重 W_j
C29	0.028 00	0.111 6	0.073 2
C30	0.028 00	0.015 0	0.026 8
C31	0.026 50	0.004 3	0.014 0
C32	0.023 50	0.040 1	0.040 2

4.4.3 指数分析

经测算，2010 年长江下游生态健康指数为 0.466 2，2015 年长江下游生态健康指数为 0.488 5，2020 年长江下游生态健康指数为 0.554 6。健康指数均介于 0.4～0.6 之间，健康状态 3 级，属亚健康范畴，表明流域生态系统体现较强活力，生态弹性与生态功能较完整，整体结构处于合理范围，存在较大外界扰动压力且将达到生态阈值，已有部分生态异常出现，流域生态亚健康。同时，2010 年至 2020 年长江下游地区生态健康指数呈现逐步增大的趋势，说明长江下游流域生态健康正处于恢复趋势，需持续推进长江下游流域生态健康综合治理。

下面分别从驱动力因子、压力因子、状态因子、影响因子、响应因子和管理因子六方面来分析 2010 年至 2020 年长江下游地区生态健康情况。

经测算，驱动力因子的加权值在 2010 年、2015 年与 2020 年分别为 0.049 8、0.050 6、0.045 4，呈现先增大后减小的趋势。说明 2010 年至 2015 年长江下游地区生态健康驱动力影响减小，而 2015 年至 2020 年长江下游地区生态健康驱动力影响增强。其中“人均地区生产总值”“万元 GDP 用水量”变化突出。

经测算，压力因子的加权值在 2010 年、2015 年与 2020 年分别为 0.067 6、0.062 8、0.072 2，呈现先减小后增大的趋势。说明 2010 年至 2015 年长江下游地区生态压力增大，而 2015 年至 2020 年长江下游地区生态压力减小。

经测算，状态因子的加权值在 2010 年、2015 年与 2020 年分别为 0.179 8、0.163 6、0.183 8，呈现先减小后增大的趋势。说明 2010 年至 2015 年长江下游地区生态健康状态正在逐步恶化，呈现不健康趋势，而 2015 年至 2020 年长江下游地区生态健康状态正在逐步恢复。在状态因子中，发现长江下游地区生态健康“组织力”状态因素变化巨大，其加权值在 2010 年、2015 年与 2020 年分别为 0.155 2、0.140 4、0.162 4，从单项指标评价来说，“景观破碎度”“散布与并列指数”“蔓延度指数”“输沙模数”均呈现明显变化趋势，说明长江下游地区景观格局发生改变，其景观连通性先被破坏，后来逐步修复。

经测算，影响因子的加权值在 2010 年、2015 年与 2020 年分别为 0.095 0、0.143 2、0.162 9，呈现逐步增大的趋势。说明 2010 年至 2020 年长江下游地区生态健康影响因子正被逐步修复，其中“水质达标率”“湿地面积率”变化突出。

经测算，响应因子的加权值在 2010 年、2015 年与 2020 年分别为 0.053 5、0.043 9、0.063 9，呈现先减小后增大的趋势。说明 2010 年至 2015 年长江下游地区生态健康响应减弱，而 2015 年至 2020 年长江下游地区生态健康响应逐步增强。

经测算，管理因子的加权值在 2010 年、2015 年与 2020 年分别为 0.020 5、0.024 4、0.026 4，呈现逐步增大的趋势，其中“环保政策文件占比”呈现主要减小趋势，说明 2010 年至 2020 年长江下游地区对长江流域生态健康的主动管理手段逐步加强。由于影响因子、响应因子及管理因子均涉及人类对流域的综合治理手段，因此综合该三类因子进行分析，其综合加权值在 2010 年、2015 年与 2020 年分别为 0.169 0、0.211 5、0.253 2，呈现逐步增大的趋势，说明 2010 年至 2020 年人类对长江下游地区生态健康的综合治理持续增强，且治理模式由被动响应持续向主动管理发展。

从整体上来看，目前长江流域上、中、下游各地区生态环境均处于亚健康范畴，具有较大的生态改善与优化空间。由于长江流域在经济发展的过程中对生态健康要素考虑不足，从而造成了一系列的生态问题。而生态压力不断累积，最终会超过流域生态系统的承载力，进而使其发生退化，流域景观格局遭受破坏。自 20 世纪初以来，各省市第一、二、三产业迅猛发展，伴随人类活动及其他外界干扰，流域生态压力增大，逐步进入亚健康范畴。为避免长江流域生态健康朝一般病态方向发展，防止其综合健康评价值逐年降低，人类对生态环境的响应与管理力度逐步加大。自长江大保护战略实施以来，长江下游地区与中游地区的生态健康得到了有效改善，但长江上游地区生态健康仍不容乐观，这也体现了生态系统健康退化容易、恢复困难的现状。因此，要想恢复破坏后的生态环境需要付出巨大的时间成本与资金代价，这进一步警示了人类在经济发展的同时不能以牺牲生态环境为代价。

05

第五章

水生态系统修复

5.1 水资源集约利用

5.1.1 水量分配

水量分配是对水资源可利用总量或者可分配的水量向行政区域进行逐级分配，确定行政区域生活、生产可消耗的水量份额或取用水水量份额。长江流域水资源较为丰富，但降雨时空分布不均，且与经济社会发展布局不相匹配。随着社会对水资源的需求不断增加，流域内外、上中下游、不同部门间的用水矛盾日益突出。在习近平总书记关于“共抓大保护、不搞大开发”和“生态优先、绿色发展”的思想指导下，水利工作方向已由治理与开发利用向保护与管理转变。长江流域水量的统一调度是当前国家生态文明建设和长江经济带发展战略的迫切需求，对于实现水资源的有效管控，保障流域经济社会可持续发展具有重要意义。

(1) 分配方案

2016 年，水利部正式批复水利部长江水利委员会(以下简称长江委)组织编制的汉江、嘉陵江、岷江、沱江、赤水河 5 条跨省河流水量分配方案(表 5-1)。2017 年，长江流域已完成了汉江、嘉陵江等 9 条跨省河流水量分配工作，其中汉江、嘉陵江等 7 条跨省河流水量分配方案已经得到水利部批复，金沙江水量分配方案、沅江水量分配方案报送水利部待审。2019 年，为加强跨省江河流域水量分配工作的组织领导，保障各项工作的顺利开展，长江委成立了跨省江河流域水量分配工作领导小组和工作小组，制定了相关工作方案，开展了长江流域新一批 14 条跨省江河流域水量分配方案编制工作。新一批 14 条跨省江河

表 5-1　长江流域部分跨省河流水量分配方案　　单位:亿立方米

流域	省级行政区	2020 水平年	2030 水平年
汉江	陕西省	25.24	26.26
	湖北省	116.74	117.33
	河南省	23.92	25.28
	四川省	0.05	0.07
	重庆市	0.49	0.55
	甘肃省	0.01	0.01

续表

流域	省级行政区	2020 水平年	2030 水平年
嘉陵江	陕西省	1.17	1.26
	甘肃省	4.99	5.98
	四川省	88.35	95.02
	重庆市	20.79	22.68
岷江	四川省	86.06	94.02
	青海省	0.20	0.34
沱江	四川省	64.97	66.54
	重庆市	3.45	3.87
赤水河	云南省	0.64	0.79
	贵州省	7.91	8.16
	四川省	2.97	2.98
乌江	云南省	0.61	0.79
	贵州省	61.54	65.50
	重庆市	7.33	7.88
	湖北省	1.09	1.11
牛栏江	云南省	6.31	6.64
	贵州省	0.67	0.69
御临河	四川省	—	2.88
	重庆市	—	1.28
綦江	贵州省	—	1.22
	重庆市	—	7.25
沅江	贵州省	—	18.98
	湖南省	—	39.57
	重庆市	—	3.21
	湖北省	—	1.003

流域面积为 54.71 万平方千米，总计 169.52 万平方千米，占长江流域(不含太湖流域)的 97%，基本实现全流域跨省江河全覆盖。2020 年，长江委深入贯彻习近平总书记关于治水工作的重要论述精神，牢牢把握“把水资源作为最大的刚性约束”原则，全面落实水利部关于推进跨省江河流域水量分配工作的部署，按照“能分尽分、再难也得分”和长江流域水量分配全覆盖的要求，努力克服疫情重大影响，创新工作方式，切实加大推进新一批 14 条河流的水量分配方案编制工作力度，

2020 年 9 月，长江流域新一批 14 条河流水量分配方案全部按要求提前编制完成。

（2）水量分配工作重点

就长江流域目前环境而言，水资源问题主要集中在河流、湖泊等水体方面，因此建议目前水量分配研究重点放在河道水量分配方案的制定上，尤其是关于特枯年份、特枯时段的水量分配。同时在水量分配方案的基础上，制定出干旱年份、干旱时段的水量调配紧急预案。根据长江流域内的河道用水及矛盾情况，急需对水量分配方案进行研究的河道有：长江中下游干流；南水北调的重要水源汉江；现阶段水资源问题较为突出、存在用水纠纷的支流河段；存在用水纠纷隐患的省际边界河流，如贵州和四川交界的同民河等。

三峡水库在很大程度上对长江干流的水资源进行了重新分配，由于水库的调节作用，枯季中下游干流的径流量将会比建库前增加，含沙量也会减少，同时沿江的工农业引水、引江济太、南水北调东线的引水等也会改变长江下游干流河道的径流量。汉江丹江口水库是南水北调工程中线近期规划的调水水源。水量的调出在一定程度上打破了原来流域的水平衡，势必会给流域的水资源利用带来一些变化和问题，因此需要重新调整原来流域内的水资源调配，重新分配各部门及用水户的用水，以达到新的、健康的、可持续利用的水平衡。为避免流域水供求矛盾及其他水问题的激化，保障优质水的北调，建议在调水方案的基础上，对汉江河道内的水量进行初始分配，尤其应对丹江口水库下游的各行业、各部门的用水量上限划定一个范围，以确保汉江流域水资源的可持续利用。

河道枯季区域水量分配的研究内容应该包括以下几部分。

① 河段现状取排水口、水利工程、河道内用水等开发利用情况的分析。

② 河段区间水资源情况的分析研究，包括河流水文、区间来水、泥沙、径流、蒸发、水质以及区域气象条件、降水等。

③ 河段合理流量、水资源可利用量的分析研究，其中包括不同水平年丰枯季节的河道合理流量，即河段滩地、湿地、水生生物、水体自净等用水的需求；水资源可利用量的分析和研究，即考虑生态与环境、河道内用水后，不同水平年可以被河道外利用的水量。

④ 河段枯季区域水量分配是水量分配方案研究的核心部分。首先，应以达到区域水资源综合利用效益（经济效益、生态效益和社会效益）最优化为目标建立起总体的目标函数；其次，确定约束条件方程，在水资源配置模型中，约束条件牵涉很多方面，如水资源承载能力、供水能力建设、各地各部门和行业发展计划、水环境的承受能力、水体纳污能力、节水目标、国家的相关政策导向等；最后，基于上述步骤建立数学模型，进行方案比选、评估，得出最终的合理

水量分配方案。

(4) 政策建议

① 开展核查登记,强化用水监管

目前,长江流域用水监管不强,因此首先需要进一步"强监管",规范取用水统计管理,加强事中事后监管,规范取用水户的取用水行为;其次要通过取水口核查整治专项行动,对长江流域取水工程(设施)开展核查登记,摸清"家底",以问题为导向,打通水资源宏观管理与微观管理路径;最后,长江委需要集中精力,加强技术支撑,督导各省(自治区、直辖市)开展计划用水管理,并探索建立长效监管体制机制。

② 细化水量分配指标

为建立流域与区域相结合、用水总量与供水水源相结合、总量控制与目标考核相结合的用水总量控制指标体系,建议将各省级行政区用水总量控制指标进一步细化分解到地市县级行政区,以及流域内河流水系(河段)。为实现长江流域水量分配"层层分、抓落地、能分尽分、全覆盖"的目标,建议开展各省内跨地区跨县市河流水量分配工作,规划各区域用水份额、河流控制断面下泄水量和最小下泄流量,保障河流生态健康,规范水资源开发利用行为,促进水资源可持续利用。

③ 健全工作机制,强化协调协商

水量调度通常涉及防洪、供水、发电、航运等多个行业及部门,各行业、各部门之间协商协调问题十分突出。长江委在流域水量统一调度实践中应加强各相关单位的沟通协调,不断完善水量调度信息共享等管理制度,保障流域水量调度工作有序推进。目前,长江委已经在汉江、嘉陵江等流域建立并实行了水量调度协商工作制度,有效地促进了各行业、各部门、各单位之间的沟通协商,推进了水量调度的科学决策、民主决策。

④ 加强长江流域水资源优化配置

汉江流域迫切需要优化水资源配置来应对新形势与新挑战。长江委已开展引江补汉工程相关工作。"引江补汉"工程的实施对提高汉江流域水资源保障能力,增加中线工程北调水量,完善中线工程后续水源具有重要意义。建议加快推进引江补汉工程建设,强化科技支撑和保障能力建设。

⑤ 加强监控能力建设,强化水资源动态管控

目前,部分流域控制断面的水资源监控体系建设尚未完成,应结合国家水资源监控体系建设部署,加快推进控制断面监控站点建设,依托国家水资源信息管理系统,建设流域水量统一调度决策信息平台,提高水量调度管理信息化水平。随着物联网、大数据等现代技术手段在水利行业的有效应用,应深化水利业务与信息技术

融合，推动水资源管理信息化、智能化水平的提升，为“水利工程补短板、水利行业强监管”提供强有力的技术保障。

5.1.2 最严格水资源管理

(1) 最严格水资源管理制度的总体要求

国务院于2011年出台了中央一号文件——《中共中央 国务院关于加快水利改革发展的决定》，明确要求实行最严格的水资源管理制度，并划定了水资源开发利用控制、用水效率控制以及水功能区限制纳污三条红线。2012年1月，国务院对实行最严格水资源管理制度做出了全面部署和具体安排，提出要强化用水需求和用水过程管理，严格控制用水总量，全面提高用水效率，严格控制入河湖排污总量，加快节水型社会建设。2016年1月，习近平总书记提出“共抓大保护，不搞大开发”的发展理念，自此，长江经济带生态环境保护被提升到前所未有的高度。2022年，为持续实施水资源消耗总量和强度双控行动，根据《国家节水行动方案》和《实行最严格水资源管理制度考核办法》相关要求，水利部和国家发展改革委组织制定了各省、自治区、直辖市“十四五”用水总量和强度双控目标，其中，长江流域各省、自治区、直辖市用水总量和强度双控目标见表5-2。

表5-2 2025年长江流域各省、自治区、直辖市“十四五”用水总量和强度双控目标

流域	行政区	用水总量（亿立方米）	非常规水源利用量（亿立方米）	万元国内生产总值用水量比2020年下降（%）	万元工业增加值用水量比2020年下降（%）	农田灌溉水有效利用系数
干流	青海	29.6	1.2	10.0	10.0	0.510
	云南	177.0	4.1	20.0	16.0	0.520
	四川	270.0	6.1	16.0	16.0	0.505
	西藏	37.1	0.2	19.0	16.0	0.463
	重庆	79.9	5.0	15.0	15.0	0.515
	湖北	318.0	4.0	16.0	16.0	0.545
	湖南	334.5	3.0	17.0	12.0	0.570
	江西	262.3	3.7	20.0	18.0	0.527
	安徽	306.0	7.0	18.0	18.0	0.580
	江苏	620.0	15.2	17.0	19.0	0.625
	上海	112.0	0.2	16.0	16.0	0.740

续表

流域	行政区	用水总量（亿立方米）	非常规水源利用用量（亿立方米）	万元国内生产总值用水量比2020年下降（%）	万元工业增加值用水量比2020年下降（%）	农田灌溉水有效利用系数
支流	贵州	117.0	1.2	16.0	20.0	0.503
	甘肃	120.9	5.2	13.0	10.0	0.590
	陕西	107.0	5.0	12.0	10.0	0.585
	河南	260.7	12.4	16.0	10.0	0.629
	广西	301.0	3.6	16.0	16.0	0.524
	广东	435.0	5.0	16.0	10.0	0.535
	浙江	186.8	5.2	16.0	18.0	0.615
	福建	189.9	2.2	20.0	18.0	0.574

实行最严格水资源管理制度，设定用水总量红线，并依据总量红线对流域、省、市、县逐级实行水量分配，形成各行政区域取用水总量的“天花板”，对取用水行为产生刚性约束。在用水总量没有办法突破的前提下，各行政区域和用水主体被倒逼提升水资源利用效率。水量监测需要准确掌握区域水资源量的动态变化过程与规律，为用水总量控制、用水效率控制的计算与考核提供依据。水质监测需要准确掌握区域内水功能区水质的达标率及水质的变化过程与规律，为水功能区限制纳污考核提供依据。及时掌握各级跨界河流断面水量与水质，为区域与流域考核提供依据。取水用水和退水（河排污口）监测，应以建立重要用水户取水计量监测为主，为用水效率控制和考核提供依据。最严格的水资源管理制度对水资源监测方面需求的主要内容详见表5-3。

表5-3　最严格的水资源管理制度对水资源监测方面需求的主要内容

项目	管理内容	监测体系支撑需求	监测内容
用水总量控制	严格规划管理和水资源论证	制定水资源综合利用和保护规划，需全面掌握区域内的水资源量状况	降水量、蒸发量、水库湖泊蓄变量、地表水径流量、地下水量、地下水水质
	严格控制流域和区域取用水总量	建立辖区内取用水指标体系，需对区域用水总量和用水户进行监测	行政区出入境水量、地表水取用水量、降水量、蒸发量、水库湖泊蓄变量、地下水量、地下水水质
	严格地下水管理和保护	实行地下水总量控制和水位控制，需对地下水状况开展监测	地下水水位、地下水水质

续表

项目	管理内容	监测体系支撑需求	监测内容
用水效率控制	强化用水定额管理	严格用水定额管理，需要加强对用水户的计量监测	取用水量
水功能区限制纳污	严格水功能区监督管理	核定区域水域纳污红线，严格入河排污口监督管理，需建立水功能区水质监测评价体系，开展水功能区水质监测、行政区界出入境水质监测和入河排污口水质监测	水功能区水质、行政区界出入境水质、入河排污口水质
	加强饮用水水源保护	完善饮用水安全评估制度，需对饮用水水源地水质实施监督监测	饮用水水源地水质
	推进水生态系统保护与修复	维护河流和湖泊、水库以及地下水的合理水量与水质	水量、水质

(2) 最严格水资源管理制度成效

从区域角度来看，最严格水资源管理制度落实后，长江经济带水资源利用效率得到了一定的提升，说明最严格水资源管理制度客观上促进了用水效率的提高(图 5-1)。此外，可以发现长江经济带沿线省市的水资源利用效率存在区域差异，长江经济带下游地区的水资源利用率最高，上游地区次之，中游地区最低，这说明中游地区水资源利用提升潜力巨大。长江经济带中上游地区的整体用水效率远低于下游地区，可能的原因有：首先，下游地区产业结构较为优化，第一产业在地区生产结构中所占比重最低，农业耗水量相对较低；而中上游地区第一产业占 GDP 比重较大，水资源消耗量大，即使在水资源相对于下游地区较为丰富的情况下，由于中游地区和上游地区技术效率均未达到有效水平，技术管理水平较低，用水结构不合理，也会导致水资源利用效率低。其次，下游地区拥有较高的经济发展水平以及科学技术水平，经济发展水平决定了当地政府对供水和治污等水资源基础设施建设的投入力度，科技水平的提高为开发先进技术来替代漫灌等粗糙的灌溉方式带来了可能，并且为企业提供了节约用水的技术，大大提高了废水利用率，从而在水资源利用方面占据优势。最后，虽然上游地区的水资源较下游地区丰富，但水资源属于分散型资源，难于流转交易，水资源的经济属性得不到发挥，造成上游地区的水资源利用效率低下的现状。

从省域角度来看，上海、浙江、重庆的水资源利用效率一直处于较高的水平。上海和浙江的经济水平较为发达，有着较高的市场化程度，因此在人均水资源紧缺的情况下，市场机制可以优化配置水资源，从而提高了水资源利用率。重庆作为直辖市之一，近年来经济发展势头良好，承接了大量由下游地区转移而来的制造业和轻工业，产业结构不断优化，先进技术的引进带来了水资源利用效率的提升。而贵州、云南两省的第一产业占比大，生产技术水平和管理水平相对落后，水资源利用方式粗放，致使用水效率较低，且这些地区面临严峻的生态环境和人才压力，基础设施建设和水资源保护的投入力度不足，依赖水资源生存发展远比水资源可持续利用更为紧迫，因而水资源利用效率低。

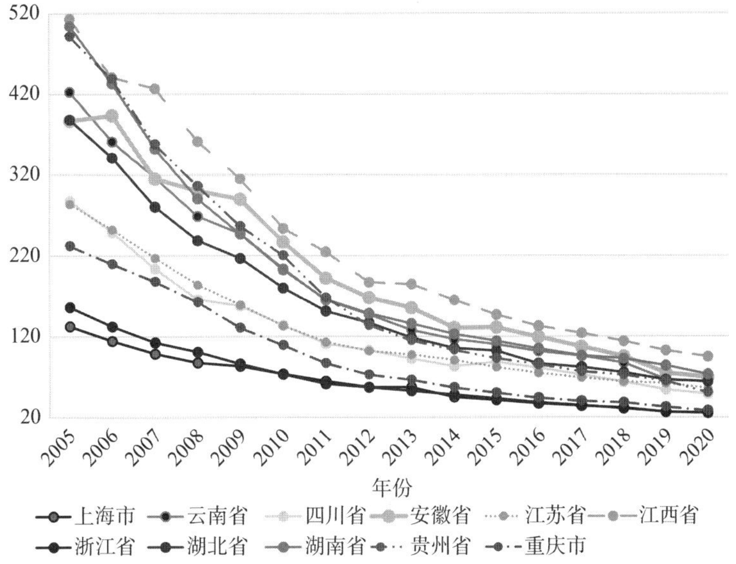

图 5-1　长江经济带各地区用水效率示意图(万元 GDP 用水量，单位：米³/万元)

(3) 政策建议

最严格水资源管理制度作为水资源管理领域力度最大、刚性最强的制度之一，通过用水总量红线、水量分配及年度考核等方式，对长江经济带各地方政府和用水主体形成了强有力的约束作用和倒逼机制，其中用水总量红线是“天花板”，水量指标更加明晰了用水主体的水权意识，年度考核通过对政府的考评最终将压力传递到用水主体上，形成节约用水的“激励悖论”。因此，最严格水资源管理制度能够促进长江经济带优化产业结构，推进节水技术的开发和利用，最终提高水资源利用效率，这一点在最严格水资源管理制度实施前后水资源利用效率的比较中能够充分得到体现和验证。国家运用经济、行政和法律手段保障了流域内的水资源合理配置，而各省市政府在实行最严格水资源管理制度的政策背景下越来越注重生态环境与区域经济的协调发展，加快供给侧结构改革，加大对水资源治理与保护项目的投资，推动产业结构的优化升级、高效节水技术升级与设备的研发创新，从而对长江经济带水资源利用效率的整体提升产生很大的促进作用。今后提高长江流域水资源利用效率应从以下几个方面进一步推行。

① 加大对节水技术的研发、推广和应用

技术进步，尤其是节水技术的进步，对各省市水资源利用效率有着显著的影响。因此，各地政府需要加大资金投入力度，引导社会投资，鼓励企业科技创新，全面提升用水效率。尤其是在国家节水行动和“节水优先”治水方针下，进一步落实和强化最严格水资源管理制度，督促区域政府和用水主体加快节水技术研发应用与推广，利用市场手段，大力发展节水产业，尽快补齐当前用水监测计量设施的短板，完善终端计量系统，从而倒逼用水户节水，依靠技术进步推动长江经济带水生态持续改善。

② 发展规模经济

水资源的利用效率、水生态的改善与经济发展模式、经济结构密不可分，长江经济带各省市政府不仅需要关注生产技术的进步，还应该结合当地的产业结构及分布情况，充分发挥区域优势，不断转化经济发展的动能，改变传统依靠资源要素投入的经济发展模式，向主要依靠科技进步和创新驱动方向转变。统筹管理水资源，探寻合理的生产规模，真正做到以水定城、以水定产，发挥水资源的最大刚性约束作用，推动用水侧结构性改革，尤其是在用水量最大的第一产业中，推行规模化农业和现代灌溉技术，以规模效益拉动地区水资源利用效率提升。

③ 不断探索和发展最严格水资源管理制度等其他环境保护政策

最严格水资源管理制度是在综合考虑区域发展的各种因素的前提下，对水资源进行差别化配置，旨在实现水资源利用的经济效益和生态效益。该制度是水资源行政性管理措施，主要以强有力的三条红线约束和地方政府考核为手段。长江经济带水资源效率的提升需要政府和市场“两手发力”，在最严格水资源管理制度的实施中，还要探索市场化手段提升水资源利用效率，探索在长江经济带实施最严格水资源管理制度下的水量指标市场化配置模式和流域横向生态补偿机制，并在最严格水资源管理制度的用水指标约束下，建立长江经济带水权交易市场和交易机制，依靠市场机制促进水资源向更高利用效率和效益的产业转移。实施长江经济带“水量”和“水质”耦合配置模式，倡导公众在节约用水的同时减少污染物排放，从长江经济带水系统的角度提升最严格水资源管理制度的治理能力和治理效能，助力长江大保护与长江经济带绿色发展。

5.1.3 节水管理

长江是我国水资源最为丰富的大河，但由于水资源时空分布不均衡、水污染日趋严重、粗放性用水浪费严重等水资源问题，流域内资源型缺水、水质型缺水和工程型缺水并存，水资源短缺已经成为制约流域经济社会可持续发展的瓶颈。节水对于缓解水资源供需矛盾具有重要意义。南水北调工程建成后，将从长江调水到北方，长江流域的节水不仅关系到本流域，而且影响到全国水资源的南北调配、东西互济的大局。由于我国的节水工作开展较晚，节水法律法规、体系不完善，只是在法律、法规、部门规章和行业标准中有所涉及，因此长江流域很多节水管理工作仍处于前期研究阶段。在流域节水管理中尚存在许多问题，如缺乏水量分配方案和流域性节水指标体系，用水总量尚未得到有效控制，取水许可监督管理有待加强，水价普遍偏低等，需要加强流域层面的立法，突出南方丰水地区特点，以定额管理为重点，通过定额管理实现总量控制，建立取水许可总量分区制度和健全的水价形成制度，加强节水宣传。

(1) 长江流域节水管理策略

① 认真贯彻“节水优先、空间均衡、系统治理、两手发力”新时代水利工作方针

正确把握长江经济带发展的“整体推进和重点突破、生态环境保护和经济发展、总体谋划和久久为功、破除旧动能和培育新动能、自身发展和协同发展”这五个关系，努力践行“创新、协调、绿色、开放、共享”五大发展理念，全面适应治水兴水新要求。长江委在2018年的工作会议中提出了“由开发中保护向保护中发展转变、实现以保护为前提的高质量可持续发展”的治江新思路，确立了“四个长江”的治江目标，拟通过补齐补强防洪抗旱减灾体系短板，着力构建安澜长江；强化优化水资源配置和节约利用，着力构建绿色长江；建立健全流域综合管理体制机制，着力构建和谐长江；加快推进水生态环境保护与修复，着力构建美丽长江。

② 调整既有的水资源时空分布格局，优化时空配置

一是合理开源。实施跨流域、跨区域调水，国家规划有“四横三纵”水资源

配置格局，并已部分实施；各流域、区域内也有规划的水资源配置工程，并分期分批实施。西南地区建设有大量中小水库调蓄水量，供水保障能力不断提高。二是强化调配。不断加强流域水量调度配置管理，调节丰枯季水量配置。如实施以三峡为中心的上游水库群水量联合调度，南水北调中线、东线工程水量调度，以及汉江、嘉陵江、岷江、沱江、赤水河、金沙江、牛栏江、澜沧江、乌江等水量调度。三是深挖潜力。继续提高中水、再生水和海水利用。

③ 保障与约束并重

强化法律法规中节水条款的刚性约束作用，牢固树立在水资源利用上"过紧日子"的思想。加强总量和强度双控，探索建立"水源＋用途"二维用水总量管控体系；推进重要经济区、重大产业布局、核电布局等规划水资源论证，以水定产，以水定城，促进水资源承载能力和区域经济社会协调发展；探索制定取水许可市场准入负面清单，积极稳妥压缩存量，严格抑制高污染风险产业向上游低水平无序转移的新增用水，严禁淘汰产业新增用水，倒逼钢铁、火电、石化等高耗水行业到2020年达到先进用水水平，落实供给侧结构性改革要求，以真正实现水资源对经济社会的刚性约束，倒逼区域绿色发展和产业升级转型，同时更好地保障流域区域经济社会发展合理用水需求。

(2) 长江流域节水管理中存在的主要问题

长江水量巨大、水质尚好，但随着三峡水库的竣工和南水北调工程的动工兴建，水资源的自然配置被人为改变，长江作为向黄河、淮河等其他流域输送水资源的战略基地，节水管理越来越迫切。长期以来，人们认为长江流域水量大，水资源"取之不尽、用之不竭"，不需要像北方一样控制用水量。这种认识误区给长江流域节水工作带来极大困难。长江流域节水管理工作开展的时间比较短，很多工作仍处于前期研究阶段。快速发展的经济社会情况，使节水管理出现了一些亟须解决的问题，主要有以下几个方面。

① 缺乏水量分配方案和流域性节水指标体系

长江流域开展节水工作时间比较晚，流域层面上的水量分配方案、用水定额指标体系、水价形成机制及一些指导性技术指标体系都没有建立，给流域节水带来困难。根据流域综合规划和水中长期计划，以流域为单元制定水量分配方案是《中华人民共和国水法》(以下简称《水法》)中明确规定的一项确保流域水资源可持续开发利用的水资源管理的重要举措，同时经批准的水量分配方案是流域与区域取水许可审批总量控制的依据。但目前长江流域水资源规划工作正在进行，江河水量分配方案的研究工作刚刚起步，使得取水许可总量控制不仅没有具体定量的流域取水许可控制总量目标，而且在管理上的程序也没有到位。

由于缺乏流域性用水定额指标体系，流域内各地方水行政主管部门制定的用水定额标准差别巨大，不利于流域统一管理。此外，各地水价标准也不一致，有的偏高，有的偏低，需要制定流域性指导水价，构建科学的水价形成机制。

② 用水总量尚未得到有效控制

流域管理与区域管理相结合是我国水资源管理的基本制度，但是目前流域管理机构和省市县三级政府水行政主管部门分割管理的水资源管理体制，难以对取水许可总量进行有效控制。主要表现在以下几个方面。

a. 在目前的分级管理体制之下，中小河流由地方管理，流域机构只负责管理长江干流和重要支流，地下水系基本处于行政区域分割治理的状态，导致许多河流功能衰退，部分河段功能甚至基本消失。

b. 流域机构只针对取水大户进行取水许可管理，发放的取水许可证数量很少。地方水行政主管部门容易受到各种因素的影响，难以阻止不合理用水，很难控制取水总量。

c. 许多地方取水许可停留在简单的办证收费层面，发证环节缺乏公众参与和社会监督，容易发生侵害公共利益和第三方利益的行为。

③ 取水许可管理有待加强

《取水许可和水资源费征收管理条例》对取水许可作出了较为详细的规定，但是从实际工作来看，仍然有待加强。首先，流域机构和地方水行政主管部门取水许可权限划分不明确。有的地方水行政主管部门强行向长江取水口的取水人发放取水许可证，使之持有流域机构和地方行政主管部门两个水资源管理机构的取水许可证，明显不符合法律规定。其次，流域机构根据取水许可审批权限和各取水口提出的年计划取水申请核批取水控制额度，而有的地方水行政主管部门也下达取水计划指标，造成管理上的混乱。最后，取水许可管理层级较低，内容偏窄。目前的取水许可管理仅限于对许可批准总量的控制，对取水时段的批准取水量不够细化，静态化的管理模式不能适应以资源高效利用、优化配置为原则的水资源管理需要。同时，水资源利用效率管理尚未纳入取水许可管理，造成水资源有效利用率低，水资源浪费严重。

④ 水价未能充分发挥经济杠杆的调节作用

水价是水资源管理的主要经济杠杆，由资源水价、工程水价和环境水价三部分构成。目前长江流域的水价偏低，没有很好地发挥经济杠杆的调节作用。从全流域来看，资源水价方面，各地水资源费征收标准普遍偏低；工程水价方面，绝大多数农业水价没有达到供水成本水平，多数灌区现行水价只有供水成本的50%～60%；环境水价方面，流域19省(自治区、直辖市)中除西藏自治区外，都实施污水处理收费制度，但是征收的污水处理费远低于污水处理成本，许多污水处理厂经费无法得到保障，不能满负荷运行，有的甚至不运行。

⑤ 节水宣传教育需要加强

总体而言，长江流域节水意识比较淡薄。很多人认为长江流域属于丰水地区，不需要节水。这说明节水宣传教育工作力度不够。目前的节水宣传主要集中在“水周”宣传活动中，通过报刊、广播、电视和媒介进行与“水周”有关的宣传活动。主要采取的形式是发放节水宣传资料、张贴节水宣传画、公益平面广告等，宣传对象是普通群众。这种宣传活动时间较短，没有明确的受众，取得的效果并不理想。

(3) 长江流域节水管理建议

① 实施国家节水行动

围绕贯彻实施国家节水行动，深入分析流域在产业布局、水资源条件、经济社会发展水平、用水水平等方面存在的区域不平衡性，突出流域特色和区域差异性，围绕总量强度双控、农业节水增效、工业节水减排、城镇节水降损、重点区域节水开源、科技创新引领六大重点行动，以问题为导向，因地制宜采取措施，分区研究确定长江流域节水行动方案，强化精准指导。

② 推动节水型社会建设

一是做好顶层设计。将节水优先全面落实到规划、取水许可、计划用水、水量分配、延续取水、定额管理等水资源管理全过程；编制流域节水行动方案并全面实施，助推流域形成节约资源的空间格局、产业结构、生产方式、生活方式，加快推进集约用水的方式转变，提高用水效率，减少废污水排放，全面推进节水减污型社会建设。

二是强化监督指导。按照水利部统一部署，对流域内相关省(自治区、直辖市)节水型社会达标建设进行监督检查，复核达标县(市、区)指标完成情况，提出持续推进节水型社会达标建设的意见建议。同时，开展对流域内相关省(自治区、直辖市)重点监控用水单位的监督检查，加强对重点用水单位的取用水管理。

三是加大节水宣传，改变传统节水观念。据联合国粮农组织报告，一个人每天平均饮用2～4升水，而生产一个人每天所需粮食的用水量为2 000～5 000毫升，农业消耗了全球淡水和地下水提取量的70%。每年全世界粮食浪费达 13 亿吨，如果浪费减半，每年可以节水 1.35 万亿立方米。所以，“光盘行动”这种“厚待自然”的方法，比“少洗澡”这种“克扣自己”的方法更显成效。

③ 促进经济社会转变发展方式

根据长江经济带发展战略和国土空间开发布局规划，实施绿色发展战略，通过用水总量控制和用水定额管理，促进经济发展方式转变。要聚焦差异化的区域水资源管控战略，引领区域间绿色协调发展。比如，下游长三角地区属于国家优化开发区域，管理重点在于达到或接近国际先进的用水效率管控，推动产业结构率先转型升级和转移，要点在于节水增效。中下游江淮地区、中游地区的武汉城市圈、环长株潭城市群、鄱阳湖生态经济区和上游的成渝地区、黔中地区、滇中地区属于国家重点开发区域，需要引导生产要素向其集中，促进工业化、城镇化，管理重点在于突出负面清单管理，促进产业结构与水资源水环境承载力相协调，要点在保供水与节水减污并重，控总量和提效率并举，实现水资源有序有限开发。

加强区域流域水资源水环境承载能力和经济社会用水结构研究，分析区域流域虚拟水贸易状况，通过政府政策和水价调整，发挥市场配置资源的重要作用。调整产业布局和结构，水资源丰富区域可多生产耗水量大的产品，整体贸易以输出水量为主；缺水地区以生产低耗水量产品为主，整体贸易以输入水量为主，达到人与自然和谐共生。

5.2 水污染控制

长江流域近年来水污染控制较好，根据《中国环境统计年鉴(2017 年—2020 年)》，可知长江流域 19 省市的废水中化学需氧量排放总量从 2016 年的 480.56 万吨下降至 2019 年的 425.69 万吨，其中生活用水占比较大，2019 年长江流域生活用水废水中化学需氧量为 361.78 万吨；农业用水占比最小，2019 年长江流域农业用水废水中化学需氧量为 6.54 万吨。进一步观察图 5-2，可以发现，2016 年至 2019 年长江流域生活用水废水中化学需氧量几乎保持不变，农业用水和工业用水废水中化学需氧量呈现轻微下降趋势，长江流域 2019 年工业用水废水中化学需氧量比 2016 年下降了 37.82％，长江流域 2019 年废水中化学需氧量排放总量比 2016 年下降了 11.42％。

图 5-2　2016—2019 年长江流域废水排放情况示意图(单位:万吨)

5.2.1　点源污染控制

对水污染而言,点源污染主要包括工业废水和城市生活污水污染,通常由固定的排污口集中排放,非点源污染正是相对点源污染而言的,是指溶解的和固体的污染物从非特定的地点,在降水(或融雪)的冲刷作用下,通过径流过程而汇入受纳水体(包括河流、湖泊、水库和海湾等)并引起水体的富营养化或其他形式的污染。《长江保护法》规定,国务院生态环境主管部门会同国务院有关部门和长江流域省级人民政府建立健全长江流域突发生态环境事件应急联动工作机制。国家实行长江流域生态环境保护责任制和考核评价制度,由上级政府对下级政府生态环境保护和修复目标完成情况等进行考核。《长江保护法》规定,对长江流域跨行政区域、生态敏感区域和生态环境违法案件高发区域以及重大违法案件,依法开展联合执法。

生态环境部将坚持综合治理、系统治理、源头治理,突出精准治污、科学治污、依法治污,落实减污降碳总要求,深入打好长江保护修复攻坚战,推动长江生态环境持续改善。生态环境部始终把长江保护修复攻坚战作为污染防治攻坚战的重中之重,会同国务院有关部门和沿江 11 个省(市),抓实抓好。经过不懈努力,长江经济带生态环境发生了转折性变化,水生态破坏趋势得到初步遏制,水环境质量明显改善,长江流域劣Ⅴ类国控断面首次全部消劣,干流首次全线达到Ⅱ类水质。但部分地区环境基础设施欠账较多,黑臭水体整治、工业污染治理等污染物减排成效仍需巩固提升;农业种植、养殖、城市初期雨水等面源污染在一些地方正在由原来的次要矛盾上升为主要矛盾，城乡面源污染防治亟待突破；一些地方湿地萎缩，水生态系统失衡，重点湖泊蓝藻水华现象屡见不鲜，水生态保护与修复亟须突破。总体来看，长江保护的形势依然严峻复杂，保护修复任务依然任重道远。

（1）工业污水处理

2019 年 5 月 29 日，国家生态环境部发布的《2018 中国生态环境状况公报》中显示，长江流域监测的 510 个水质断面中，Ⅳ类、Ⅴ类和劣Ⅴ类水质占比与上一年同期相比分别下降了 1.2%、1.3%和 0.4%。即便如此，由于长江沿岸重化工产量占全国约 46%，集聚了全国 43%的废水排放量，工业废水无序和过量排放导致的“化工围江”现象仍严重影响水环境状况。根据《中国环境统计年鉴(2021)》可知，长江经济带中上海市排放废水中化学需氧量含量最低，为 7.29 万吨，湖北省排放废水中化学需氧量含量最高，为 153.03 万吨，化学需氧量排放较高的省（市）多集中于长江中游地区（图 5-3）。

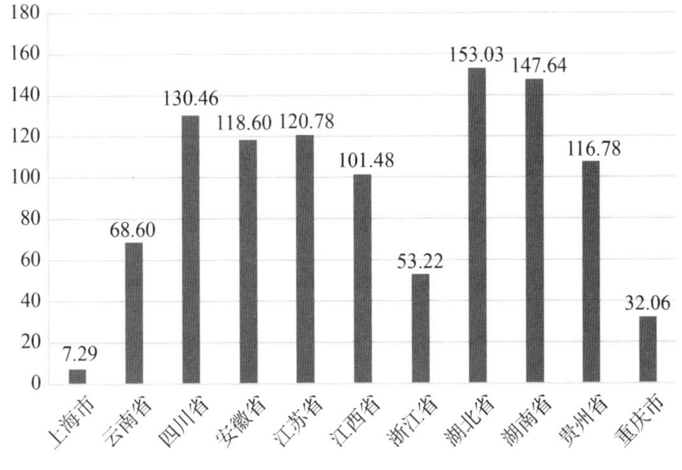

图 5-3　2020 年长江经济带各地区废水中化学需氧量排放情况（单位：万吨）

① 工业废水处理存在问题

城镇污水处理厂不掌握上游工业园区污水排放底数。基于 2019 年长江经济带工业园区污水处理设施整治情况调研结果，绝大部分城镇污水处理厂没有掌握相应园区的排放底数。城镇污水处理厂一般为市、县城建部门组织建设，非属工业园区管理，很多工业园区为完成“建成污水集中处理设施”的任务，将工业废水一托了事。绝大多数城镇污水处理厂运营方作为废水接收方，解释没有“家底”是因为没有相关职能，收纳工业废水则是因为城镇污水量不足或管理部门的硬性要求，对于工业废水带来的影响缺乏有效应对策略。

工业废水与生活污水混管输送。根据2018年长江经济带“一园一档”的分析情况，长江经济带不少含印染、化工等重点行业的园区将工业废水与生活污水全部采用混管输送，最终与城镇居民生活污水管网连接，排入城镇污水处理厂。这种废水收集方式不但稀释了有毒物质，对水质监测造成误导，同时还难以发现企业私设暗管、超标排放等违法行为，增加了污水处理技术难度和成本，带来了较高的环境风险。

城镇污水处理厂工艺难以满足部分工业废水处理需求。多年来，我国城镇污水处理厂已形成了一套固定的工艺路线，设计建设以“格栅—沉砂池—生化池—混凝沉淀”等处理单元为主，基本未配备工业废水专用处理单元。而工业园区中行业类型繁多，工业废水性质差异较大，如印染纺织类园区工业废水可生化性较差、色度高；化工行业废水氮磷浓度高、毒性大；冶金电镀类园区废水富含重金属、氰化物；食品加工类园区废水有机物浓度高、含油量大、悬浮物多等。这些废水需要用专门的吸附、过滤、高级氧化、混凝等物化方法与生物厌氧、好氧相组合的工艺才能实现有效处理。此外，多数城镇污水处理厂未配备专用的缓冲池或应急事故池及相应的监测设施，应对工业废水水质水量变化带来的冲击能力较弱。

综上，城镇污水处理厂收纳工业园区工业废水存在较大的环境风险，由此产生的问题近年来在各级环保督察中屡见不鲜，多起“治污”变“制污”事件也被媒体广泛报道。因此，优化工业园区废水收集输送模式，并对所依托的城镇污水处理厂进行改造，是降低处理风险、实现稳定达标排放的必要措施。

② 处理工业污水解决策略

以提高城镇污水垃圾处理水平为重点，加强城镇污水垃圾处理，加快污水处理设施和管网建设，加强污水垃圾处理设施运行监管，提高无害化处理水平。安排中央预算内投资23亿元，支持长江经济带城镇污水垃圾处理设施建设。研究完善长江经济带污水处理收费机制有关政策，指导沿江省市及时调整污水处理收费标准，目前长江经济带已有约90%的地区将污水处理收费标准调整至国家指导最低收费标准以上。指导江苏、安徽、贵州等6省市完成城市及建制镇建立生活垃圾处理收费制度。发挥央企示范带动作用，三峡集团在长江经济带城镇污水处理项目上已投资589亿元，中国节能环保集团以固废处理项目为重点累计投资195亿元。2019年长江经济带地级及以上城市污水收集管网长度比2018年增加3 976千米；城市和县城生活垃圾日处理能力增加 3.5 万吨。

加强分类收集，分质处理。我国工业园区中工业类型繁多，各企业产品多样，常涉及多个车间和多段工艺并存的情况，各车间产生的污水性质差异较大。因此，涉及有毒物质和重金属的企业应将不同类型的工业废水分别进行收集和预处理，并通过"一企一管"的形式输送到污水处理厂进行处理，有条件的园区可采用明管输送，避免污水管线泄漏污染环境。污水处理厂也应对企业工业废水进行分类管理，分质处理，避免"大锅烩"。

强化水质监测，避免超标排放。为避免企业超标排放，需在企业排放口安装自动监控系统，便于生态环境部门和污水处理厂监测化学需氧量、氨氮、总氮、总磷、流量等指标，并可对超标水样自动留样和远程取样，重点企业可增加特征污染物在线监测设备。当在线仪表检测到出水指标超过设定值或超过环评批复水量时，出口电动阀门自动关闭，将水回流到企业废水池重新处理，确保企业无法外排超标污水。

优化企业工业废水排放管控。针对工业废水水质复杂、水量变化大的特点，污水处理厂应配合管理部门摸清园区排放底数，建立"一企一档"，加强科学管控，优化企业废水排放。根据各企业特点，逐一确定污水纳管标准，保证污水输送管网排水安全，水质符合城镇污水处理厂进水要求。合理规划主要涉水企业排水时间，制定"错时排水"方案，平衡各时间段污水管网负荷，有效降低对城镇污水处理厂的冲击。

以企业达标排放为重点，开展污水处理设施专项整治行动，重点解决工业园区污水管网不完善，污水集中处理设施不能稳定达标运行等问题。通过"严控增量、淘汰落后、优化布局、改造升级"，推动实现化工产业发展"园区化、绿色化、循环化、一体化"。印发实施《长江经济带发展负面清单指南(试行)》，禁止在长江干支流 1 千米范围内新建、扩建化工园区和化工项目。安排中央预算内投资 6.5 亿元，支持危险化学品生产企业搬迁改造。2019 年长江经济带累计"搬改关转"重污染化工企业 963 家，其中包括位于长江干流、重要支流岸线 1 千米范围内的化工企业 44 家，推动了沿江化工产业由粗放发展转向集约绿色发展，涌现出像湖北宜昌等地推进化工产业转型升级、破解"化工围江"难题的先进典型。

(2) 生活污水处理

长江经济带沿线农村生活污水主要来源于厨房、洗浴、卫生间及家庭畜禽养殖等。由于中西部调研区部分村庄水冲厕所或卫生洁具尚未普及，存在数量不等的旱厕，导致收集污水化学需氧量(COD)浓度低于 100 毫克/升，与污水处理设施工艺设计水质指标(表 5-4)的匹配性较差。李仰斌等研究表明,我国发达地区农村生活污水污染浓度有高于欠发达地区的趋势。但调研发现,即使是在经济相对发达的上海市崇明区,农村生活污水化学需氧量浓度也部分存在低于 100 毫克/升的情况,可见各地污水水质复杂程度各异。这可能与多数污水处理系统实际污水收集率低以及管网渗漏有关。另外,由于雨污分流不彻底,雨水稀释及其携带的污染物质也会对水质波动产生不同程度的影响。

表 5-4 部分地区设施规划进水标准参考指标

地区	COD(毫克/升)	BOD(毫克/升)	总磷(毫克/升)	氨氮(毫克/升)	pH
上海市崇明区设施涉及进水标准	≤300	—	≤7	≤30	6~9
浙江省处理设施排入标准	≤450	—	≤7	≤40	6~9
四川省南充市参考标准	≤300	≤150	≤3	≤25	6~9
湖南省乡镇生活污水水质参考指标	100~300	60~150	2.5~5.0	30~60	6.5~8.5
湖北省乡镇污水处理厂进水水质参考指标	120~260	60~130	2.0~5.0	15~30	6.5~8.0
大理洲建制镇进水水质参考指标	280	150	3	35	6~9

注:BOD 为生化需氧量。

① 建设模式分析

目前,长江流域农村生活污水治理工作已不同程度地取得良好进展,各调研点已形成相对成熟的建设模式(表 5-5),可归纳为城乡统筹、分区治理、示范先行、针对性治理四类。

a. 以常熟市为代表的城乡一体化形式,打破了县域内行政区划,统一城、镇、村规划,通过经济比选优先纳管并结合分散与集中处理。截至 2018 年底,常熟市实现了 3 401 个村庄治理,农村生活污水接管率约 30.61%,共建设12 330 座分散式污水处理设施,实现了 81%的农村生活污水处理率。

b. 以湖南省长沙县为代表的分区治理,将乡村污水治理划分为建制镇与工业区污水处理厂、次集镇与集中居住区等小型污水处理设施、农村散户型三格无害化厕所,形成了三级网格化体系,推进乡镇污水处理全覆盖。

c. 浙江省多年来持续开展“千村示范、万村整治”工程，先易后难、以示范带动整体治理，同时保留村庄的各自特色，且该工程获得 2018 年联合国“地球卫士奖”。

d. 以上海市崇明区、云南省大理市洱海周边地区为代表的针对性治理模式，因地制宜、精准施策。崇明区以建设世界级生态文明岛为契机，形成了城乡统筹、建养一体为核心的农村生活污水治理模式，从整体规划上主动解决“重建轻管”“责任主体不明”等常见问题，实现治理全覆盖；云南省大理市结合洱海保护行动，“片区截污、村庄截污、河道截污、环湖截污”体系不断完善，完成村庄新老管网有机衔接，构建了从农户化粪池→村落污水收集支管→污水收集主干管→污水处理厂站→尾水库塘水资源利用的截污治污体系。在工程措施与生态措施结合的模式下，全市农村生活污水处理设施覆盖率达 86.4%。

表 5-5　长江流域部分农村生活污水建设模式

区块	地区	建设模式
东部江南地区	上海市崇明区	城乡统筹、能纳尽纳、建养一体化
	江苏省常熟市	统一建设、城乡一体化
	浙江省云阳市	千村示范、万村整治
中部丘陵地区	江西省上饶市	结合“秀美村庄”建设
	湖南省长沙县	形成三级网格化体系
	湖北省大冶市	结合“厕所革命”建设
西部三峡库区	四川省西充县	“镇村一体、集散结合、低碳运行”
	重庆市云阳县	优先治理保护区
	云南省大理市	“从户到管、从管到厂、从厂到库塘”的大理市洱海流域截污治污系统

《农村人居环境整治三年行动方案》中指出，梯次推进农村生活污水治理需要采用污染治理与资源利用相结合、工程措施与生态措施相结合、集中与分散相结合的建设模式和处理工艺。建设模式的形成不仅需要借鉴典型地区的成熟经验，更需要优先分析区域特性及与典型地区的共性特征，如东部及平原地区在推行城乡统筹上更具优势，而中、西部地区可根据地势及当地镇、村布局分区治理，也可采用分散设施与集中处理结合的方式。德国多数城市地貌与我国中、西部地区相似，起伏变化较大，其在 2000 年后将分散与

集中的模式相结合，取得了较好的治理成果。此外，在建设模式上各地需分轻重缓急，优先治理水敏感区，并以条件较好的村庄示范整治，以点带面、连线成片。

目前，各地农村生活污水治理项目建设流程基本为：设计踏勘—方案汇报—与建设单位、村委会三方协商—确定最终方案—公开招标选定施工单位。但由于多数项目工期紧张，施工方往往不能马上了解现场情况和施工图纸。若条件充足，可以考虑项目招标、设计与施工全过程统筹，设计方与施工方共同进行现场踏勘、方案讨论、施工优化的协调统一，以促进建设运营的可靠性和高效管理。

各地农村生活污水处理工程建设单位一般交由当地住建局、水务部门或生态环境部门主导建设，其他部门协助监督。但也有将一般村庄、美丽村庄、示范村庄污水治理工作交由不同部门负责的个别现象，存在多头管理、责权不明的现状，不利于统一设计和建设标准。另外，若前期建设与后期运维的主管单位不同，在移交项目时需明确验收要求，避免后续责任的推诿。

② 出水标准分析

就农村生活污水治理的时效性而言，出水达标率与处理设施覆盖率同等重要。我国目前尚没有出台农村生活污水处理统一排放标准，多数处理技术专利和村镇生活污水处理出水限值以《城镇污水处理厂污染物排放标准》(GB 18918—2002)(以下简称国家标准)为依据。2018 年 9 月，生态环境部办公厅、住房和城乡建设部办公厅联合发布《关于加快制定地方农村生活污水处理排放标准的通知》。

比较长江流域各调查区地方标准与国家标准限值，结果如表 5-6 和表 5-7 所示，总体分级、指标差异性较小，分析如下：上海市、江苏省地方一级 A 标准相对严格，接近国家标准一级 A；江西、湖南、湖北、四川地方一级标准与国家标准一级 B 更相近；东部地区的一级或一级 B 标准在涉及氮、磷的指标上较国家标准一级 B 更宽松，长江流域东、中、西部指标差异主要表现在总氮、总磷上；地方二、三级标准中氮、磷相关的指标较国家标准二、三级更严格；几个地区设定的控制指标相近，包含了 pH、悬浮物(SS)、化学需氧量(COD)、氨氮、总磷、总氮、动植物油，在此基础上江苏、浙江添加了阴离子表面活性剂(LAS)和粪大肠菌群数作为指标。

表 5-6　国家标准一级 A 标准与各地方设施出水一级(或一级 A)标准对照表

标准	pH	SS(毫克/升)	COD(毫克/升)	氨氮(毫克/升)	总氮(毫克/升)	总磷(毫克/升)	动植物油(毫克/升)	LAS(毫克/升)	粪大肠菌群(毫克/升)
国家一级 A 标	6～9	10	50	5(8)	15	0.5	1	0.5	103
上海一级 A 标	*	*	*	8	*	1	*	*	—
浙江一级标	*	20	60	15	—	2	3	—	104
江苏一级 A 标	*	20	*	*	20	1	*	*	104
江西一级标	*	20	60	8(15)	20	1	3	—	—
湖南一级标	*	20	60	8(15)	20	1	3	—	—
湖北一级标	*	20	60	8(15)	20	1	3	—	—
四川一级标	*	20	60	8(15)	20	1.5	3	—	—
重庆一级标	*	20	80	20	—	3	5	—	—
云南一级 A 标	*	20	60	8(15)	20	1	3	—	—

注:“*”表示该项指标地方标准限值与国家出水标准限值一致;“—”表示国家或地方标准对该项出水指标不作限值规定;针对氨氮限值要求,括号内数值为水温>12 ℃的控制指标,括号外数值为水温≤12 ℃的控制指标。

表 5-7　国家标准一级 B 标准与各地方设施出水一级(或一级 B)标准对照表

标准	pH	SS(毫克/升)	COD(毫克/升)	氨氮(毫克/升)	总氮(毫克/升)	总磷(毫克/升)	动植物油(毫克/升)	LAS(毫克/升)	粪大肠菌群(毫克/升)
国家一级 B 标	6～9	20	60	8(15)	20	1	3	1	104
上海一级 B 标	*	*	*	15	25	2	*	*	—

续表

标准	pH	SS（毫克/升）	COD（毫克/升）	氨氮（毫克/升）	总氮（毫克/升）	总磷（毫克/升）	动植物油（毫克/升）	LAS（毫克/升）	粪大肠菌群（毫克/升）
浙江一级标	*	*	*	15	—	2	*	—	*
江苏一级B标	*	*	*	*	30	3	*	*	*
江西一级标	*	*	*	*	*	*	*	—	—
湖南一级标	*	*	*	*	*	*	*	—	—
湖北一级标	*	*	*	*	*	*	*	—	—
四川一级标	*	*	*	*	*	1.5	*	—	—
重庆一级标	*	30	80	20	—	3	5	—	—
云南一级B标	*	*	*	*	*	*	*	—	—

注："*"表示该项指标地方标准限值与国家出水标准限值一致；"—"表示国家或地方标准对该项出水指标不作限值规定；针对氨氮限值要求，括号内数值为水温＞12 ℃的控制指标，括号外数值为水温≤12 ℃的控制指标。

（3）运维模式分析

目前，长江流域各调研地采用的运维模式主要为PPP项目公司管理模式、第三方专业公司＋乡镇管理模式、属地政府自管模式等。"第三方＋乡镇"的运维模式一般是由政府主管、乡镇实施、第三方运维，在上海市崇明区、江苏省常熟市、浙江省长兴县、云南省大理市实施情况良好，并根据实际情况划分乡镇、第三方责任比重（表5-8）。湖北省大冶市由于资金受限，仅由当地政府管理，暂不存在第三方运营的情况。

表5-8　乡镇、第三方专业公司责任分配

地区	乡镇责任	第三方专业公司责任
江苏省常熟市	负责养护非PPP项目的配套管网	PPP项目、负责部分非PPP项目
上海市崇明区	乡镇负责季度考核	总包单位建设、养护管网及设施

续表

地区	乡镇责任	第三方专业公司责任
云南省大理市环洱海地区	乡镇负责排水户出户管道检查井段及预处理单元的审批、监督、处罚	污水主管、支管、泵站、一体化站点等
浙江省长兴县	分散设施、人工湿地、污水管网	终端设施

采用第三方运维结合村镇自管的方式，可以根据技术复杂程度将工作分配到农户、村镇责任人和运维技术人员，不仅控制了运维成本，农污治理政策也得到了宣传，较适用于经济欠发达地区。村镇自管运维模式一般以定期巡查责任片区为主，因技术人员水平有限，难以及时对处理设施工艺进行有效调整，建议结合信息化平台聘请技术顾问远程协助解决技术问题。此外，上海市崇明区采用的“建养一体”模式，将建设资金、养护资金拨付与出水质量挂钩，有效避免了建设与管理中的责任推诿、工作边界模糊的问题，确保了工程质量。但“谁建谁管”的运维模式对总承包单位规范性、招标管理程序、资金拨付政策、管理标准等也提出了较高要求。

运维单位技术管理能力对设施的有效运行具有直接影响。“晒太阳工程”现象在我国多地农村都有出现，其原因包括工程建设质量不佳、设施权属不清、群众意识不强、缺乏运维管理的技术支持等。另外，各调查点的年运行费用大多按村拨付，年运维费用约 1.0 万～2.5 万元/自然村(含管网)，即使在 PPP 等融资模式下，不管是东部经济发达区，还是中西部发展滞后区，运维投入依旧存在资金缺口大和不按时拨付的问题，电费补偿和用电优先机制也没有良好政策依托。加上大多农村生活污水处理设施分散的情况，现状运维费用与实际需要相差较大。

(4) 农村生活污水收集与治理设施技术保障

各地在农村生活污水整治过程中存在共性和特性问题。污水收集方面，由于各地域农户生活习惯差异，每户污水的纳管有效性情况不一。东部调研的河网密集区，农户存在就地倾倒洗衣水等杂用废水的习惯；中、西部地区受地形限制，散户污水收集成本高且旱厕较多，纳污困难。部分建设较早的项目，由于管道环刚度选择不当、施工质量欠佳，出现了管线沉降、破损的现象。除此之外，设计、施工过程不合理，导致部分村庄支管污水无法依靠重力排入处理设施而溢流污染环境的问题也非个例。处理单元方面，原有靠墙建设的砖砌化粪池改造重建难度大，厨房油污也会导致处理设施运行异常。农村地区小作坊的污水排放使进水水量、水质受到冲击负荷，对小规模处理设施也造成不利影响。

因此，建议农村生活污水形成地区性统一建设基础标准，包括管道材料、工艺技术类型、验收质量标准。在前期设计上应结合当地规划予以充分调研。同时，应针对性补充差异化要求，如地下水位较高的河网地区，应统一采取井座包覆砼、增加回填土密实度等抗浮措施，以稳管、增加自重；冲击负荷影响显著的情况必须考虑调节池设计。此外，应充分发挥区域性优势，如针对全年总日照优势突出的西部农村，可合理使用太阳能；针对中西部地势高差较大的地区，可尽量利用重力势能，适当改进技术模式；针对高原地区或相对偏远且经济欠发达地区，推荐优先进行农村厕所无害化改造。

长江流域东部的农村生活污水处理系统已不同程度开始了信息化管理系统的运用，实现实时监视与远程控制。该系统利用信息平台为设施建立档案，储存站点基础资料及建设、验收、移交运营、日常检修等环节信息。少数发达农村地区设置了设施进出水水质、水量、投药量、设备电耗等数据的自动采集，利用设备、阀门开关信号与模拟量信号帮助运维人员判断设施是否存在异常等。目前，上海市崇明区建设了覆盖全区的监管平台，采用远程监控系统对水质进行在线监测；浙江省长兴县在运维单位自检、第三方检测、季度抽检的基础上，通过分析中心流量、平台水质检测数据，判断设施运行情况；江苏省常熟市部分片区的监控系统已经可以实现污水处理的信息上报、报警上报、污水处理点的信息下发配置和设备运行情况监控等。

我国农村生活污水治理已取得积极成效，但多数地区仍处于起步阶段，从长江流域调研区域的整体看，东部地区治理成效明显优于中、西部大多数地区，社会经济水平是制约农村生活污水处理和农村环境改善的重要因素。在我国未来农村生活污水整治中，建议各地在考虑有无敏感水域的基础上，以示范点带动整体，推荐在平原地区进行城乡统筹整治、在地势复杂或起伏明显的地区采取分散与集中结合的方式并分类提出实施方案，优先选择“第三方专业公司＋乡镇”的运维模式。因地制宜形成统一的区域性或片区性建设标准，完善污水收集系统，明确出水指标和排放去向。积极推进信息化平台的建设，结合出水抽检制度，保障出水达标和运维管理的长效性。

5.2.2 面源污染控制

随着点源污染的有效控制和管理，面源污染日渐成为水环境污染的主要贡献源。面源污染又称非点源污染，主要由土壤泥沙颗粒、氮磷等营养物质、农药、各种大气颗粒物等组成，通过地表径流、土壤侵蚀、农田排水等方式进入水、土壤或大气环境。其具有的随机性、广泛性、滞后性、模糊性、潜伏性等特点，加大了相关研究及治理和管理政策制定的难度。同点源污染相比，非点源污染具有时空上的随机性和分散性特征。伴随工业点源污染逐步得到控制，农村非点源污染则表现得日益突出。2019 年我国耕地化肥施用量达 $5\ 403.59\times10^4$ 吨，施用强度为 0.79 吨/公顷。全国八大重点流域的总氮(TN)和总磷(TP)的总负荷分别为 149.74×10^4 吨和 14.80×10^4 吨，排放强度为 0.118 千克/公顷和 0.013 千克/公顷，其中长江上游平原丘陵区 TN 和 TP 排放量分别位于全国第四和第三位。长江上游平原丘陵区是长江流域人口和农业发展的重要地区之一。长江上游流域及其支流岷江、沱江、嘉陵江和三峡库区的水质呈现明显的季节性特征，需要有效遏制部分河段水质恶化的趋势。

长江流域上游地区素有“绿色生态屏障”之称，是三峡水库的汇水区，作为长江经济带“生态优先、绿色发展”战略实施的重点和关键区域，总磷污染已成为长江上游面临的主要水污染问题。2016 年，长江流域主要水污染物指标开始从化学需氧量和氨氮转变为总磷，其中长江上游地区总磷污染尤为严重。2016 年以来，总磷成为长江流域水质超标的首要因子，与长江中下游相比，长江上游总磷处于劣Ⅴ类的断面比例明显较高，Ⅰ至Ⅲ类的断面比例相对较低，长江流域总磷污染最为严重的前 30 个断面中，有 21 个位于上游区域，占比高达 70%。目前针对长江流域总磷已经做了大量的研究工作，尤其是“三磷”(磷矿、磷化工企业和磷石膏库)污染问题受到广泛关注。长江流域总磷来源之一是磷矿和磷化工企业等污染源的高负荷排放，应对比提出相应总磷污染控制对策；张文静等结合长江经济带磷肥行业水污染防治形势，提出了一系列管控对策；续衍雪等针对长江经济带总磷污染特征，提出了涉磷工业企业治理、磷矿管理等具体治理措施；黄德将等对宜昌樟村坪磷矿开发现状进行调查研究，指出矿山开采形成的废水、废渣对水环境影响较大，并提出一系列解决对策。至今，关于长江流域上游地区“三磷”污染控制的系统研究鲜有报道。本研究主要针对长江流域上游地区“三磷”污染现状，按照“重点突出，精准施策”原则，以长江流域上游地区“三磷”集中片区为重点开展综合整治，提出相应对策建议，以期为长江流域上游地区“三磷”污染控制提供决策依据与技术支撑，从而保障长江流域水环境安全。

(1) 长江流域农业面源磷污染排放现状及成因

长江流域作为我国最主要的农业生产基地，耕地面积约占全国耕地总面积的25%，年出栏家畜超3.4亿头，占全国50%以上。农产值大的同时，也伴随着施肥强度过高、种养模式不科学和土地利用方式不合理等问题。另外，长江流域农业磷污染存在明显的地域性差异：长江下游地区农业磷污染的排放强度远高于中、上游地区；长江下游地区主要由种植业产生磷污染，畜禽养殖业磷污染排放主要集中在长江上游地区。

① 种植业磷污染排放现状及成因

长江经济带的耕地类型多、种植面积广和施肥习惯不合理等问题造成了种植业的面源磷污染。流域内数省份地区的施肥强度超出225千克/公顷的安全上限，造成磷在土壤中大量存积，而磷的流失量又与农田施肥期的降雨强度和径流量密切相关。施肥量较大时，若不增设拦截处理设施，磷的流失率将难以控制。湖北省兴山县处于三峡水库支流香溪河上，8个乡镇总耕地面积1.3万公顷，种植类型包括旱地、水田和园地，肥料施用量共计1.17万吨，磷流失系数高达0.873。我国第一次污染源普查公报显示，种植业总磷流失量已达10.87万吨。在未经植被覆盖的地区总磷浓度与土壤pH呈负相关，因土壤酶活性比土壤养分状况更敏感，故随农田径流流失的磷越多，该地区面源磷污染越严重。巢湖流域的排放数据显示，总磷和水溶性磷的污染主要来自水田、饲养地和荒地的径流输入，这些未改善种植模式的耕地导致了更为严重的磷流失。

② 畜禽养殖业磷污染排放现状及成因

畜禽养殖业总磷排放量占长江流域总污染排放量的68%，是面源污染的重要来源，其中四川、湖北等省份排放量约占长江经济带的65%。长江上游的岷江流域内1 446家规模化畜禽养殖场总磷排放量高达1 682.61吨。肥粪还田、放牧养殖及分散养殖是长江流域农业面源磷污染的重要来源，其中肥粪直接还田造成的养分流失是当前最受关注的一个问题。随着传统有机肥向化学肥料的转移，部分畜禽粪便无处利用，只能直接排入水体，成为河湖主要污染源之一。长期施用猪鸡粪便，使当地表层土壤磷的含量增加了4倍，水体中溶解态磷和总磷的浓度会随畜禽粪便施用量的增加而线性递增；在加拿大也发现施用畜禽粪便会导致土表层(0～5厘米)磷的积累。在我国畜禽粪便的土地负荷警戒值总体已达到0.49(正常值<0.40)，这一数据体现出一定的环境胁迫水平和较严重的环境压力。生态环境部对全国23个省市调查发现，约有80%对环境影响较为严重的大中型畜禽养殖场集中在东部沿海地区，未经任何处理的畜禽粪便在收集、储存、运输和还田的过程中均会对环境产生较大污染。另外，流域内养殖废水经过处理后总磷排放浓度高达320毫克/升，经过沼

气池处理的养殖废水总磷浓度仍高达 109 毫克/升，需进行 500 倍自然径流稀释才能达标排放。

(2) 长江流域农业面源磷污染防控技术分析

长江流域农业面源磷污染形势严峻，多数防控技术主要针对氮的去除，磷的去除效果并不明显。部分区域没有适宜的技术体系，一些较为成熟的技术得不到广泛推广，导致面源磷污染问题得不到有效控制。因此，从经济、环境和技术适用性角度盘点出适合长江流域高效的技术方案，并根据"源头减量—过程阻断—末端治理"的技术体系进行分析。

① 种植业面源磷污染防控技术分析

对种植业面源磷污染的防控，源头治理是关键。源头治理本质上是针对磷肥施用不合理等现象，从作物对磷素的吸收、肥料用量优化和土壤肥力等角度进行技术筛选。同时，还应克服只关注末端治理的思维模式，坚持"防""治"并重的原则，按照流域内各地区的种植模式、土壤环境与面源磷污染程度因地制宜开展防控工作。

a. 源头减量

长江流域内"源"的防控受限于当地的种植和施肥习惯。筛选出可以优化种植模式的集成技术，在保证农民效益和后续推广度的同时又要具有一定增产效益。目前，实施效果较好且有一定示范规模的技术有"基于水稻专用缓控释肥与插秧施肥一体化的稻田磷投入减量技术"。该技术是对插秧施肥一体化技术和水稻专用缓控释掺混肥技术的集成优化。在水稻移栽时进行水稻插秧与侧深施肥的一体化作业，利用缓释肥料形成贮肥库将肥料缓慢输送给作物，既满足肥料减量 15%的条件下水稻增产，又可实现总磷减排 14.0%～37.2%。缓释肥料可应用 IC 肥料(Inclusion Complexes of Environmentally Degradable Polyester)，这种肥料释放速率较低、可调性较高。同时，利用酸性磷酸酶高活性的特点，可显著提高土壤中有效磷的含量。该技术在宁夏引黄灌区开展试验，肥料中五氧化二磷含量仅为 75 千克/公顷，大大减少了每公顷土地中的土壤含磷量，改善了土壤环境。

b. 过程阻断

种植业主要通过生态拦截的方式对磷污染排放进行过程阻断。传统生态拦截技术对流域内农田径流或湖泊中的磷拦截效率较低，需对传统技术进行改良优化。如通过调整设备结构、增加水力停留时间等手段来加强磷处理效果；增设生态护坡以应对水流量超出系统负荷的情况。为此，筛选出了"基于陆域拦截-可再生沸石-生态护坡的生态沟渠技术"。

“基于陆域拦截-可再生沸石-生态护坡的生态沟渠技术”与传统生态沟渠技术相比增加了陆域的近源拦截工艺，使污染物得到沉降和初步处理，降低后续生态沟渠的处理负荷，提高系统拦截率。在沟渠底部铺设可再生沸石，对流经沟渠污水磷的去除率可达 91.08%，且硅藻土在复合吸附剂中的比例越高，磷吸附效果越好。若处理水量较大，则可增设生态护坡，通过填料、植物和护坡共同作用，可在水量比较大时分担后续生态塘系统的处理压力。在坡地上实行生态工程拦截技术可以减少 80%～90%的沉积物和 25%～35%的磷。针对长江流域降水量以及农田用水量大的特点，这样可最大程度地进行磷拦截，同时充分利用了当地坡度较缓、植被生存环境较好的特点。

c. 末端治理

“生态塘技术”一直以来都是处理面源污染的重要手段。经多年研究，该技术已成熟运行。系统内设置的强化净化系统对磷污染物的处理量大幅提高，同时筛选出高效除磷的水生植物，在滞水时间相同的情况下，处理效率进一步提高。生态塘结构以折流墙为界，整体呈阶梯式分布，依次分为好氧区、兼氧区和浮床区。一方面，在浮床下端悬挂软填料，四周岸坡及塘底均铺设砌块，在砌块内种植高效的水生净化植物，同时要保证筛选的水生植物有根系发达、喜温、生长期较长且经济的特点。另一方面，多级塘体的设置可为水体增加流动性，最大限度去除磷污染物。长江流域部分地区降雨量较大，在降雨径流的影响下，总磷的平均去除率仍为 34.8%，证明其自修复和抗冲击能力较强。该技术可应用于长江流域地区的毗邻河浜农田排水的磷生态拦截，同时在雨量较大的地区也可适用。

农业面源污染治理有序实施。以畜禽养殖粪污治理为重点，加强农业面源污染治理，加快畜禽养殖废弃物处理配套设施建设，积极推进粪污资源化利用。安排中央预算内投资 11 亿元，支持长江经济带中西部省份每县建成 1～3 个治理示范区。2019 年长江经济带畜禽粪污综合利用率达到 74%，部分省份已提前实现农作物化肥农药施用量负增长，共有 744 个水产养殖主产县完成养殖水域滩涂规划编制工作，搬出和转移禁养区内的水产养殖规模达 178.9 万亩。①

② 畜禽养殖业面源磷污染防控技术分析

长江流域畜禽养殖规模庞大，散养型养殖场居多且多数分布于大型干、支流沿岸。由于当地粪污资源化利用率低、缺少磷污染防控措施，导致部分技术

---

① 亩：面积单位，1 亩≈666.67 平方米。

无法长效实行。应从畜禽对饲料磷的吸收、畜禽饲养场管理和畜禽粪便返田的养分利用效率等角度进行技术模式分析。

a. 源头减量

畜禽粪污的源头处理以还田和堆肥形式为主。粪便还田作业方式简单，养料充分，但氮磷含量难以控制；堆肥技术较为成熟，但推广度不高，农民习惯施用见效快的化肥。近年来，“发酵床技术”成为处理畜禽粪污的热门工艺，但因成本高、运行条件苛刻等原因未被广泛应用。“多原料预处理＋发酵床技术”在降低运行成本以及改善运行效果的同时，实现了资源循环化，其主要通过微生物发酵床模式控制养殖废弃物外排，同时将产出的沼液回用农田，以源头控制理念，在磷污染物不增加的情况下实现自给自足，达成一定的经济效益。为提高沼液利用率，可结合多原料预处理技术将畜禽粪便、农村生活垃圾、秸秆和杂草等有机废弃物粉碎后与中密度物料完全混合，集成碟管式反渗透(DTRO)浓缩沼液技术和液体灌装自动计量技术，解决传统沼液不能满足农田养分需求的问题，同时减少沼渣中磷的累积，产出的沼渣可通过堆肥或生产活性炭进行再利用，实现畜禽资源回用。长江流域不存在过冷或过热的气候条件，设备顺利运行也得到保障。

b. 过程阻断

畜禽粪便的收集过程一般采用干清粪或水清粪工艺。由于磷物质的特性，“水清粪工艺”难以解决磷流失的问题，故“干清粪工艺”更适合流域内的粪污收集。传统的干清粪工艺是人工清粪，缺点为人工成本高、工作繁琐，因此可增设传送带装置，将流进漏缝地板的粪便收集后运送至贮粪场。干清粪工艺的特点是收集的固态粪便含水量低。畜禽粪便中有很大一部分磷为水溶性磷，这部分磷的结合能力较弱，易流失进入水体。干清粪工艺中的磷浓度仅为水清粪工艺的17%，且干清粪下的磷浓度达到稳定的时间也比水清粪更短，产生的磷污染物质含量更低。

c. 末端治理

湿地系统对于养殖废水中磷的深度处理效果较好，其中较为成熟的“潜流人工湿地技术”可应用在处理水量较大、空余土地面积多的地区。“潜流人工湿地技术”是对传统人工湿地内部结构的优化，传统湿地存在供氧不足、磷去除效果达不到预期效果等问题。该技术在设备内部增设了4个潜流人工湿地单元，将波形潜流湿地的挡板加宽设计成导流墙，人为改变水流路径，使水流与植物根系充分接触，提高养殖废水中磷污染物的去除率。

5.3 水生态修复

5.3.1 生态修复工程

长江流域上游是我国的重要水能基地。随着乌东德、白鹤滩、溪洛渡和向家坝等大型水电站的建设和运营，总库容可占河川径流量的61%，与支流上的中小型水库以及塘堰一起，可控制70%以上的地表径流量。除赤水河等少数支流外，长江上游干流人工渠道化趋势明显。在支流上，引水式水电站导致部分河段脱流，而过度建设的河道管控工程导致河湖连通性下降，水生环境遭到不可逆的改变。长江流域干支流沿岸地区农村与城市用地的无序扩张占据大量水域面积，原有由水陆过渡带而形成的湿地遭到破坏；高密度的人类活动与不合理的开发利用导致原生生物资源枯竭，水体整体生态服务功能降低。与此同时，工业废水排放造成的点源污染仍在逐年增加，农业面源污染截污减排效果不显著，导致长江沿岸部分干支流以及水体交换能力较弱的湖泊水库污染严重。特别是城市江段存在明显岸边污染带，部分支流出现水华现象，部分湖泊富营养化严重。

由此可见，生态修复迫在眉睫。长江流域水生态保护应坚持"以人为本、人水和谐"的宗旨，着力改善长江流域水生态环境，提供更丰富、更优质的生态产品与服务，促进长江生态健康发展。长江水生态保护与修复重点在于保护和修复水生态系统的水文过程、地形地貌过程、物理化学过程及生物过程，保障湿地、河口等重要水生态系统的生态水量，保护和修复河湖岸边带及鱼类生境，控制点、面源污染，加大珍稀水生生物的保护与补偿力度，统筹协调保护与发展的关系，全面支撑流域社会经济的永续发展。

长江流域水生态修复工程主要以长江流域干支流和湖泊为保护对象，综合评价水环境与生态系统的主要影响因素，辨析水环境保护、水生态修复中存在的主要问题，并结合社会经济发展需要，提出水生态保护与修复的实施方案。水生态保护与修复措施主要包括水源涵养工程、河岸带生态修复工程、河湖水系连通工程、湿地保护与修复工程、水生态综合治理工程、重要生境保护与修复等，主要的水生态修复工程如下。

(1) 水源涵养工程

水源涵养区一般位于江河湖泊上游集水范围内，具有涵养水源、防止土壤侵蚀和改良水质等生态功能。受人类活动的影响，部分水源涵养区存在水土保持能力退化、涵养水源功能下降、生物多样性遭破坏等生态问题。水源涵养工程主要采取围栏封育、林草建设、生物固沙、退牧还草、退化草地治理等措施，恢复其生态功能。

长江流域水源涵养工程主要分布在金沙江、雅砻江、嘉陵江等长江干流及主要支流源头及上游区域，以及中下游汉江流域，洞庭湖水系的湘江、资水、沅江，鄱阳湖水系的赣江、抚河、信江、修水的上游区域，重点为三江源区等。主要建设内容为水源涵养林建设和天然林保护工程，主要建设工程包括长江上游通天河玉树藏族自治州水源涵养工程、大渡河上游果洛藏族自治州水源涵养工程、金沙江迪庆藏族自治州迪庆段水源涵养工程、秦巴山区水源涵养工程等，以及中下游沅江怀化市水源涵养工程、湘江永州市水源涵养工程、抚河源水生态保护工程、赣江源水生态保护工程等。

(2) 河岸带生态修复工程

长江流域河岸带生态修复工程主要分布在干流中下游(长江新洲城区段、麻城城区段和长江铜陵沿江河岸)，以及重要湖泊沿岸(石臼湖、升金湖湿地)，重点为主要河流城镇段。主要工程内容包括：一是在城市江段河岸带开展滨河绿色景观建设工程，建设城市河湖亲水景观；二是构建功能健全、结构合理、层次分明的生态型护岸，以减少人类活动对河岸、湖岸带的破坏；三是对河流、湖泊面源污染较重水域，沿岸营造植被缓冲带，以截留农业面源污染的河岸生态防护工程。

长江流域河岸带生态恢复工程主要包括重庆市合川区渠江河岸带生态修复工程、贵州省乌江铜仁市思南段河岸带生态修复工程、湖北省陆水区段水生态保护与修复、湖南省沅水常德市河岸带保护与修复工程、江西省赣江下游河岸带生态修复工程、安徽省安庆市长江河岸带生态修复工程等。

(3) 河湖水系联通工程

河湖水系联通工程通过合理调度闸坝、恢复通江湖泊的水力联系，开展河湖水系连通布局与设计，对阻碍水系连通的河段进行生态清淤疏浚等，以进行河湖连通水道建设。

长江流域河湖连通工程主要分布在汉江中下游平原、鄱阳湖湖区、洞庭湖湖区和下游安徽省巢湖湖区等，主要包括湖北省天门河生态水网构建工程、武汉市汉口东西湖河湖连通工程、鄂州洋澜湖生态补水工程，湖南省华容河水系连通工程、洞庭湖岳阳市河湖连通工程、澧水洪道益阳市河湖连通工程，安徽省芜湖市城市湖泊及水系水生态修复工程等。

（4）湿地保护与修复工程

湿地是功能独特的生态系统，被誉为“地球之肾”、“生命摇篮”和“物种基因库”。我国湿地分布广泛，类型多样，受自然条件的影响，湿地类型的地理分布具有明显的区域差异。近年来，由于自然及人类活动影响，湿地资源存在天然湿地不断萎缩、湿地质量不断下降的趋势，湿地生态系统面临着严重的威胁。湿地保护与修复应保护湿地的自然形态，保障湿地的生态用水需求，修复受损的滨水湿地、季节性水陆交替湿地、河口湿地，并针对具有不同特征的湿地采取不同的保护与修复措施。

长江流域湿地保护与修复工程主要分布在长江流域内国际、国家重要湿地（巢湖湿地、滇池湿地），湿地自然保护区等重要湿地（拉市海湿地保护区），岷江成都市河段、沅江邵阳市河段等河流中下游湿地，以及长江中下游湖泊湿地群等。主要工程内容包括：恢复湿地天然面积，改善湿地水陆生境条件，提升湿地生态服务功能；湿地植被恢复工程，通过加强对湖滨及其河口湿地的恢复与重建，恢复湖滨带湿地生态，以此对面源污染进行有效控制，预防水土流失；栖息地恢复工程，开展栖息地的恢复、修复和重建工程，恢复生物栖息环境，维护生物多样性。

长江流域湿地保护与修复工程主要是对流域内湿地自然保护区、国家重要湿地、国际重要湿地的保护，以及对存在着生态萎缩和生物多样性下降的湿地开展生态补水沟渠、封育保护、退耕还湿、生物栖息地恢复与重建等生态修复工程。主要包括云南省丽江市拉市海湿地保护工程、昆明市滇池湿地保护与生态恢复工程，四川省邛海流域生态保护与修复工程、金马河湿地保护与修复工程，贵州省横江毕节市威宁锁黄仓国家湿地公园湿地保护与修复工程，湖北省太白湖湿地保护与修复工程、武山湖湿地保护与修复工程，湖南省洞庭湖岳阳市湿地保护与生态恢复工程，江西省太泊湖生态综合整治工程、鄱阳湖湿地保护工程，安徽省龙河口水库库区生态保护工程，以及上海市青草沙水库生态建设工程等。

（5）重要生境保护与修复

长江流域重要生境保护主要包括：保护长江上游四川裂腹鱼、短须裂腹鱼、达氏鲟等长江上游珍稀特有鱼类的种质资源和种群规模，保护长江中下游四大家鱼等江湖洄游性鱼类的“三场一通道”以及中华鲟、鲥鱼、鳗鲡等江海洄游性鱼类的产卵场、洄游通道等，保护长江口的中华鲟等珍稀洄游性鱼类及其栖息地，以及河口湿地生态等，对水产种子资源保护区、涉水自然保护区加强生境及“三场”保护，并对珍稀特有鱼类实施增殖放流等生境保护与修复工程。

长江重要生境保护工程主要集中在:对四川裂腹鱼、短须裂腹鱼、达氏鲟等上游长江珍稀特有鱼类的生境保护,特别重视对由于水利工程建设对鱼类洄游通道、产卵场等“三场”产生影响的生境保护和增殖放流;对汉江、长江中下游四大家鱼等江湖洄游性鱼类的“三场一通道”的保护,以及对中华鲟、鲥鱼、鳗鲡等江海洄游性鱼类的产卵场、洄游通道的保护与修复;保护与修复长江口中华鲟等珍稀洄游性鱼类及其栖息地。

长江流域生境保护工程主要包括:青海省果洛藏族自治州重要水生生物保护工程,陕西省宝鸡市嘉陵江重要水生生物生境保护与修复工程,湖北省丹江特有鱼类生境保护工程,湖南省沅江怀化市重要水生生物保护工程、湘江湘潭市重要水生生物保护工程,江西省太泊湖彭泽鲫国家级水产种质资源保护区保护工程、抚河鳜鱼国家级水产种质资源保护区保护工程,安徽省长江安庆段鱼类、水禽及其湿地生境修复与种质保护工程等。

(6) 水生态综合治理工程

水生态综合治理工程主要对目前水生态环境较差的支流进行综合整治。主要包括:重庆市大渡口区伏牛溪综合治理工程、长寿区河道水生态综合治理工程;贵州省赤水河毕节市七星关等区域水生态综合治理工程、习水河遵义市习水自然保护区水生态综合治理工程;湖北省汉江襄阳水生态综合治理工程、汉江荆门段水资源保护工程等;江西省赣江下游尾闾综合整治工程、抚州市环鄱阳湖县市中小河流综合整治和水系连通工程、九江市环鄱阳湖县市中小河流综合整治和水系连通工程等。为恢复和科学调整江湖关系,规划建设鄱阳湖水利枢纽工程,采取调枯不控洪的方式运行,以加强生态环境保护等;同时深入研究工程对湿地、越冬候鸟、鱼类洄游等带来的影响并提出对策方案,以保障工程的科学有效实施。

5.3.2 水生生物保护

长江是世界上水生生物多样性最为丰富的河流之一。据统计,长江共有424种鱼类,光特有鱼类就有183种,是全球七大生物多样性丰富河流之一。根据2022年长江江豚科学考察结果,长江中仅存的水生哺乳动物江豚,其种群数量仅为1 249头。

(1) 长江水生生物物种濒危加剧的原因

一是三大保护措施只能“保种”而不能拯救物种。以江豚三大保护措施(就地保护、迁地保护、人工繁殖研究)为例,豚类就地保护区只能延缓灭绝速度;迁地保护仅能提供部分避免野外灭绝的保障;人工繁殖研究技术不成熟,专项支持力度不持续。拯救物种还是要靠保护和恢复原生环境。二是水质污染破坏生态系统。破解“化工围江”任务艰巨,“化工围江”使污水入江,水华频发,饵料生物消亡,导致水生生物总量持续下降。三是酷捕滥捞导致鱼类资源濒临枯竭。禁渔前,宜昌江段合法捕捞渔船 1 100 余艘,作业渔民 6 000 余人。长期使用“电、炸、毒鱼”和“绝户网、迷魂阵”等非法作业方式方法,导致经济鱼类资源持续减少,江豚、中华鲟等物种捕食困难,数量速降,多种濒危物种向极危物种演化。禁渔后,退捕渔民无土地、无技术、无社保,生计困难,存在偷捕现象,渔政执法困难。四是人类活动破坏鱼类栖息地。水利工程、水电梯级开发、航运发展、挖沙采石等改变了长江地质形态和水系分布,水生生物逐渐丧失产卵场、栖息地、繁殖场、洄游路径,多物种种群数量速降。

(2) 长江水生生物物种保护措施

①《长江生物多样性保护实施方案(2021—2025 年)》

为维护长江流域生物多样性,农业农村部印发《长江生物多样性保护实施方案(2021—2025 年)》(以下简称《实施方案》)。这是我国首个针对长江水生生物多样性保护出台的专项实施方案,对长江水生生物资源恢复和水生生物多样性水平提升具有重要意义。《实施方案》坚持生态优先、系统保护的基本原则,以加强长江珍稀濒危物种资源保护、修复重要水生生物关键栖息地、提高渔政执法监管能力、健全水生生物资源及栖息地监测体系、提升长江生物物种保护技术水平为重点任务,通过统筹加强长江水生生物多样性保护,为推进长江生态系统治理能力现代化、维护国家生态安全奠定坚实基础。根据《实施方案》总体目标,到 2025 年,中华鲟、长江江豚、长江鲟等珍稀濒危物种资源保护将取得阶段性成效,水生生物关键栖息地得到有效修复和保护,资源及栖息地监测监管能力明显提升,物种保护科技支撑能力明显增强,水生生物资源量有所增加,水生生物完整性水平稳步提高。

②《长江水生生物保护管理规定》

为加强长江流域水生生物保护和管理,维护生物多样性,保障流域生态安全,农业农村部修订发布了《长江水生生物保护管理规定》(以下简称《规定》)。《规定》全面落实《长江保护法》等现行法律要求,重构了长江水生生物保护管理体系。《规定》自 2022 年 2 月 1 日起施行,具体包括以下几个方面(图 5-4)。

一是调整立法理念目标。确立了新的长江水生生物保护管理的主要目标,重点强调监测和调查、保护措施、禁捕管理,加强长江流域水生生物保护和管理,维护生物多样性,保障流域生态安全,推进生态文明建设。

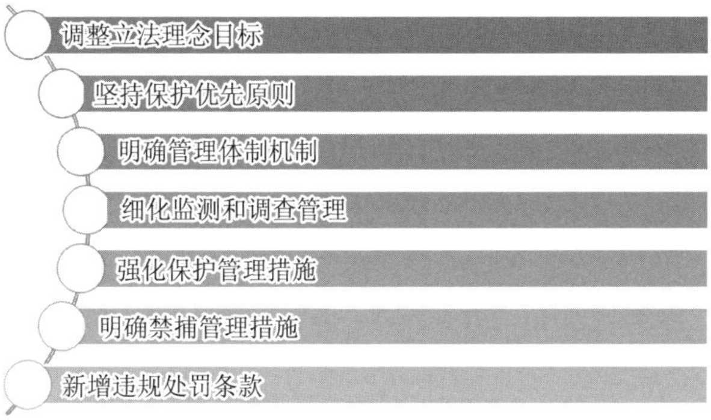

图 5-4 《长江水生生物保护管理规定》主要内容

二是坚持保护优先原则。按照“生态优先、绿色发展，共抓大保护、不搞大开发”的总体思路，明确了长江水生生物及其栖息地保护管理的基本原则，即坚持统筹协调、科学规划，实行自然恢复为主、自然恢复与人工修复相结合的系统治理。

三是明确管理体制机制。对照新一轮国家和地方机构改革带来的体制机制和部门职责变化情况，明确了农业农村部、长江流域渔政监督管理办公室、长江水生生物科学委员会的职责范围和各级农业农村部门的管理职责，增加了公众参与、奖惩激励等条款。

四是细化监测和调查管理。全面加强对水生生物资源的监测调查及其管理，包括建立监测网络和评价体系，开展资源普查、专项调查、多样性调查、科研调查、应急调查，对水生生物完整性指数评价进行了明确规定。

五是强化保护管理措施。明确制定保护计划，开展栖息地保护、落实生态修复措施、加强航行管理、开展环境影响评价，落实生态补偿措施，以及建立应急救护体系、规范增殖放流和加强外来物种防范等管理措施，将《长江保护法》的相关要求以及目前的保护措施予以明确。

六是明确禁捕管理措施。全面加强对渔业生产活动的管理，强调落实长江十年禁渔管理制度，加强物种保护利用和专项（特许）捕捞管理，明确制定禁用渔具渔法目录，规范大水面生态渔业发展，加强开放水域垂钓管理，改善执法条件能力，强化执法监管。

七是新增违规处罚条款。由于增殖放流、垂钓和违规携带网具等现象较为普遍，对资源环境和管理秩序的影响较大，且一旦构成违法，处罚措施很重。为发挥行政执法的警示作用，防范违法行为发生，增加增殖放流、垂钓管理和禁止在禁渔期携带禁用网具进入禁捕水域条款，明确对违规增殖放流、垂钓和携带禁用网具等一般违规行为的处罚幅度。

③《长江十年禁渔计划》

不断恶化的长江水生生态系统使长江里的鱼群种类受到严重影响。1988年，白鱀豚、白鲟、中华鲟、长江鲟被列为国家一级保护动物；如今，白鱀豚功能性灭绝，白鲟灭绝，中华鲟、长江鲟极度濒危。长期以来，受拦河筑坝、水域污染、挖砂采石等高强度人类活动的影响，长江水域生态环境不断恶化，长江生物多样性持续下降，已经到了“无鱼”等级。1950—2010年，长江流域自然资源捕捞量最高为1954年的42.7万吨，最低为2011年的4.7万吨，2000年后主要捕捞产量源于鄱阳湖和洞庭湖，长江干支流几乎“无鱼”。长江拥有独特的生态系统，生物多样性最为丰富。评估与维持长江流域生态系统健康的重要标志之一是水生生物多样性，而水生生物中最关键的类群是鱼类。为了保护长江生态系统，2020年1月1日0时起，长江流域重点水域正式进入“十年禁渔期”。

2020年1月，农业农村部发布了一个关于禁止捕捞天然渔业资源的计划公告，即《长江十年禁渔计划》，宣布从2020年1月1日0时起开始实施长江十年禁渔计划。公告称，长江干流和重要支流除水生生物自然保护区和水产种质资源保护区以外的天然水域，最迟自2021年1月1日0时起实行暂定为期10年的常年禁捕，其间，禁止天然渔业资源的生产性捕捞。

2020年，长江流域332个水生生物保护区率先实行永久禁捕，核定的11.1万艘渔船、23.1万名渔民全面退捕。其中，安徽省12 722艘渔船退捕、30 421名渔民退渔工作全部提前完成，建档立卡、渔船回收、证照注销、网具销毁、转产就业、养老、医保、低保、住房和“一对一”帮联10项工作完成率达100%。实施“长江十年禁渔”是打破“资源越捕越少、生态越捕越糟、渔民越捕越穷”恶性循环的根本出路，长江渔业资源的恢复还将为养殖鱼类提供优质的种质资源，可让更多的人能够更好地、更长久地吃鱼，也就是保障人民群众拥有美好生活的基础。

随着长江全面禁捕工作的推进落实，长江常见鱼类资源有恢复的趋势，长江生态环境尚存的小型受威胁鱼类种群有恢复的迹象。以武汉以上江段的刀鲚上溯洄游期间为例，2020年仅湖北石首调查到1尾刀鲚，2021年陆续在湖北嘉鱼、石首调查到多尾刀鲚，在洞庭湖也调查到1尾刀鲚，可见禁捕对于一些小生命周期的鱼类种群恢复还是有作用的，有望未来数年出现或恢复洞庭湖刀鲚渔汛。鲻鱼也是一种消失多年的鱼类，2017年6月仅在长江湖北洪湖江段调查到 1 尾鲟鱼，2020—2021 年鲟鱼出现频次快速增加，呈现区域“多点开花”的态势。

通过几年工作，鱼类资源状况逐步好转，禁渔效果初步展现。长江中游监利江段“四大家鱼”鱼苗资源量已由 2015 年的 5.1 亿尾增加至 21.9 亿尾，资源量为三峡水库蓄水后的最高水平。长江上游一级支流赤水河鱼类资源明显恢复，鱼类种类从禁捕前的 108 种恢复至 169 种，特有种类数由禁捕前的 32 种上升至 37 种。鄱阳湖一次性发现近百条洄游的刀鲚群体，时隔 30 年，长江刀鲚再次溯河洄游到达历史上分布上限——洞庭湖。多年未见的鲟鱼再次在长江中游被监测到。鄱阳湖、洞庭湖，长江中下游江苏南京、安徽芜湖、湖北宜昌等多个江段长江江豚群体出现的频率明显增加。

维护长江生态安全，不是一朝一夕可以完成的，任重而道远。未来要继续努力提升鱼类栖息地的量和质，开展常态化监测与评估，进一步科学评估未采集到的鱼类物种濒危状况，用好保护区政策手段，保护和恢复水生生物栖息地，开展涉水工程影响周期性后评价工作，评估和管理控制外来水生物种。

5.3.3 防洪与水土流失治理

水安全不仅涉及供水安全、防洪安全、粮食安全、航运安全，还关系经济安全、生态安全、能源安全、社会安全，是国家安全的重要内容，事关人民福祉，事关党的执政基础，事关国家长治久安。当前，我国治水的主要矛盾已经从人民群众对除水害、兴水利的需求与水利工程能力不足之间的矛盾，转变为人民群众对水资源、水生态、水环境的需求与水利行业监管能力不足之间的矛盾。根据新时代治水矛盾的转变，水利部党组提出了“水利工程补短板、水利行业强监管”的水利改革发展总基调，明确部署了新时代治水的重要任务，突出强调了要从改变自然、征服自然转向调整人的行为、纠正人的错误行为。

经过几代人的接续努力，长江流域防洪减灾体系基本建立、水资源综合利用体系初步形成、水资源与水生态环境保护逐渐加强、流域综合管理不断强化，水安全保障能力显著提升，为支撑经济社会可持续发展作出重要贡献。

(1) 长江流域水安全存在的问题

进入新时代，随着经济社会高速发展，受气候变化、人类活动等因素影响，国情、社情、水情、工情均发生显著变化，新的水问题演化为老问题未解决、新问题更突出、新老水问题交织的局面。

① 水灾害防治存在薄弱环节

长江中下游洪水峰高量大与河湖蓄泄能力不足的矛盾依然突出。按长江中下游防御标准，如果类似 1954 年的特大洪水再次发生，仍需大量分洪，但蓄滞洪区建设严重滞后，难以实现“分得进、蓄得住、退得出”的要求。上游控制性水库群建成后，长江中下游干流河道将长期面临清水下泄的局面，河道崩岸加剧，部分河段河势变化，威胁防洪安全。江湖关系变化影响河湖蓄泄能力。长江中下游干流部分河段堤防等级偏低，与新形势不相适应。江苏省境内长江干堤处于感潮河段，目前堤防按未考虑台风影响建设，建设标准亟待提高。长江上游干流部分河段和长江重要支流、湖泊堤防防洪能力偏低，部分支流亟待建设防洪水库或挖掘已建水库的防洪潜力。中小河流治理、山洪灾害防治、病险水库除险加固仍需加强。部分重点区域排涝能力较低。防汛法规制度、组织指挥、应急管理、社会保障、科技支撑等非工程体系需进一步完善。

2020 年汛期，长江干流防汛相对平稳，彰显了 1998 年特大洪水后长江干堤加固、平垸行洪、流域控制性水库大量建设的突出成效，但部分支流、湖泊仍暴露出明显防洪短板。各地累计上报水工程险情 4 566 处，支流堤防、两湖重点垸堤防和一般圩垸出险较多，管涌和散浸险情占比较大。湖北省、湖南省、江西省、安徽省、江苏省五省运用(溃决)861 处洲滩民垸，其中 136 处圩垸为主动运用，725 处圩垸发生漫溢或决口，淹没耕地 211.55 万亩，影响人口 60.12 万人。

② 水资源综合利用水平仍需提高

流域水资源时空分布不均，与经济社会发展需求不相适应。滇中高原、黔中地区、衡邵丘陵等干旱区域，水资源短缺，水资源调控能力不足，供需矛盾突出。供水灌溉水利基础设施区域间发展不平衡。节水型社会建设任务艰巨，水资源利用率低、开发利用方式粗放等问题未得到根本性解决。农业节水灌溉意识不强，节水减排和高效节水灌溉面临的形势严峻。部分城市应急备用水源建设仍存在短板，农村安全饮水尚需巩固提升。枯水年和枯水期部分支流区域间、生产生活与生态用水，以及跨流域调水与流域内用水存在不协调的问题。长江上游干支流水库群多目标联合优化调度体系尚需进一步完善。长江下游地区引江能力巨大，用水安全不容忽视。长江中游干流航道仍存在局部“肠阻梗”，尚未充分发挥黄金水道的优势。

③水生态、水环境保护与修复任务艰巨

流域部分区域水污染、水生态受损、水土流失等问题依然突出。岷江、沱江、湘江等重要支流水污染问题严重，上海、南京、武汉、重庆、攀枝花等主要城市江(河)段近岸水域存在污染带，滇池、巢湖、太湖仍处于中度富营养状态，流域部分集中式饮用水源地尚不能达到全年水质均合格的要求。潜在水污染风险源多，突发水污染风险隐患大。江湖的天然连通性降低、生境条件改变对水生生物的多样性、完整性构成威胁，湿地萎缩、重要湿地功能退化，部分天然产卵场消失、栖息地环境改变。流域内尚有 30 多万平方千米的水土流失区域和 1 亿多亩坡耕地未得到有效治理，部分生产建设项目造成的人为水土流失问题依然较严重。局部江段岸线开发利用与水生态环境保护矛盾突出。

(2) 防洪体系建立

① 防洪减灾体系基本建立

防洪是长江治理与保护的首要任务。长江中下游干流 3 900 多千米干流堤防、湖北汉江遥堤、江西赣抚大堤全线达到规划标准，洞庭湖、鄱阳湖重点垸堤防的防洪能力得到显著提高，长江主要支流、中小河流重点河段堤防达到规划标准。《长江流域综合规划(2012—2030 年)》规划了防洪水库 69 座、防洪库容 842 亿立方米，目前已建和在建水库防洪库容已达 90%。长江中下游规划的 42 处蓄滞洪区，已完成钱粮湖等 31 处蓄滞洪区围堤建设和荆江等 4 处蓄滞洪区安全建设。长江中下游河道治理持续实施，维持了有利河势。流域 100 多座控制性水库、蓄滞洪区、大型重要排江泵站和引调水工程纳入长江流域联合调度体系。工程措施与非工程措施并重，有效应对了 2012 年以来发生的洪涝等灾害(2018 年 8 号台风和长江第 2 号洪水、2019 年 9 号台风以及 2020 年第 5 号洪水)，有力保障了流域安澜。

② 水资源综合利用体系初步形成

供水安全保障程度全面提高。长江流域基本建成以大中型骨干水库和引水、提水、调水工程为主体，“大中小微”并举的水资源配置体系。水力发电取得长足进展，航运能力得到进一步提高。长江流域已建成大中小型水库约 5.2 万座，年引提水能力约为 1 340 亿立方米，2017 年长江流域有效灌溉面积为 2.45 亿亩。南水北调中线、东线一期工程已建成并发挥效益，为我国形成“四横三纵”水资源配置格局创造了条件。引江济淮、引汉济渭等跨流域调水和滇中引水等重大区域水资源配置工程付诸实施。截至 2019 年，长江流域已建、在建水电站(单站装机容量 500 千瓦以上，不含抽水蓄能电站)约 1 万座，总装机容量 2.29 亿千瓦，年发电量 0.88 万亿千瓦时。经过多年的航道整治和枢纽工程建设，长江航运条件得到进一步改善，长江黄金水道功能得到进一步发挥。

③ 水生态、水环境保护体系逐步构建

水生态、水环境保护取得积极成效。着力加强重要饮用水水源地保护，水环境监测网络基本建成。着力加强长江干流主要支流控制断面生态水量评估，梯级水库联合生态调度试验取得良好成效，水土流失面积和强度逐年下降，生态环境步入良性循环。2018年长江流域总评价河长中，水质符合或优于Ⅲ类水河长占88.2%，水质总体上保持良好状态。2020年上半年，长江流域238个监测断面中，最小下泄流量满足要求的占88%。全流域累计治理水土流失面积28.4万平方千米，初步实现了流域水土流失面积由增到减的历史性转变。

④ 流域综合管理体系不断完善

流域法制建设不断推进，《中华人民共和国水法》《中华人民共和国防洪法》《长江河道采砂管理条例》等法律法规和管理规章制度逐步颁布实施。流域规划体系日臻完善，形成了以长江流域及重要支流（湖泊）综合规划与相关专业（专项）规划相互补充的、较为完备的规划体系，发挥了规划先导和约束作用。水资源统一管理和调度水平不断提升。取水许可、洪水影响评价、生产建设项目水土保持方案等水行政审批与管理不断加强。防汛抗旱、水土保持、采砂、水资源保护与水污染防治、水量调度、水库联合调度等协调机制逐步建立。

（3）水土流失治理

① 长江流域水土流失总体情况

据水利部2020年全国水土流失动态监测成果，长江流域水土流失面积约33.70万平方千米，占流域土地总面积18.81%。其中，水力侵蚀面积约32.19万平方千米，占水土流失总面积95.52%，主要分布在金沙江下游、岷江沱江中下游、嘉陵江中下游、乌江赤水河上中游以及三峡库区等区域；风力侵蚀面积1.51万平方千米，占水土流失总面积4.48%，主要分布在金沙江上游。与2018年相比，2020年长江流域水土流失面积减少0.97万平方千米，减幅约为2.80%（图5-5、表5-9）。

② 国家级重点预防区与国家级重点治理区水土流失监测结果

长江流域共涉及14个国家级水土流失重点防治区，包括三江源等7个国家级重点预防区和金沙江下游等7个国家级重点治理区，土地总面积约122.33万平方千米，水土流失面积约23.15万平方千米，约占土地总面积

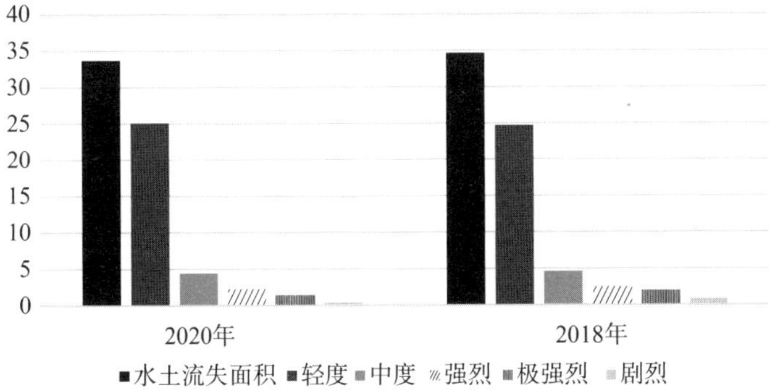

图 5-5 长江流域水土流失变化情况图(单位:万平方千米)

18.92%。其中,水力侵蚀面积约 21.64 万平方千米,占水土流失总面积 93.48%;风力侵蚀面积约 1.51 万平方千米,占水土流失总面积 6.52%。与 2018 年相比,长江流域重点防治区水土流失面积减少 5 630 平方千米,减幅约为 4.58%(表 5-10)。

③ 长江经济带水土流失情况

长江经济带范围包括上海、江苏、浙江、安徽、江西、湖南、湖北、重庆、四川、云南、贵州 11 个省(直辖市),土地总面积 206.09 万平方千米,水土流失面积 38.90 万平方千米,占土地总面积 18.88%。其中,水力侵蚀面积 38.55 万平方千米,占水土流失总面积 99.10%;风力侵蚀面积 0.35 万平方千米,占水土流失总面积 0.90%。与 2018 年相比,2020 年长江经济带水土流失面积减少 1.20 万平方千米,减幅 2.99%。四川、云南、贵州、湖北、湖南、重庆、江西等 7 省(直辖市)水土流失面积超过 2 万平方千米。

④ 长江流域水土流失治理

a. 主要成效

长江流域水土流失面积由增到减,实现历史性转变。中华人民共和国成立以来,在国家的高度重视和大力支持下,经过连续治理,到 2020 年底,长江上游水土流失面积由 20 世纪 80 年代中期的 35.20 万平方千米,逐步下降到 2011 年的 25.38 万平方千米、2018 年的 22.86 万平方千米、2020 年的 17.91 万平方千米,水土流失减幅达到 49.12%。水土流失严重、生态恶化的局面彻底扭转,实现了水土流失面积由增到减、生态环境总体向好的历史性转变。

表 5-9　2020 年长江流域水土流失情况表

省(区、市)	流域土地总面积(平方千米)	水土流失类型	水土流失面积											各地区水土流失面积占各地区流域土地总面积(%)
			小计(平方千米)	轻度		中度		强烈		极强烈		剧烈		
				面积(平方千米)	比例(%)	面积(平方千米)	比例(%)	面积(平方千米)	比例(%)	面积(平方千米)	比例(%)	面积(平方千米)	比例(%)	
合计	1 791 095	小计	336 980	250 952	74.47	44 247	13.13	22 877	6.79	14 520	4.31	4 384	1.30	18.81
		水蚀	321 865	242 503	75.34	41 200	12.23	21 656	6.73	12 751	3.96	3 755	1.17	17.97
		风蚀	15 115	8 449	55.90	3 047	20.16	1221	8.08	1769	11.70	629	4.16	0.84
青海	159 014	小计	18 441	10 975	59.52	3 689	20.00	1 313	7.12	1 819	9.86	645	3.50	11.60
		水蚀	3 893	3 091	79.40	643	16.52	93	2.39	50	1.28	16	0.41	2.45
		风蚀	14 548	7 884	54.19	3 046	20.94	1 220	8.39	1 769	12.16	629	4.32	9.15
四川	472 536	小计	106 208	75 173	70.78	15 447	14.54	8 546	8.05	5 312	5.00	1 730	1.63	22.48
		水蚀	105 641	74 608	70.62	15 446	14.62	8 545	8.09	5 312	5.03	1 730	1.64	22.36
		风蚀	567	565	99.64	1	0.18	1	0.18	0	0	0	0	0.12
西藏	23 081	水蚀	2 838	2 811	99.04	17	0.60	5	0.18	5	0.18	0	0	12.30
云南	112 388	水蚀	29 953	19 674	65.69	5 117	17.08	2 757	9.20	1 591	5.31	814	2.72	26.65
重庆	82 370	水蚀	25 143	18 866	75.04	3 612	14.37	2 082	8.28	519	2.06	64	0.25	30.52
湖北	184 344	水蚀	31 309	24 441	78.06	3 867	12.35	1 877	6.00	950	3.03	174	0.56	16.98
湖南	206 807	水蚀	29 190	24 805	84.98	2 527	8.66	1 122	3.84	650	2.23	86	0.29	14.11
江西	163 231	水蚀	22 972	21 269	92.59	1 109	4.83	405	1.76	159	0.69	30	0.13	14.07
安徽	66 862	水蚀	8 372	7 227	86.33	635	7.58	311	3.71	142	1.70	57	0.68	12.52

续表

省(区、市)	流域土地总面积(平方千米)	水土流失类型	水土流失面积											各地区水土流失面积占各地区流域土地总面积(%)
			小计(平方千米)	轻度		中度		强烈		极强烈		剧烈		
				面积(平方千米)	比例(%)	面积(平方千米)	比例(%)	面积(平方千米)	比例(%)	面积(平方千米)	比例(%)	面积(平方千米)	比例(%)	
江苏	36 581	水蚀	847	720	85.00	103	12.16	17	2.01	5	0.59	2	0.24	2.32
上海	6 340	水蚀	3	3	100	0	0	0	0	0	0	0	0	0.05
贵州	115 266	水蚀	31 164	20 039	64.31	5 290	16.97	3 107	9.97	2 241	7.19	487	1.56	27.04
甘肃	38 736	水蚀	8 394	7 147	85.14	820	9.77	296	3.53	114	1.36	17	0.20	21.67
陕西	72 675	水蚀	16 111	12 584	78.11	1 512	9.38	860	5.34	899	5.58	256	1.59	22.17
河南	28 089	水蚀	3 788	3 262	86.11	341	9.00	109	2.88	67	1.77	9	0.24	13.49
浙江	12 837	水蚀	405	338	83.46	44	10.86	18	4.44	4	0.99	1	0.25	3.15
广西	8 440	水蚀	1 724	1 521	88.23	98	5.68	50	2.90	43	2.49	12	0.70	20.43
广东	435	水蚀	33	30	90.91	2	6.06	1	3.03	0	0	0	0	7.59
福建	1 063	水蚀	85	67	78.82	17	20.00	1	1.18	0	0	0	0	8.00

注:因数据四舍五入,计算结果可能有微小偏差。

表 5-10　2020 年国家级重点预防区与国家级重点治理区水土流失监测结果

防治区类型	流域土地总面积（平方千米）	水土流失类型	水土流失面积											各防治区水土流失面积占各防治区流域土地总面积(%)
			小计（平方千米）	轻度		中度		强烈		极强烈		剧烈		
				面积(平方千米)	比例(%)	面积(平方千米)	比例(%)	面积(平方千米)	比例(%)	面积(平方千米)	比例(%)	面积(平方千米)	比例(%)	
合计	1 223 259	小计	231 528	167 008	72.14	31 769	13.72	17 214	7.43	11 899	5.14	3 638	1.57	18.93
		水蚀	216 413	158 559	73.27	28 722	13.27	15 993	7.39	10 130	4.68	3 009	1.39	17.69
		风蚀	15 115	8 449	55.90	3 047	20.16	1 221	8.08	1 769	11.70	629	4.16	1.24
重点预防区	841 053	小计	113 588	87 893	77.38	13 163	11.59	5 727	5.04	5 110	4.50	1 695	1.49	13.51
		水蚀	98 473	79 444	80.68	10 116	10.27	4 506	4.58	3 341	3.39	1 066	1.08	11.71
		风蚀	15 115	8 449	55.90	3 047	20.16	1 221	8.08	1 769	11.70	629	4.16	1.80
重点治理区	382 206	水蚀	117 940	79 115	67.07	18 606	15.78	11 487	9.74	6 789	5.76	1 943	1.65	30.86

注：因数据四舍五入，计算结果可能有微小偏差。

流域人为水土流失逐步得到有效控制。在国家的高度重视和有关部门的强力推进下，流域水土保持工作逐步从重点治理、监督管理“两手抓、两手都要硬”转变到以防为主、强化监管；围绕生产建设项目水土保持方案报告制度和“三同时”制度的落实，加强监督检查，从源头上、制度上控制和预防生产建设项目可能造成的人为水土流失。凡是认真实施水土保持方案的项目，拦渣率在95%以上，植被恢复系数、扰动土地治理率均在90%以上，有效地控制了人为水土流失，减轻了河道淤积，保障了防洪安全。

治理区人民群众生活发生沧桑巨变，社会经济稳步发展。长江上游的水土流失治理最初以单纯治理水土流失为目的，随着经济社会的发展，水土保持也逐步转变为治理与开发并重。水土保持立足当地实际，把农业增产和农民增收放在最突出位置，通过项目实施，因地制宜建成了一大批梯田和塘堰、谷坊、渠系等小型水利水保工程，有效改善了当地农业生产条件；在综合治理水土流失的同时，大力发展经济林果和特色产业，有力促进了当地经济社会发展，实现了生态建设与经济发展“双赢”。

治理区生态环境显著改善。水土保持工程建设坚持以小流域为单元，对山水田林路进行全面规划、综合治理。从山顶到山脚涵养了水，保住了土，增加了植被，实现了“粮田下川、林草上山，泥不出沟、水不乱流”。基本形成了“山顶松柏翠绿，山腰林果飘香，缓坡梯田缠绕，山脚覆膜建棚，河畔路旁绿化，沟道蓄水拦沙”的水土流失综合防护体系。

b. 治理技术路线

长江上游山高坡陡，降雨量大，坡耕地多，贫困人口多，坡面径流是长江上游水土流失的主导因素。多年的小流域试点治理和重点治理经验表明，要预防和治理水土流失，必须以调控坡面径流为核心，做到“水不乱流、泥不下山”。一是通过调控工程，疏导、分流、拦蓄、排走坡面径流，同时要削弱坡面径流的动力，让坡面径流有序流动；二是采取保土耕作和种植植物等措施增加地面粗糙度和覆盖率，提高坡面径流就地入渗率。因此，长江上游水土流失重点治理的技术路线是：以大流域为依托，以县为单位，以小流域为单元，突出重点，将工程措施、植物措施和农耕措施相结合，开展山水田林路综合治理；以坡耕地治理为突破口，以坡面径流调控为主线，建设基本农田，并配套小型水利水保工程，抢救和保护宝贵的耕地资源，大力改善农业生产条件；因地制宜种植经济林，发展水土保持产业，促进农村产业结构调整，增加农民收入；采取工程整地营造水土保持林草，配合实施封禁管护措施，加快植被恢复，改善生态环境。

⑤ 治理模式

三十多年的“长治”工程建设，不仅探索出了一套具有长江流域特色的水土保持技术路线，而且根据“长治”工程各类型区不同的自然条件和经济社会状况，形成了不同的治理开发模式。

a. 径流调蓄型治理开发模式

该模式主要是在改造坡耕地的同时，建设完善的蓄引排结合的坡面径流调控工程体系，是长江上游乃至全流域普遍推行的一种治理开发模式。这一模式起源于嘉陵江中下游地区，水土保持工作者针对该地区人口密度大、垦殖指数高的特点，在改造坡耕地时，首创了“坡面水系”工程，将排洪沟、蓄水池、水窖、沉沙凼、灌溉渠、作业路一体化配置，建设蓄引排相结合的坡面径流调控工程格局。它既可防控汛期强降雨径流的冲刷，又可拦蓄一定的坡面径流并使其变为可利用的水资源，为基本农田和经果林提供灌溉水源并提高其抵御自然灾害的能力，实现粮经作物稳产高产。

b. 立体型治理开发模式

该模式主要应用在光热资源优势明显的金沙江下游等地区，通过“山上封治、沟谷拦蓄、山下开发、能源配套”的途径，合理调蓄利用坡面径流，加速植被建设，建立水土保持综合防护体系。坡耕地的改造利用，主要是利用梯田种植高附加值的热带亚热带水果、精品反季节蔬菜和花卉等，并配套蓄水池、路、沟渠；荒山荒坡采取工程整地，草灌乔相结合，营造水土保持林；沟谷布置拦沙坝、谷坊；配套建设沼气池，以煤、电代柴，解决农村生活能源；强化河谷地带冲积扇和台坪地的治理开发，大力种植经济作物和经果林，建立水土保持产业化示范区，培植以蓝桉、黑荆、苹果、甘蔗、石榴为主的产业，推动区域经济发展和农民脱贫致富。

c. 抢救土地资源型治理开发模式

在贵州等石漠化严重及山高坡陡的地区，突出坡改梯工程建设，确保人均0.07公顷基本农田，促进大面积陡坡耕地的退耕还林，有效保护土地资源；对中度以上石漠化地区，加强基本农田建设，对疏林荒山以封禁为主，辅以人工补植，充分发挥生态自然修复能力；对潜在石漠化地区，大面积种植水土保持林，增加地面覆盖，防控水土流失。而从石漠化区地形上讲，山坡中部发展经果林、种草养畜，在经果林区修建机耕道和坡面水系工程，实施林下种草、种菜，通过林草间作、草畜配套发展，增加收入；山坡下部以坡耕地治理为主，建设基本农田，实现粮食自给。

d. 发展山地水土保持经济的治理开发模式

该模式以治理山区陡坡劣地，发展小流域经济，提高人口环境容量为主。三峡库区山高坡陡，人多地少，谷地及平地被库水淹没，人均基本农田不足0.033公顷，陡坡耕地水土流失严重，人口环境容量小。基于此，在治理过程中，因地制宜实施坡改梯工程，增加高质量的基本农田，提高粮食产量或培育种植附加值高、有特色的经果林；在荒山荒坡大力营造水土保持林，并推广植物篱、植物护埂等措施，提高林草覆盖率，减少入库泥沙，控制面源污染，保护三峡水库水质。在紫色土区，强化紫色砂页岩陡坡地的改良和利用，采用植物篱、植物地埂，发展经果林，以市场为导向，引进甜柿、梨、枣、柑橘等名优品种，发展水土保持产业，增加农民收入，提高人口环境容量，改善生态环境。

e. "四荒"保护型治理开发模式

长江上游干支流区内有不少"四荒"地可利用，特别是陕南、陇南地区的"四荒"资源尤为丰富，加强"四荒"资源开发利用，变资源优势为商品优势十分重要。主要模式是配套坡面径流调蓄工程，大力发展小流域经济，建立多功能、高效益的水土保持产业化综合治理开发区，加速农民脱贫致富；修建沼气池，推广"猪—沼—果"模式，既解决农民燃料问题，有效保护了山地植被，又发展了小流域经济，改善了人居环境。

f. 城郊型治理开发模式

在城镇周边水土流失严重的重点治理小流域，充分发挥中心城镇附近的区位优势，进行高标准综合治理开发，发展市场需要的名、优、特、新等农、林产品，大力发展小流域经济，同时建设良好的人居环境，为城镇群众提供采摘和旅游观光场所，促进农民增收致富。

06

第六章

大气污染防治

2020年9月22日，习近平总书记在第七十五届联合国大会上作出“二氧化碳排放力争于2030年前达到峰值，努力争取2060年前实现碳中和”的郑重承诺，彰显了中国积极践行人类命运共同体理念、建设清洁美丽世界的大国担当。“深入打好污染防治攻坚战”“协同推进减污降碳”“坚持源头防治、综合施策”“基本消除重污染天气”已然成为我国“十四五”期间经济高质量发展和生态环境高水平保护的有力抓手。

长江经济带以21%的土地承载了全国30%的石化产业、40%的水泥产业，大气污染排放量大，作为我国生态文明建设的先行示范带，长江经济带肩负着率先实现“碳达峰”“碳中和”的重大使命。近年来，长江经济带以区域、城市群为重点，推进大气污染联防联控和综合治理，大气污染防治总体上取得了明显成效，能源产业和工业领域内二氧化硫、氮氧化物和颗粒物等常规大气污染物的末端治理设备应用广泛，“十三五”规划纲要确定的污染防治攻坚战阶段性目标圆满完成，大气环境方面重污染天数明显减少。

6.1 “双碳”目标与长江经济带碳排放

6.1.1 长江经济带碳达峰分析

(1) 长江经济带碳排放特征分析

本节根据CEADs(中国碳核算数据库)测算的二氧化碳排放量数据对长江经济带碳排放特征进行分析，该数据以能源平衡表和工业分部门能源消费量为基础，统计口径涵盖17种化石能源、47个社会部门以及9种工业过程，测算结果可靠性较强，被相关研究机构广泛采用①。

① 长江经济带碳排放量分析

由图6-1可知，2000—2019年长江经济带碳排放量总体呈增长态势，20年间二氧化碳排放量翻了两倍，历年均超过全国(不包括西藏自治区、香港特别行政区、澳门特别行政区和台湾地区数据)碳排放总量的35%。2019年，长江经济带二氧化碳排放量达36.13亿吨，占全国(不包括西藏自治区、香港特别行政区、澳门特别行政区和台湾地区数据)碳排放总量的36.89%，其中上中下游省份二氧化碳排放量占比分别为25.42%、25.12%和49.46%，下游4个省份

---

① CEADs中国碳核算数据库网址：https://www.ceads.net.cn。

以 37.53%的人口和 51.82%的 GDP 占据了近一半的碳排放量份额，可见长江经济带碳排放的区域集聚效应较为突出。

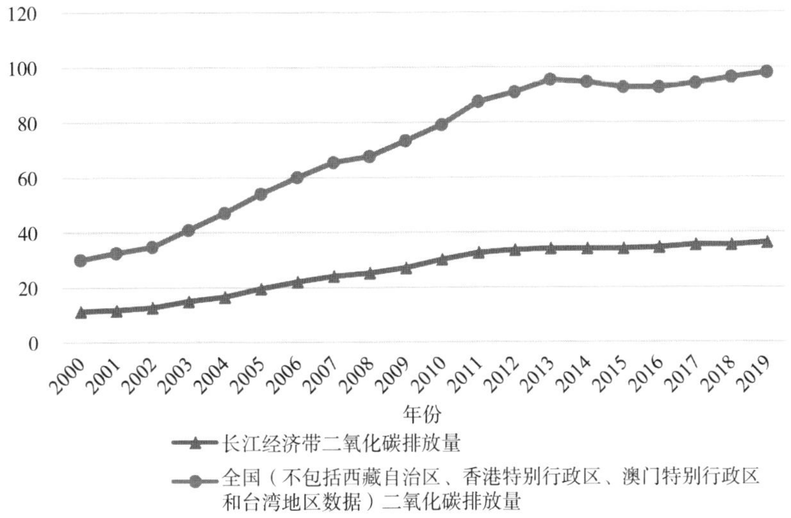

图 6-1　2000—2019 年长江经济带碳排放量(单位:亿吨)

由图 6-2 至图 6-5 长江经济带碳排放量时空演化过程可以看出，在时间维度上，2004 年至 2019 年长江经济带大多数省份产生的二氧化碳排放量在逐年增加，碳排放总量由 2004 年的 16.60 亿吨增加至 2019 年的 36.13 亿吨。在空间维度上，区域内存在较为明显的差异，处于下游地区的江苏、浙江两个省份的二氧化碳排放量在整个长江经济带区域内始终保持前列，这说明各地区面临的环境压力不同，相较于中上游地区，下游地区大气污染排放负荷更大，空气质量相对较差。具体分析每个城市群的碳排放量空间分布，成渝城市群的重庆和成都，长江中游城市群的武汉、长沙和南昌，长江三角洲城市群的上海、南京、杭州和合肥一直是当地最主要的碳排放来源。

② 长江经济带碳排放强度分析

从单位 GDP 碳排放强度来看，2019 年全国碳排放强度(不包括西藏自治区、香港特别行政区、澳门特别行政区和台湾地区数据)为 0.99 吨/万元，长江经济带排放强度为 0.79 吨/万元(表 6-1)，其中上游 4 省(市)为 0.83 吨/万元，中游 3 省为 0.82 吨/万元，下游 4 省(市)为 0.75 吨/万元。长江经济带单位 GDP 碳排放强度总体水平优于全国，下游省(市)优于中上游省(市)。11 个省(市)单位 GDP 碳排放强度由低到高为：上海、浙江、重庆、四川、湖北、湖南、云南、江苏、江西、安徽、贵州，经济发展水平较高的浙沪地区单位 GDP 碳排放强度也较低。

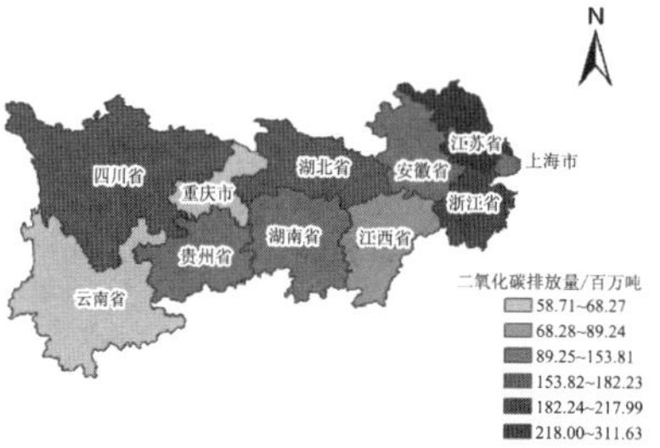

图 6-2　2004 年长江经济带碳排放量空间分布

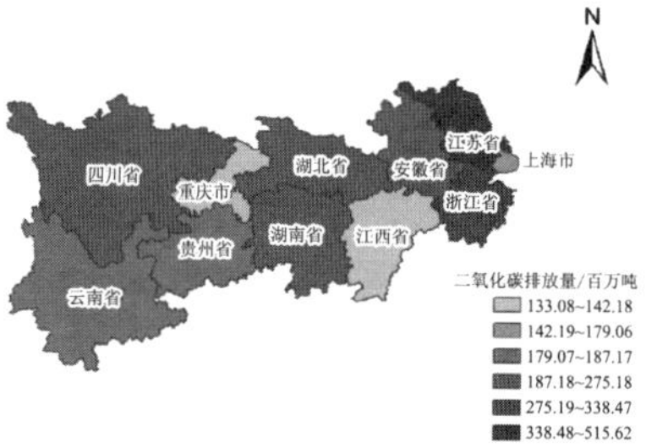

图 6-3　2009 年长江经济带碳排放量空间分布

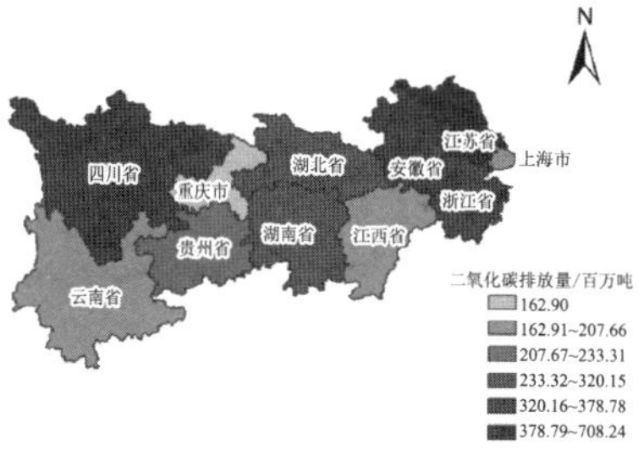

图 6-4　2014 年长江经济带碳排放量空间分布

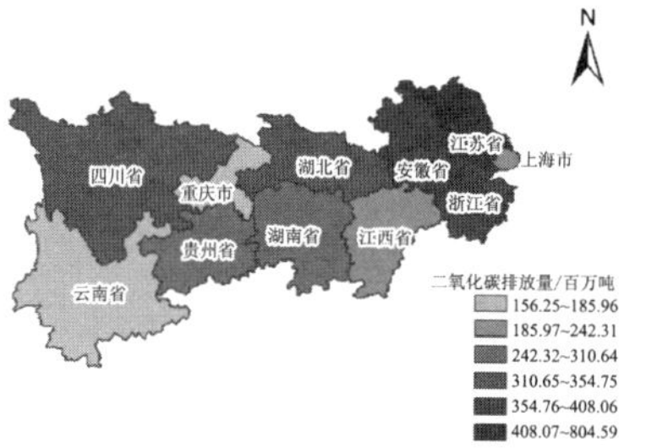

图 6-5　2019 年长江经济带碳排放量空间分布

从人均碳排放强度来看，2019 年全国（不包括西藏自治区、香港特别行政区、澳门特别行政区和台湾地区数据）碳排放强度为 7.01 吨/人，长江经济带碳排放强度为 6.02 吨/人，其中上游 4 省（市）为 4.58 吨/人，中游 3 省为 5.20 吨/人，下游 4 省（市）为 7.93 吨/人，长江经济带人均碳排放整体水平优于全国，中上游省（市）人均碳排放水平显著优于下游省市。11 个省（市）人均碳排放强度由低到高为：四川、云南、湖南、重庆、江西、湖北、安徽、浙江、贵州、上海、江苏，与单位 GDP 碳排放强度的排序有所不同。值得注意的是，尽管经济发展水平较高的江浙沪地区人均碳排放强度较高，但上海和浙江的单位 GDP 碳排放强度较低。

表 6-1　2019 年长江经济带各省（市）碳排放强度排名

省（市）	单位 GDP 碳排放强度（吨/万元）	排名	人均碳排放强度（吨/人）	排名
四川	0.676 1	8	3.778 5	11
云南	0.800 7	5	3.850 4	10
贵州	1.557 2	1	6.920 8	3
重庆	0.661 9	9	5.037 6	8

续表

省(市)	单位GDP碳排放强度(吨/万元)	排名	人均碳排放强度(吨/人)	排名
湖南	0.781 4	6	4.502 9	9
湖北	0.774 1	7	5.995 5	6
江西	0.978 7	3	5.213 6	7
上海	0.505 6	11	7.959 1	2
江苏	0.807 6	4	9.994 1	1
浙江	0.611 7	10	6.648 2	4
安徽	1.099 5	2	6.453 0	5

③ 长江经济带碳排放结构分析

碳排放结构分为直接排放和间接排放，直接排放又可细分至农业、工业能源、工业过程、服务业、交通运输、农村生活、城镇生活等不同来源。长江经济带大部分地区的能源消费以煤炭为主，且大多为原煤直接燃烧。虽然技术进步提高了能源的利用效率，但仍未达到降低能源消费量的程度，火力发电业和工业依然是长江经济带二氧化碳排放的重点领域。2019 年长江经济带原煤燃烧产生的二氧化碳为 17.10 亿吨，占总排放量的 47.33%。

(2) 长江经济带碳达峰预测分析

碳达峰(Peak Carbon Dioxide Emissions)是指在某一个时点，二氧化碳排放量达到历史最高值，之后逐步回落。碳达峰是二氧化碳排放量由增转降的历史拐点，标志着碳排放与经济发展实现脱钩。目前碳排放预测方法主要分为两类，一是建立碳排放与影响因素关系的模型，通过设定情景分析进行模拟预测，常见的有 IPAT 模型、STIRPAT 模型、LEAP 模型等；二是构建经济模型进行预测，如环境库兹涅茨曲线、Tapio 脱钩模型、投入产出模型等。已有研究在指标选取以及模型选择上各有不同，碳达峰预测结果也存在一定差异。

最初，学界在研究人口因素对环境的影响过程时广泛应用 IPAT 模型，该模型将环境影响与人口规模、富裕程度以及技术水平联系起来，通过保持其他因素不变，仅改变一个因素分析问题。在 IPAT 框架基础上将方程“$I=PAT$”中的 T 分解成“单位能源消费产生的环境影响(T)”及“单位 GDP 能源消耗——能源强度(C)”，变为“$I=PACT$”，其中 I(Impact)为人口对环境的影响；P(Population)为国内人口总量；A(Affluence)为人均财富或人均产出。Yue 等基于扩展 IPAT 模型，设定 54 种方案对江苏二氧化碳排放量进行预测，结果表明江苏省在 2020 年实现了二氧化碳排放强度降低 40%～45%的目标。国外学者 York 研究发现，IPAT 模型本身存在不足，当假设其他因素不变来分析某一因素对环境的线性影响时，最终结果只是此因素对因变量的等比例影响。

为弥补 IPAT 模型的缺陷并分析不同因素对环境不同比例的影响效果，目前大多数学者在研究碳排放问题时选择 STIRPAT 模型。该模型具有很强的延展性，能充分反映人口因素、经济发展、技术水平、产业结构、能源结构等自变量对碳排放量的影响，全面分析影响区域碳达峰的各种因素，预测不同区域的达峰年份和峰值。目前已有关于长江经济带碳达峰预测的研究中，田泽等采用扩展的 STIRPAT 模型，模拟 6 种情景分别预测了 2017—2030 年长江经济带碳排放峰值及达峰时间，结果表明：中增长高减排模式是 6 种情景中实现减排目标的最优路径，该情景下长江经济带碳排放将在 2025 年达峰；若碳排放强度降速较慢，经济社会发展速度相对较快，则不能在 2030 年达峰。李强和左静娴运用 STIRPAT 模型预测了长江经济带未来碳排放峰值，研究发现，若碳排放强度降速低于经济增速，长江经济带碳排放在 2030 年前不会出现峰值；若在经济增长情况下，保持碳排放强度合理下降，长江经济带碳排放将在 2030 年前达峰，达峰时间为 2024—2029 年，因此保持碳排放强度合理降速对长江经济带在 2030 年内达到碳排放峰值尤为重要。还有部分学者将 STIRPAT 模型与其他模型相结合，从各部门的能源需求量测算碳排放量和峰值，出现了 LEAP（Long-range Energy Alternatives Planning System，长程能源替代规划系统）模型。该模型将各部门分为能源终端消费、能源加工转换、资源开采、非用能等，在不同情景下预测各部门的能源需求量，并结合碳排放因子预测出碳峰值。杨顺顺构建 LEAP 模型核算了长江经济带分区域的碳排放情况，测算得出 2015 年东部地区二氧化碳排放占比最高，以终端能耗碳排放为主，并指出长江经济带将在 2030 年前后实现碳达峰，碳排放强度较 2015 年累计下降 46.83%，中部区域将成为碳排放最高板块。

也有学者在长江经济带碳达峰问题研究上采用其他经济模型与方法。黄国华等把长江经济带分为东、中、西 3 个区域，借助弹性计算和矩阵分类法，预测得出 2030 年长江经济带“低碳情景”比“高碳情景”减少碳排放约 12 亿吨，中部地区将成为碳排放主要来源地。刘峥延运用 Tapio 脱钩系数法对长江经济带城市碳达峰时间进行预测，结果显示长江经济带将早于全国实现碳达峰，一半以上城市将在“十四五”结束前达到峰值。甄庆媛通过 Tapio 脱钩模型及 LYQ 分析发现长江经济带二氧化碳排放与实际 GDP 先脱钩后复钩再脱钩，二氧化碳排放与实际人均 GDP 之间呈现出倒“U”形关系，EKC 假说成立，同时碳排放总量的达峰时间预测表明长江经济带各省市均有望在 2030 年实现碳达峰目标。陈志建等从全球夜间灯光数据视角出发，设置3种模拟情景进行研究，基于“十二五”时期的碳强度下降指标来模拟碳峰值，江苏和江西尚未出现碳峰值，安徽碳峰值最高且最晚达峰，云南将在2025年率先达到碳峰值，而长江经济带其余地区都将在2050年之前出现碳峰值；基于“十三五”时期的碳强度下降指标来模拟碳峰值，江苏仍未出现碳峰值，江西在2046年才出现碳峰值，而云南、浙江均在2025年前就实现碳达峰，上海、安徽、湖北、湖南的碳峰值均出现在2040年左右，四川、重庆、贵州均在2031年左右达到碳达峰，长江经济带上游地区比下游地区率先达到峰值；长江经济带各地区2030年均能实现碳达峰，且欠发达地区的碳峰值水平大多要低于发达地区的峰值水平。

(3) 长江经济带碳达峰影响因素分析

厘清碳排放的影响因素是研究碳达峰问题的关键所在，碳排放影响因素主要包括产业结构、人口因素、技术进步、城镇化率、能源消耗等，通过研究不同因素与碳排放量之间的关系，有助于从定量和定性两个角度合理制定碳减排政策。目前，国内外相关的研究成果较为丰富，其中最具代表性的研究方法是对数平均迪式指数（Logarithmic Mean Divisia Index，LMDI）分解法和STIRPAT模型。

① LMDI分解法

LMDI分解法能够有效避免数据零值、负值和残差项问题，且结果明了、易于解释，逐渐演变为碳排放影响因素的主流研究方法。Jiang等运用三级LMDI分解法揭示了2000—2017年长江经济带不同区域碳排放差异的驱动因素，其中，经济增长是区域碳排放差异的主要驱动因素；产业结构效应在2015年之前均促进了各区域的碳排放增长，在2015—2017年开始起到抑制作用；能源强度效应在上海、江苏和浙江与上游所有地区之间的碳排放差异中呈正值，在安徽与上游所有地区之间的碳排放差异中呈负值，且在上游地区农业碳排放中起到的促进作用最小，在下游地区资源密集型产业中起到的抑制作用最明显。曹俊文等从时间和空间两个维度分别运用LMDI和M-R分解模型分析碳排放差异的驱动效应，发现经济产出和人口规模分别是拉动碳排放增长的主次因素，能源强度则是抑制碳排放增长最主要的因素，能源结构和产业结构也起到一定的抑制作用。黄勤等借助LMDI模型分析了1995—2014年长江经济带碳排放驱动因素，结果表明经济规模、产业结构变化对碳排放表现为正效应，能源强度、能源结构对碳排放则表现为负效应；此外，下游经济规模扩张对碳排放的增长影响最为明显，产业结构变化对中上游碳排放的正效应较为明显，能源强度对碳减排作用从大到小依次为中游、下游、上游。陈军华等结合四川省2000—2018年15种主要能源消费的碳排放量数据，通过LMDI分解法得出能源强度效应与经济发展水平效应分别是减缓和促进区域碳排放增长的关键性因素。徐国泉等采用二阶段LMDI模型对江苏省2003—2018年人均碳排放量进行研究，结果发现，推进结构要素特别是产业结构和能源结构的低碳转型，是江苏实现碳达峰的重要路径。还有诸多学者引入城镇化等因素拓展LMDI模型，提出城镇化导致的经济增长已成为区域碳排放量增加的主要因素。综上所述，现有运用LMDI分解法的研究大多将长江经济带碳排放增量的驱动因素分解为人口因素、经济发展、能源结构、能源强度和产业结构等，其中经济发展是促进区域碳排放增长的主要驱动因素这一观点得到学界的一致认可，而其他几个因素对于区域碳排放的影响效果，不同学者给出的最终结论存在一定差别。

② STIRPAT模型

STIRPAT模型同样被广泛应用于各区域、各领域对碳排放影响因素的分解研究中。已有诸多学者从人口规模、第二产业产值占比、人均GDP、人均收入水平、人均消费额等角度出发，运用扩展STIRPAT模型实证检验了其与区域碳排放的关系。人口规模、第二产业产值占比、人均GDP、人均收入水平和人均消费额的增长都会显著提高一个城市的二氧化碳排放。张庆宇借助EKC和STIRPAT模型对1978—2018年影响中国碳排放的因素进行分析，他认为经济增长是对中国碳排放影响最大的因素，其后依次是化石燃料使用、城镇人口、可替代能源与核使用、人口总数、服务业增加值、进出口总额。多数研究结果还指出，技术进步通过能源效率或能源强度的改善节约了能源，对碳排放起着积极作用。史安娜、贺勇、岳书敬等的研究均证实了技术进步能够有效降低长江经济带碳排放。禹湘等在对城市进行分类的基础上采用STIRPAT模型识别不同驱动因素对中国低碳试点城市碳排放的影响，结果表明，对于低碳成熟型城市，大力发展可再生能源，加大研发投入是有效的减排途径；对于低碳成长型城市，优化产业结构，提升城镇化质量是减少碳排放的关键；对于低碳后发型城市，实现低碳发展需在促进经济增长的基础上，加快淘汰落后产能，加速产业升级转型。

6.1.2 长江经济带碳中和分析

碳中和（Carbon Neutrality）是指企业、组织或个人在一定时间内直接或间接产生的二氧化碳被植树造林、节能减排等形式抵消，从而实现二氧化碳“零排放”。尽管长江经济带各省市实现2030年“碳达峰”和2060年“碳中和”的远景目标具有较为坚实的经济基础、技术基础、社会基础和政策基础，但仍面临着来自碳排放总量基数大、能源结构优化、技术水平限制以及经济结构转型的多重压力。实现“双碳”目标是生态文明建设的必然要求，必须作为“国之大者”摆在重要位置，这就需要各省市坚持政策引领、市场驱动、技术支撑，结合区域发展特征，持续推进减排工作。

(1) 长江经济带“碳中和”实现压力

① 二氧化碳排放体量巨大

长江经济带大部分省市目前仍处于工业化向后工业化发展的转型阶段，经济发展对以煤炭为主的化石能源的依赖程度较高，能源消耗量及碳排放量仍处于“双上升”阶段，总体碳排放基数较大。2019 年，长江经济带二氧化碳排放量达 36.13 亿吨，占全国(不包括西藏自治区、香港特别行政区、澳门特别行政区和台湾地区数据)碳排放总量的 36.89%；人均碳排放强度为 6.02 吨，超过全球人均水平 36.8%。此外，制约长江经济带实现“碳中和”目标的另一重大压力来自正在实施的新型城镇化发展战略。根据国家统计局数据，2020 年长江经济带各省市平均城镇化率为 64.07%，而发达国家已达到 80%～90%的水平，因此城镇化发展水平还存在较大的提升空间，各省市还会有大规模的基础设施体系建设，在此过程中不可避免地会产生大量来自建筑业的碳排放，给区域碳减排带来巨大压力。

② 能源结构优化压力显著

从世界能源结构转型历程看，其显著特征是从以煤炭为主过渡到以石油天然气为主，再逐步转变为以非化石能源为主，即从高碳排放为主的能源结构转化为以低碳排放为主的能源结构，进而逐步过渡到零碳排放的能源结构。我国是典型缺油少气多煤型国家，即使 2020 年煤炭消费量占比有望下降到 52%，但以煤炭为主的能源结构仍无法在短时间内发生根本转变，这种能源结构加速调整的压力是显著的，高于其他发达国家。此外，从长江经济带能源生产情况看，目前各省市风能、光伏和水电等可再生能源的累积装机总量均排在世界前列，这就决定了各省市能源结构的优化进程可能不会从以煤炭为主的能源结构过渡到以油气为主的能源结构，而是直接过渡到煤炭、油气、清洁能源并存的能源结构。但由于新能源发展面临体制机制约束以及与传统能源的利益冲突等问题，化石能源向非化石能源的平稳过渡言易行难。

③ 低碳技术创新水平不足

“碳中和”目标的顺利实现离不开技术创新的持续性支持，但就目前来看，长江经济带低碳节能技术综合水平与世界先进水平相比尚存在一定差距。以上海、江苏和浙江为例，尽管节能技术在国内处于领先水平，但拥有核心知识产权高附加值的节能产品依然供给不足，在一些节能产品的核心零配件方面仍受制于发达国家。不仅如此，各省市当前开发出的核心技术还存在融资困难、推广使用受限的双重压力，虽然中国人民银行要求金融体系的信贷资金向绿色技术和绿色产业倾斜，但这些企业资金投入大、回报周期长、市场预期不确定，金融体系整体的资金支持力度仍有待加强。在此背景下，无法量化生产的技术往往被束之高阁，难以真正大面积推广使用。

④ 面临巨大资金缺口挑战

“碳中和”目标的实现需要大量的财政资金投入和绿色金融扶持，据推测，未来30年中国能源系统需要新增投资约100万亿～138万亿元，面临着巨大的资金缺口挑战。然而，目前绿色金融存在试点范围小、融资成本偏高等问题，政府预算只能满足很小部分的需求，因此必须以市场化方式动员公共和私人部门资金。部分经济发展水平高的省份受到的资本制约程度相对较低，但经济发展水平低的省份可能受到较高的资本投入制约，从而形成新的发展问题。

(2)“碳中和”实现路径

① 坚持政策引领：完善碳达峰、碳中和“1＋N”政策体系

“十四五”是实现“双碳”目标的重要时间窗口，不仅要谋定一个科学的时间表和路线图，而且要实现一个好的开局，坚持好的政策引领是把握“碳中和”发展方向的必要前提。自2020年9月“双碳”目标提出以来，相关配套政策陆续出台。2021年3月，《中华人民共和国国民经济和社会发展第十四个五年规划和2035年远景目标纲要》中16次提到碳，其中特别在“十四五”时期经济社会发展主要目标中提出，单位国内生产总值能源消耗和二氧化碳排放分别降低13.5%、18%。2021年7月30日中共中央政治局会议提出，要统筹有序做好碳达峰、碳中和工作，尽快出台2030年前碳达峰行动方案，坚持全国一盘棋，纠正运动式“减碳”，先立后破，坚决遏制“两高”项目盲目发展。2021年10月，碳达峰、碳中和“1＋N”政策体系顶层设计出炉，其中中共中央、国务院《关于完整准确全面贯彻新发展理念做好碳达峰碳中和工作的意见》是“1”，在碳达峰、碳中和政策体系中发挥统领作用；国务院印发的《2030年前碳达峰行动方案》是“N”，明确提出了“碳达峰十大行动”，分别是实施能源绿色低碳转型行动、节能降碳增效行动、工业领域碳达峰行动、城乡建设碳达峰行动、交通运输绿色低碳行动、循环经济助力降碳行动、绿色低碳科技创新行动、碳汇能力巩固提升行动、绿色低碳全民行动和各地区梯次有序碳达峰行动，这些都将成为未来各省市推进“双碳”政策的着力点。

② 坚持市场驱动：建立完善碳市场和碳定价机制

在控制排放总量的前提下，碳排放权成为一种稀缺资源，具备了可交易的商品属性。早在 2011 年 10 月，国家发展改革委就印发了《关于开展碳排放权交易试点工作的通知》，批准了包括上海、重庆、湖北在内的 7 个省（市）开展碳交易试点工作。2021 年 6 月 25 日，全国碳排放权交易市场（以下简称碳交易市场）正式开启，交易中心落地上海，碳配额登记系统设在武汉。长江经济带各省市需要充分发挥市场机制的决定性作用，不仅在于建立完善碳交易市场，还在于充分利用价格机制、供求机制、竞争机制、标准准入机制、监管监测机制等，将生产要素优化配置到绿色低碳产业，推动绿色工业和非化石能源的发展，激励低碳、零碳、负碳技术开发应用，鼓励企业节能减排和个人家庭低碳消费。

③ 坚持技术支撑：加强低碳技术创新和人才培养

长江经济带各省市要加大低碳技术的研发与创新，使低碳环保技术贯穿整个产业链的生产环节。在技术研发环节，使创新成为产业链升级的驱动力，加强技术集成与推广应用，积极推进跨行业、跨区域节能环保集成技术的产业化示范和应用，推动传统产业向资源节约和环境友好转型。与此同时，加强高端技术人才的培养，政府层面加大对创新型企业的资金扶持力度，通过各种奖励办法培育社会整体创新土壤；企业层面重视高端人才的培育和任用，制定奖励措施激发技术人员的创新意识；深入推进产、学、研合作，消除三者转化障碍，降低转化成本，促进技术的应用推广，使创新驱动效应更好更快地转化为经济效益与环境效益。

④ 结合区域特征：因地制宜选择相应的减排路径

“碳中和”不仅意味着能源结构、产业结构、市场竞争等方面的变革，也将成为长江经济带区域绿色低碳协同发展的动力。借此发展契机，不同省市可以充分利用区域能源供给端和消费端差异，以及资源禀赋差异，因地制宜地推进“碳中和”顶层设计。研究表明，“碳中和”目标对于不同地区有着不同程度的影响，高收入地区的能源产出强度低于低收入地区时，就很可能出现低收入地区承担更多减排任务的问题。例如在云南省、贵州省等传统能源富集地区，其经济发展相对落后，但减碳任务却更为严峻，转型压力或比沿海发达地区更大。因此，在进行顶层设计时需要全面考虑区域差异，在科学评估区域发展阶段、经济实力、能源结构、资源禀赋等的基础上，制定不同区域分阶段碳达峰路线图，明确各地碳达峰时限和重点任务。结合区域自身发展特色，针对性实施具体措施，如资源中心地区可以向负荷中心地区提供更多清洁、便宜的电能，推动资源优势转化为经济优势，充分实现资源优化配置。

6.2 长江经济带碳减排重点领域

近年来，长江经济带各省市以解决突出的大气环境问题为核心，将环境质量作为大气污染防治的底线，积极依靠源头控制、末端治理、监测管理、联防联控推动大气污染防治，从工业、生活、能源等方面重点开展碳减排工作。

6.2.1 工业碳减排

工业是长江经济带能源消耗和二氧化碳排放最主要的领域，推动工业碳减排是实现“双碳”目标的关键。长江经济带工业企业密集，沿江石化、磷化、纺织、印染、造纸、电镀、钢铁等污染性行业相对集中，产业结构和布局不合理、高端绿色产品供给不充分、区域工业绿色发展不平衡等问题依然存在。长江经济带11个省（市）坚持贯彻执行《长江经济带发展规划纲要》和《关于加强长江经济带工业绿色发展的指导意见》，工业领域持续加强源头控制、着力推进末端治理、大力强化监测管理、积极寻求区域合作，生态优先、绿色发展的理念深受广大群众的理解，沿江各省市经济发展效益不断提高。

长江经济带各省（市）工业领域大气污染防治重点政策文件如表6-2所示。

表6-2 长江经济带各省（市）工业领域大气污染防治重点政策文件

省（市）	发布时间	文件标题
四川	2019.1.12	《四川省打赢蓝天保卫战实施方案》
	2021.12.23	《四川省巩固污染防治攻坚战成果提升生态环境治理体系和治理能力现代化水平行动计划（2022—2023年）》
	2022.1.12	《四川省“十四五”生态环境保护规划》
云南	2019.1.1	《云南省大气污染防治条例》
	2021.9.30	《云南省工业绿色发展“十四五”规划》
	2022.1.6	《云南省加快建立健全绿色低碳循环发展经济体系行动计划》
贵州	2018.9.12	《贵州省打赢蓝天保卫战三年行动计划》
重庆	2021.3.14	《大气污染防治2021年重点工作目标任务》
	2022.1.27	《重庆市生态环境保护“十四五”规划（2021—2025年）》
湖南	2020.3.20	《湖南省工业炉窑大气污染综合治理实施方案》
	2020.6.12	《湖南省大气污染防治条例》

续表

省(市)	发布时间	文件标题
湖北	2021.10.17	《关于加快建立健全绿色低碳循环发展经济体系的实施意见》
	2021.11.14	《湖北省生态环境保护"十四五"规划》
江西	2021.11.16	《江西省"十四五"生态环境保护规划》
	2021.11.16	《江西省"十四五"工业绿色发展规划》
上海	2018.12.20	《上海市大气污染防治条例》
	2021.8.6	《上海市生态环境保护"十四五"规划》
	2021.9.29	《上海市关于加快建立健全绿色低碳循环发展经济体系的实施方案》
江苏	2018.11.23	《江苏省大气污染防治条例》
	2021.9.28	《江苏省"十四五"生态环境保护规划》
	2021.12.20	《江苏省"十四五"全社会节能的实施意见》
浙江	2019.10.30	《浙江省工业炉窑大气污染综合治理实施方案》
	2021.5.31	《浙江省生态环境保护"十四五"规划》
安徽	2018.9.27	《安徽省打赢蓝天保卫战三年行动计划实施方案》
	2019.4.10	《长江安徽段生态环境大保护大治理大修复强化生态优先绿色发展理念落实专项攻坚行动方案》

(1) 持续加强源头控制

① 健全排污许可和总量控制制度。长江经济带各省市推行主要污染物排放总量控制制度,建立统一公平、覆盖所有固定污染源的企业排污许可制度。强化排污许可证后管理,开展固定污染源排污许可清理整顿,整合衔接总量控制、环境影响评价、排污权有偿使用、环境税等管理制度,实现排污许可管理全覆盖。

② 开展高耗能行业超低排放改造和燃煤锅炉综合整治。持续推进水泥、石灰、钢铁、电石等行业生产过程超低排放改造,提高能源利用效率。加快淘汰老旧锅炉、电机、变压器等耗能设备,鼓励工业炉窑使用电、天然气等清洁能源或由周边热电厂供热,城市建成区生物质锅炉实施超低排放改造。

③ 强化移动源污染防治。严厉打击新生产销售机动车环保不达标等违法行为。构建全省机动车超标排放信息数据库,追溯超标排放机动车生产和进口企业、注册登记地、排放检验机构、维修单位、运输企业等,实现全链条监管。推进老旧柴油车深度治理,具备条件的安装污染控制装置、配备实时排放监控终端,并与环保等有关部门联网,协同控制颗粒物和氮氧化物排放。

④ 大力培育绿色环保产业。加快壮大绿色技术创新主体,支持企业进行

技术创新能力建设，加快掌握重大关键核心技术，促进大气治理重点技术装备等产业化发展和推广应用。鼓励企业使用资源利用率高、污染物排放量少的工艺和设备，加快使用清洁低碳能源进行生产原料替代，强化清洁生产能力建设，减少大气污染物的产生。

长江经济带各省(市)工业碳减排源头控制成效如表6-3所示。

表6-3 长江经济带各省(市)工业碳减排源头控制成效

省(市)	主要治理成效
四川	在成都平原、川南、川东北地区推广全封闭式干洗机，2020年全省基本淘汰开启式干洗机，有效避免了开启式干洗机在运行中产生较多挥发性有机物，影响大气质量
云南	"十三五"期间，设立省级节能降耗资金，支持68项企业节能技改项目和100余家企业能源管理体系建设，专项补助燃煤锅炉淘汰及能效领跑者企业；培育"云南省清洁生产合格企业"66户，完成426户工业企业清洁生产审核；累计培育创建省级以上绿色工厂85家、绿色园区11个、绿色供应链管理示范企业15家
贵州	"十三五"期间，规模以上工业企业单位增加值能耗累计下降25%以上；从2015年到2020年，六大高耗能行业规模以上工业增加值比重由29.2%调整为27.3%，轻重工业比重由38.7∶61.3调整为49.8∶50.2；累计培育创建绿色工厂66家、绿色工业园区18个、绿色供应链管理示范企业1家、绿色设计产品10种
重庆	2021年完成水泥、玻璃、垃圾焚烧发电等15家企业深度治理和燃煤电厂超低排放改造，建成绿色工厂115家、绿色园区10个
湖南	在保证电力、热力、天然气供应前提下，加快推进热电联产机组供热半径30千米范围内燃煤锅炉及落后燃煤小热电关停整合，2021年12月底前，基本淘汰每小时35蒸吨以下的燃煤锅炉
湖北	"十三五"期间，单位工业增加值能耗下降22%，实施高能耗企业国家重大工业节能专项监察699家；创建全国示范绿色产品33个、绿色供应链管理企业6家、绿色工厂53家、绿色园区2个
江西	"十三五"期间，共创建国家级绿色工厂58家、绿色园区10个、绿色设计产品16个、绿色供应链企业2家、绿色设计示范企业4家；完成236家企业自愿清洁生产审核
上海	着力实施钢铁行业超低排放改造和工业炉窑专项治理方案；流动源方面，2019年1月1日起，油品供应实现车用柴油、普通柴油、部分船舶用油"三油并轨"
江苏	"十三五"期间，完成火电、钢铁行业超低排放改造，化工园区压减至29家
浙江	"十三五"期间，推进清洁能源示范省建设，在全国率先完成煤电超低排放改造；实现县以上城市高污染燃料禁燃区全覆盖，煤炭占一次能源消费结构比例为39.8%，比2015年下降12.6个百分点；累计淘汰改造燃煤小锅炉2.5万台，淘汰改造工业炉窑3 321台，淘汰关停高耗能发电机组72台，淘汰煤气发生炉474台
安徽	制造业高质量发展指数居全国前列，三次产业结构实现从"二三一"到"三二一"的重要转变

(2) 着力推进末端治理

① 优化产业布局。完成生态保护红线、环境质量底线、资源利用上线、环

境准入清单编制工作，明确禁止和限制发展的行业、生产工艺和产业目录。严格执行环境准入制度，禁止新建、扩建不符合国家石化、现代煤化工等产业布局规划的项目。加大落后产能淘汰和过剩产能压减力度，严格执行质量、环保、能耗、安全等法规标准。积极推行区域、规划环境影响评价，新改扩建钢铁、石化、化工、焦化、建材、有色等项目的环境影响评价，应满足区域、规划环评要求。

② 加快区域产业调整。有序推进城市主城区重污染企业搬迁改造或关闭退出，推动实施一批水泥、平板玻璃、焦化、化工等重污染企业搬迁工程。城市钢铁企业要切实采取彻底关停、转型发展、就地改造、域外搬迁等方式，推动转型升级。禁止新增化工园区，加大现有化工园区整治力度。

③ 开展“散乱污”企业及集群分类整治。根据国家规定，细化“散乱污”企业及集群整治标准。实行拉网式排查，建立管理台账。按照“先停后治”的原则，实施分类处置：列入关停取缔类的，基本做到“两断三清”（切断工业用水、用电，清除原料、产品、生产设备）；列入整合搬迁类的，要按照产业发展规模化、现代化的原则，搬迁至合规工业园区并实施升级改造；列入升级改造类的，树立行业标杆，实施清洁生产技术改造，全面提升污染治理水平。建立“散乱污”企业动态管理机制，坚决杜绝“散乱污”企业项目建设和已取缔的“散乱污”企业异地转移、死灰复燃。

长江经济带各省（市）工业碳减排末端治理成效如表 6-4 所示。

表 6-4　长江经济带各省（市）工业碳减排末端治理成效

省（市）	主要治理成效
四川	“十三五”期间，累计对 1 218 家企业落后产能实施退出，压减粗钢产能 497 万吨、炼铁产能 227 万吨，关停煤电机组 170 万千瓦，基本完成燃煤小锅炉淘汰
云南	2019 年已完成 13 个州、市政府所在地城市建成区及周边重污染企业搬迁，火电企业累计完成 6 台装机容量共 1 800 兆瓦机组烟气脱硫、脱硝、除尘超低排放改造工程
贵州	“十三五”期间，累计退出落后产能涉及企业共 103 家，退出落后产能 517.1 万吨，压减生铁产能 257 万吨、粗钢产能 220 万吨；淘汰 10 蒸吨及以下工业燃煤锅炉和落后机电设备等
重庆	2021 年完成挥发性有机物治理 337 家、涉气中小微企业综合整治 2.2 万余家，巩固 600 家企业挥发性有机物（VOCs）治理成效
湖南	2019 年底，全省共完成提升改造企业 487 家，整合搬迁企业 65 家，关停取缔企业 1 563 家

续表

省(市)	主要治理成效
湖北	“十三五”期间,累计完成 217 家“三磷”企业环境问题排查、115 家问题企业整改,完成 405 家沿江化工企业“关改搬转”
江西	“十三五”期间,483 万吨钢铁去产能目标提前完成,钢铁、水泥行业落后产能已全部退出
上海	“十三五”期间,完成挥发性有机物治理 3 262 家;坚决淘汰“三高”落后产能,累计完成市级产业结构调整项目 5 908 项
江苏	2021 年实行集群整治全覆盖,对已完成整治的 32 个企业集群和 190 个镇(乡、街道)的 377 个企业集群进行专项督查,集群排查整治任务企业数 7 820 家;“十三五”期间依法关停取缔各类“散乱污”企业 5.7 万家
浙江	“十三五”期间,完成城市建成区重污染企业搬迁改造 83 家,淘汰工业行业落后和过剩产能涉及企业 9 503 家,完成 2.2 万家涉气“散乱污”企业清理整顿;实施工业废气治理“十百千”工程,以石化、化工、包装印刷等 10 个行业为重点,完成 102 个重点工业园区废气整治、3 223 个工业废气治理项目
安徽	2019 年整治“散乱污”企业 4 549 家,完成 132 万千瓦煤电机组节能升级改造

(3) 大力强化监测管理

① 深入开展环境保护督察。长江经济带各省(市)依托大气污染防治攻坚战指挥部成立综合监督组、督导帮扶组等,全面开展空气污染应对工作预警、问题移交、重点污染源曝光、会商约谈、现场督查等行动。落实量化问责办法,针对大气污染防治工作不力、重污染天气频发、环境质量改善达不到进度要求甚至恶化的城市,开展机动式、点穴式专项督察,严格考察问责。

② 完善环境监测监控系统。加强环境空气质量监测,根据生态环境部统一部署,优化调整扩展国控环境空气质量监测站点。加强区县环境空气质量自动监测网络建设,并与中国环境监测总站实现数据直联。将石化、化工、包装印刷、工业涂装等重点污染排放源纳入重点排污单位名录,督促企业安装烟气排放自动监控设施,对重点涉气企业实施 24 小时在线监管。

③ 强化科技基础支撑。积极参与国家重点区域大气重污染成因、重污染积累与天气过程双向反馈机制、重点行业与污染物排放管控技术、居民健康防护等科技攻坚。建设一批生态环境保护重点实验室、工程技术中心等科研平台。开展城市源排放清单编制、源解析等工作,形成污染动态溯源的基础能力。借助第三方服务加强遥感监测、大数据分析等技术手段运用,为精准发现生态环境违法问题提供技术支持。

长江经济带各省(市)工业碳减排监测管理成效如表 6-5 所示。

表 6-5　长江经济带各省(市)工业碳减排监测管理成效

省(市)	主要治理成效
四川	“十三五”期间,明确运用技术手段提高执法效能,综合应用在线监测、视频监控等手段,对纳入重点污染源自动监控平台的 27 家涉气企业进行在线监管,建设空气质量自动监测站 14 个,实时掌握城区空气质量状况,累计开展执法检查约 11 万家次
云南	“十三五”期间,对全省 1 200 余户重点用能企业开展节能监察,针对 496 家企业开展节能诊断服务
贵州	省生态环境厅指导各市(州)结合自身实际,从扬尘污染、低空面源散烧、工业企业污染和移动源污染防治以及污染天气应急管控等方面,制定实施了《贵州省中心城市 2021 年环境空气质量目标保障方案》
重庆	深化生态环境大数据平台建设与应用,打造国家智能社会环境治理特色实验基地
湖南	2022 年年初已实现对 188 个环境空气监测点、16 家火力发电厂、5 000 余家工业企业实施在线监控,各级各类监测数据系统互联共享,监测预报预警、信息化能力和保障水平明显提升
湖北	形成以城市环境空气质量监测评价站点为主,各项功能性、专项监测站点为补充,雷达、遥感、走航等新技术广泛运用的多元化大气立体监测网络;在全国率先完成长江入河排污口航测任务,12 480 个长江入河排污口实现有口皆查、应查尽查
江西	“十三五”期间,初步建成覆盖 11 个设区市、重点用能企业的工业能耗在线监测平台;对全省 321 家企业开展节能诊断服务,提出节能改造措施建议 800 余项
上海	加强扬尘在线监测,开展商业综合体油烟污染集约化治理试点,完成治理 863 家
江苏	自 2020 年 5 月 1 日起施行我国首部地方生态环境监测法规《江苏省生态环境监测条例》,并初步建成江苏生态环境大数据平台,该平台集成各类环境监测、监控、监管数据共 50 亿条,范围覆盖全省 4.7 万家危废监管企业及 2.9 万家排污许可证发放企业信息,实现环境监测全覆盖、各类检测数据互联共享
浙江	“十三五”期间,基本建成浙江省大气复合污染立体监测网络,建成环境空气自动监测站 171 个;累计建成工业园区环境空气自动监测站 100 个、乡镇站 600 多个、沿海沿江主要港口和重要物流通道环境空气自动监测站 41 个;建成遥感监测(黑烟抓拍)设备 200 余套,每年监测柴油车 800 万辆次以上
安徽	2020 年底前,全省区(县)实现监测站点全覆盖,并与中国环境监测总站实现数据直联;将排气口高度超过 45 米的高架源,以及石化、化工、包装印刷、工业涂装等 VOCs 排放重点源纳入重点排污单位名录,督促企业安装烟气排放自动监控设施

(4) 积极寻求区域合作

① 加快推进区域大气污染联防联控工作。长三角、成渝等城市群积极建立和进一步完善大气污染联防联控机制。长三角区域大气污染防治协作机制成立以来,一市三省区域协作机制不断完善,先后审议通过《长三角区域柴油货车污染协同治理行动方案(2018—2020 年)》《长三角地区 2019—2020 年秋冬季大气污染综合治理攻坚行动方案》《关于支持长三角生态绿色一体化发展示范区高质量发展的若干政策措施》等重要文件。随着生态环境部将推进成

渝地区大气污染联防联控作为2019年工作要点，2020年4月1日，四川省生态环境厅、重庆市生态环境局召开推动成渝双城经济圈建设生态环境保护工作联席会议第一次会议，签订《深化川渝两地大气污染联合防治协议》，对加强两地重点区域大气污染联防联控有关工作做出部署。2021年10月20日出台的《成渝地区双城经济圈建设规划纲要》进一步强调，两地要合力构建绿色产业体系，推行企业循环式生产、产业循环式组合、园区循环化改造，开展工业园区清洁生产试点，打造国家绿色产业示范基地。2021年12月14日，川渝党政代表团在宜宾三江口长江生态公园共同启动成渝地区双城经济圈碳达峰碳中和联合行动，重点从能源结构、绿色产业、区域空间布局等方面协同合作，共同推进成渝地区形成绿色低碳发展的新模式、新典范。

长江经济带大气污染防治区域合作重点政策文件如表6-6所示。

表6-6 长江经济带大气污染防治区域合作重点政策文件

发布时间	文件标题
2019.5.23	《长三角区域柴油货车污染协同治理行动方案(2018—2020年)》
2019.11.4	《长三角地区2019—2020年秋冬季大气污染综合治理攻坚行动方案》
2020.4.1	《深化川渝两地大气污染联合防治协议》
2020.6.10	《关于支持长三角生态绿色一体化发展示范区高质量发展的若干政策措施》
2021.10.20	《成渝地区双城经济圈建设规划纲要》
2022.2.15	《成渝地区双城经济圈碳达峰碳中和联合行动方案》

② 强化重污染天气应急联动。各区域整合产业、技术、人才等资源，加强统一规划、统一标准、环评会商、联合执法、信息共享、区域性重污染天气监测预警及应急联动等工作，切实解决重污染天气准确预测难、应急响应慢、联动水平低等问题。完善预警分级标准体系，区分不同区域、不同季节应急响应标准。根据重污染天气预警信息，各相关城市按级别启动应急响应措施，实施应急联动，并协作开展人工增雨改善空气质量作业，力争实现大气污染物浓度"削峰"。

③ 夯实工业碳减排措施。各区域合力强化工业大气污染全过程控制，将碳减排措施落实到企业各工艺环节，实施"一厂一策"清单化管理。在黄色及以上重污染天气预警期间，对钢铁、建材、焦化、有色、化工、矿山等涉及大宗物料运输的重点用车企业，实施应急运输响应。加大秋冬季工业企业生产调控力度，针对高排放行业，制定错峰生产方案，实施差别化管理，严格落实生态环境部《重污染天气重点行业应急减排措施制定技术指南》有关要求。

6.2.2 生活碳减排

长江经济带是我国城镇和人口分布最密集的地区之一，生活领域碳减排是推动长江经济带绿色发展的主战场。近年来，沿江各省市响应国家碳达峰、碳中和战略部署，探索生活领域绿色低碳发展新模式、新路径，促进经济社会发展全面绿色转型，长江经济带生态环境保护发生了转折性变化，人民生活水平显著提高，实现了在发展中保护、在保护中发展。

(1) 探索建筑领域绿色低碳转型

根据多个研究机构发布的成果来看，建筑行业减碳潜力在70%以上，是工业的1.5倍，在三大能源消费行业中占比最大，将为碳排放提前达峰贡献约50%的节能量。因此，推动建筑领域碳减排，成为长江经济带实现碳达峰、碳中和目标的重要一环。

① 大力发展装配式建筑。装配式建筑是一种把传统建造方式中的大量现场作业工作转移到工厂进行，将在工厂加工制作好的建筑用构件和配件运输到建筑施工现场，通过可靠的连接方式在现场装配、安装而成的建筑。这类建筑生产效率高，不受自然环境的影响，工期可控，同时由于采用工厂化生产，误差仅达毫米级，建筑垃圾也大大减少。长江经济带各省市大力推动装配式建筑全产业链协同发展，逐步提高装配式建筑在新建建筑中的比例；完善适用于不同建筑类型的装配式混凝土建筑结构体系，推进建筑全装修和装配化装修。推动装配式建筑优先采用工程总承包模式，提高绿色建材在装配式建筑中的应用比例。

② 提升建筑节能水平。加快发展绿色建筑，推动建筑节能节水，提高新建建筑节能底线要求，适时修订建筑节能相关标准，鼓励有条件的地区加快推进超低能耗、低碳建筑发展。深入推进可再生能源和新型节能方式在建筑领域的规模化应用，提升能源使用效率，因地制宜开发利用地热能、生物质能，使用空气源、水源热泵等。支持农村利用农房屋顶和院落发展光伏发电，实现就地生产、就地消纳。推进建筑领域电气化，大力提高生活热水、炊事等电气化普及率。

③ 建设高品质绿色建筑。实施绿色建筑创建行动，推动新建建筑全面实施绿色设计，将绿色建筑基本要求纳入工程建设强制性规范。完善绿色建筑标识管理制度，建立绿色建筑标识认定管理平台，推动绿色建筑标识认定工作，不断提高新建建筑中绿色建筑比例。鼓励发展星级绿色建筑，提升政府投资项目和大型公共建筑绿色建筑星级。提高绿色建材应用比例，加强工业固

废建筑材料综合利用。

④ 大力发展智能建造。以工程建设项目全生命周期管理为主线，在建筑工程立项阶段明确主要减碳指标和技术措施，完善建筑市场和建筑施工综合监管机制，加强建筑工人和施工现场质量安全数字化管理。鼓励有条件的城市率先深化应用自主创新建筑信息模型（BIM）技术，全面提升建筑设计、施工、运营维护协同水平，加强物联网、大数据、云计算、移动通信、人工智能、区块链等新技术的集成与创新应用。加强智能建造及建筑工业化应用场景建设，推动科技成果转化、重大产品集成创新和示范应用。推动建筑机器人、智能塔吊、智能混凝土泵送设备等智能工程设备的研发应用，打造一批示范项目。

"十三五"期间，长江经济带各省（市）全面推进建筑领域碳减排工作，降低建筑业资源消耗，实现新旧动能转换。治理成效如表 6-7 所示。

表 6-7　长江经济带各省（市）"十三五"期间建筑领域碳减排治理成效

省（市）	主要治理成效
四川	出台《关于进一步提升建筑节能与绿色建筑质量的实施意见》，对提升新建建筑节能标准、可再生能源应用和能耗监测平台建设提出了更高要求； 累计新增绿色建筑面积 3.3 亿平方米，通过新技术应用示范工程成果 107 项，积极推动 BIM 技术在设计、施工、运营等工程建设全过程的集成应用
云南	累计推广绿色建筑超过 2.6 亿平方米，新开工装配式建筑超过 1 000 万平方米，共有 56 家企业获得绿色建材标识，创建国家装配式建筑产业基地 7 个、省级产业基地 16 个、示范城市 1 个
贵州	印发《加快绿色建筑发展的十条措施》（黔建科通〔2019〕163 号），编制完成《贵州省民用建筑绿色设计规范（试行）》《贵州省绿色建筑评价标准》等绿色建筑系列标准，覆盖规划、设计、建设、评价等绿色建筑各阶段，基本形成绿色建筑标准体系； 城镇建筑新增节能面积 22 492.81 万平方米，新建建筑强制性节能标准执行率达到 100%，累计新增 415 个星级绿色建筑标识认证项目；完成 3 个省级绿色生态城区标识认证工作，城镇新建绿色建筑比例达到 50%以上；全省装配式建筑累计竣工项目 261 个，建筑面积 503.12 万平方米
重庆	累计组织实施高星级绿色建筑 2 441.35 万平方米、绿色生态住宅小区 10 642.77 万平方米，累计建成节能建筑约 6.79 亿平方米，完成公共建筑节能改造 1 174 万平方米；年节电 1.2 亿千瓦时、减排 12 万吨二氧化碳、节约能源费用 1 亿元
湖南	基本建立绿色建筑地方标准体系，共有 864 个项目获得绿色建筑评价标识，累计建筑面积约 9 643.89 万平方米；累计建成绿色公共建筑 493 个、绿色居住建筑 367 个、绿色混合建筑 2 个、绿色工业建筑 2 个； 各市州中心城市累计实施装配式建筑总建筑面积 5 604 万平方米，装配式生产企业年产能达 3 000 万平方米，产业总产值达 800 亿元，现有国家级装配式建筑示范城市 2 个、省级装配式建筑示范城市 6 个，国家级装配式建筑产业基地（园区）15 家、省级装配式建筑产业基地 55 家

续表

省(市)	主要治理成效
湖北	新增节能建筑 34 469.54 万平方米,建筑节能 384.50 万吨标准煤;共有 558 个项目获得绿色建筑标识,总建筑面积 6 951.04 万平方米;完成既有建筑节能改造 1 954.66 万平方米,其中,既有居住建筑节能改造 876.02 万平方米,既有公共建筑节能改造 1 078.90 万平方米;新增可再生能源建筑应用面积 11 088.99 万平方米;共有 101 家企业的产品获得绿色建材评价标识,78 家预拌混凝土企业获得了绿色生产评价标识
江西	共有装配式建筑产业基地 62 个,实现设区市全面覆盖;累计开工装配式混凝土结构建筑面积近 5 000 万平方米,位居全国前列;城镇新建建筑全面执行节能强制性标准,绿色建筑设计标识项目 791 个,建筑面积近 2 亿平方米,累计完成太阳能光热建筑应用面积 3 637 万平方米,浅层地能建筑应用面积 425 万平方米
上海	获得绿色建筑评价标识项目总数达到 874 项,建筑面积合计 8 051 万平方米,二星级以上占比超过 80%;获得绿色建筑运行标识的项目共 49 个,建筑面积合计 591 万平方米;累计获得全国绿色建筑创新奖 19 项;成功创建和通过评审的绿色生态城区示范试点项目共有 11 个,用地规模共有 31.4 平方千米;累计节能建筑面积达到 6.52 亿平方米,设计与竣工验收阶段的建筑节能标准执行率均达到 100%;新增可再生能源建筑应用面积约 1 713 万平方米;累计完成公共建筑节能改造 1 270 万平方米,累计创建 79 个上海市既有建筑绿色化改造示范工程
江苏	城镇新建绿色建筑占新建建筑比例从"十三五"初期的 53.0%增长能到"十三五"末期的 98.0%;绿色建筑评价标识项目达 5 416 个,总建筑面积 5.5 亿平方米,二星级及以上占比达 83.8%;18 个项目获得全国绿色建筑创新奖;新设立省级绿色城区 19 个,建成高品质绿色建筑项目面积 3 000 万平方米;累计设立绿色城区 76 个,年节能量超过 200 万吨标煤; 修订实施了《居住建筑热环境和节能设计标准》(DB32/4066—2021),引导新建建筑节能标准从 65%提升到 75%,发布了《江苏省超低能耗居住建筑技术导则(试行)》,启动了 11 个超低能耗建筑示范项目建设;累计建成绿色建筑 8.6 亿平方米,绿色建筑规模居全国首位;累计可再生能源建筑应用规模总量达 7.2 亿平方米;完成既有建筑节能改造 4 409 万平方米,节能量达到 176 万吨标煤
浙江	累计新开工装配式建筑 2.83 亿平方米,占新建建筑比例达 30.26%,提前五年实现国家既定 30%目标;累计实施二星级以上绿色建筑 489 项,建筑面积 5 291 万平方米;城镇绿色建筑占新建民用建筑比重达 97%,较"十二五"末的 85.8%上升 11.2 个百分点
安徽	累计竣工绿色建筑面积约 2.09 亿平方米,开展了 81 个绿色建筑项目示范,示范面积超 800 万平方米,取得绿色建筑标识项目 446 个;累计创建了 13 个省级绿色生态城市和 4 个绿色生态城区,绿色建筑的集中推广模式基本形成;新建民用建筑节能标准设计和施工阶段执行率连续 5 年达到 100%,新增节能建筑面积近 4.5 亿平方米;累计实施既有居住建筑节能改造面积超 2 000 万平方米,既有公共建筑节能改造面积超 550 万平方米;累计完成浅层地热能建筑应用面积超 500 万平方米,累计完成太阳能光热技术建筑应用面积超 2 亿平方米,累计完成太阳能光伏装机容量超 80 兆瓦;累计取得了 93 份绿色建材评价标识证书,其中三星级绿色建材证书数量占比达到 92%;培育了 2 个国家级装配式建筑示范城市、12 个国家级装配式建筑产业基地,累计建设装配式建筑面积 5 756 万平方米

(2) 推动交通运输领域绿色发展

交通运输是化石能源消耗及二氧化碳排放的重点领域,交通领域的碳排放占长江经济带终端碳排放的 15%,过去 9 年的年均增速在 5%以上。2021 年 12 月 9 日,推动长江经济带发展领导小组办公室印发《"十四五"长江经济带综合交通运输体系规划》，明确坚持将生态优先、绿色发展理念贯穿综合交通运输发展全生命周期，加快形成低碳交通运输结构，加快运输工具电气化清洁化替代，降低交通污染排放和能源资源消耗，为各省市建设资源节约型和环境友好型交通、全面提升交通可持续发展水平提供重要支撑。国务院及长江经济带各省（市）制定了一系列目标以支持和推动交通运输节能减排目标的实现，大气污染治理成效显著。

一是在车辆燃料消耗量限值标准方面，《乘用车燃料消耗量限值》（GB 19578—2021）强制性国家标准规定了乘用车新车平均燃料消耗量水平到2025年下降至4升/100千米（二氧化碳排放约为95克/千米）的总体节能目标。长江经济带各省（市）全面实施汽车排放检验与维护制度（I/M制度），加快建立超标排放汽车闭环管理联防联控机制，强化在用汽车的排放检验与维修治理，研究完善道路运输车辆燃料消耗量限值准入制度。

二是在交通运输结构调整方面，《绿色交通“十四五”发展规划》提出，要持续优化调整运输结构，各省市加快推进港口集疏运铁路、物流园区及大型工矿企业铁路专用线建设，推动大宗货物及中长距离货物运输“公转铁”“公转水”。深入推进多式联运发展，推进综合货运枢纽建设，发挥长三角地区铁水联运优势。推进多式联运示范工程建设，加快培育一批具有全球影响力的多式联运龙头企业。因地制宜构建以城市轨道交通和快速公交为骨干、常规公交为主体的公共交通出行体系，强化“轨道＋公交＋慢行”网络融合发展。

三是在推广新能源车辆装备方面，提出《新能源汽车产业发展规划（2021—2035年）》《节能与新能源汽车技术路线图2.0》。到2025年，新能源汽车新车销售量达到汽车新车销售总量的20％左右，纯电动乘用车新车平均电耗下降至12千瓦时/百千米；到2035年，纯电动汽车成为新销售车辆的主流，公共领域用车全面电动化。各省（市）也在大力实施电动货车和氢燃料电池车辆推广行动，加快推进城市公交、出租、物流配送等领域新能源汽车推广应用，以重要港区、货运场站为主，推进内部作业机械、供暖制冷设施设备等加快应用新能源和可再生能源，实现近零碳排放，创建近零碳码头、近零碳货运场站，深入推进内河LNG（液化天然气）动力船舶推广应用，支持沿海及远洋LNG动力船舶发展。

长江经济带各省（市）“十三五”期间在交通运输领域的碳减排治理成效如表6-8所示。

表 6-8　长江经济带各省(市)“十三五”期间交通运输领域碳减排治理成效

省(市)	主要治理成效
四川	完成长江干线 88 座非法码头整治,新增(更新)公交车中新能源、清洁能源车辆占比达 90%;实施“充电桩进小区”示范项目,推动建设集中式充换电站,支持将充电设施供电纳入配电网专项规划
云南	开展绿色公路示范工程,有序推动绿色航道、绿色港口示范建设,持续推进昆明长水国际机场绿色机场示范工程建设,稳步推进绿色邮政“9571”治理工程,开展柴油货车污染治理专项行动;资源能源利用效率不断提升,温室气体排放得到有效控制
贵州	积极推进绿色公路建设,开展了道安高速、盘兴高速 2 条绿色低碳公路示范项目建设;高速公路隧道 LED 灯使用率超过 70%,全省新能源、清洁能源公交车比例超过 82%;贵阳市、遵义市 2 个绿色交通城市区域性示范项目建设通过验收
重庆	基本完成中心城区“两江四岸”港口岸线治理;建成长江上游首座 LNG 加注码头;货运船舶平均单位能耗大幅下降;港口岸电建设加快推进,港口码头船舶污染物接收设施实现全覆盖
湖南	整治非法砂石码头 823 个;开展高速公路服务区“厕所革命”,深化路域环境整治;岳阳港成功申报交通运输部“绿色港口”示范项目,为全国唯一获此殊荣的内河港口
湖北	印发《湖北长江经济带综合立体绿色交通走廊建设专项规划》等一系列文件,一批重大交通项目获得国家规划支持;绿色交通取得新突破,非法码头整治、岸线清理整顿、船舶和港口污染治理三大标志性战役成效显著;新能源、清洁能源应用积极推广,船舶标准化、大型化进程明显加快
江西	完成全省非法码头整治,公交车辆清洁能源率大幅提升,淘汰营运黄标车和老旧车辆 8.86 万辆
上海	交通运输行业能耗增幅放缓,公交、道路运输等领域能耗趋于稳定;绿色港口建设持续推进,率先实行船舶排放控制区管控措施;大力推广新能源交通工具的使用,新能源和清洁能源公交车占全部公交运营车辆的 67%
江苏	全面建成南京市、无锡市等 6 个绿色交通城市,宁宣高速、G312 苏州段等 6 条绿色公路,连云港港、徐州港等 5 个绿色港口,完成 56 个绿色交通配套类项目;南京禄口机场 T2 航站楼成为全国首个绿色运行机场;全省共有 7 个城市已拥有或在建轨道交通,城市轨道交通运营里程达到 800 千米,居全国第二; 积极引导公路运输转向铁路、水路,在全国率先出台运输结构调整补助政策,水路货运周转量占比达到 62%,居全国前列; 完成 18 项国家级、8 项省级长江生态环境问题整改,117 个沿江非法码头、214 个港区规划范围内长江岸线利用项目清理整治全部完成,全面完成 1 133 个内河码头环保整治工作
浙江	城市公共汽电车、出租汽车清洁能源化比例分别达到 82%、81%,重点港口、物流园区、城市配送等作业车辆清洁能源化应用加快推广
安徽	水运货运比重持续增加,公水货运量比由 2015 年的 2.2∶1 调整至 2020 年的 1.98∶1;持续推进“长江大保护”,开展非法码头整治、无证经营码头专项整治等行动,累计释放沿江岸线 45 千米以上; 积极落实“打赢污染防治攻坚战”,建成船舶污染物固定接收设施 2 985 个;岳武高速安徽段绿色公路、皖江与巢湖 LNG 船舶应用等入选交通运输部绿色示范项目

(3) 倡导居民绿色低碳消费方式

随着城市化进程的加快,人们生活水平不断提高,中国居民生活能源消费总量呈逐步上升趋势。“十四五”期间，预计人均生活能源消费量将由 2017 年的 415.6 千克标准煤增长到 2025 年的 585.0 千克标准煤，消费领域碳排放占社会排放的比例也将随之持续上升。社会公众消费理念和生活方式的转变，对于推动长江经济带生活领域碳减排起到至关重要的作用。

① 绿色产品消费。生活领域的绿色低碳产品消费关联着生产端，消费拉动生产，同时也刺激生产端向绿色低碳发展方式转变。长江经济带各省（市）完善绿色低碳产品标准体系，建立绿色产品分类和评价标准，特别是构建“碳标签”产品、“碳币”银行卡等模式。推行绿色产品政府采购制度，结合产品品目清单管理，在政府采购中，加大绿色产品相关标准的应用，并逐步将绿色采购制度扩展至事业单位、国有企业等，全面推进公共机构带头绿色消费。加强对居民采购绿色产品的引导，鼓励采取补贴、积分奖励等方式促进绿色消费。加大对绿色消费领域的金融支持力度，鼓励金融机构对居民购买绿色智能产品提供信贷支持。

② 绿色生活创建。长江经济带各省（市）分类推进节约型机关、绿色家庭、绿色学校、绿色社区、绿色商场等重点领域创建活动。鼓励居民绿色采购、绿色出行、绿色饮食等，增加物品的循环利用，如优先购买绿色产品，不使用污染重、能耗大、过度包装产品；调整饮食结构，多吃素食少吃牛羊肉；提高绿色出行的频率，减少尾气排放和交通拥堵等；发展共享出行、共享住宿、共享社区等共享经济模式，营造全民参与绿色消费的社会氛围。此外，加快智慧城市建设是绿色低碳转型的根本出路。随着科技的不断进步，集互联网、区块链、大数据、云平台、超级计算等为一体的智能技术将会融入城市运行的方方面面，这种融合能够大大提高城市的运行效率和能效水平，也能提升城市碳减排的力度。

国家及长江经济带各省（市）绿色消费重点政策文件如表 6-9 所示。

表 6-9　国家及长江经济带各省（市）绿色消费重点政策文件

发布时间	发布单位	文件标题	绿色消费重点内容
2021.10.10	中共中央、国务院	《国家标准化发展纲要》	完善低碳产品标准标识制度；建立绿色产品分类和评价标准，规范绿色产品、有机产品标识
2021.10.21	中共中央办公厅、国务院办公厅	《关于推动城乡建设绿色发展的意见》	推广节能低碳节水用品，鼓励使用环保再生产品和绿色设计产品，减少一次性消费品和包装用材消耗；深入开展绿色出行创建行动，优化交通出行结构，鼓励公众选择公共交通、自行车和步行等出行方式

续表

发布时间	发布单位	文件标题	绿色消费重点内容
2021.10.29	交通运输部	《绿色交通“十四五”发展规划》	改善绿色出行环境，提高城市绿色出行比例；到2025年，力争60％以上的创建城市绿色出行比例达到70％
2021.11.2	中共中央、国务院	《关于深入打好污染防治攻坚战的意见》	建立绿色消费激励机制，推进绿色产品认证、标识体系建设
2020.3.7	云南省发展和改革委员会	《云南省贯彻绿色生活创建行动实施方案》	加大政府绿色采购力度，带头采购更多节能、节水、环保、再生等绿色产品；推行绿色办公，使用循环再生办公用品，推进无纸化办公；依据《企业绿色采购指南》实施绿色采购，完善绿色供应链体系建设，提高绿色节能商品销售比例
2020.4.8	湖南省工业和信息化厅	《湖南省绿色设计产品评价管理办法》	设立湖南省绿色设计产品标准库，依据标准库内的相关标准进行绿色设计产品评价
2020.7.10	贵州省机关事务管理局等	《贵州省节约型机关创建行动实施方案》	推进无纸化办公，充分利用自然采光，合理设置空调温度，带头践行绿色出行；加大绿色采购力度，带头采购更多节能、节水、环保、再生、资源综合利用等绿色产品
2020.8.4	四川省人民政府办公厅	《四川省培育发展新消费三年行动方案(2020—2022年)》	支持各地对购买绿色、智能家电，以及交售旧家电并购买新家电的消费者给予适当补贴；大力发展消费金融，推进汽车、家电等行业的消费信贷发展
2020.12.24	安徽省发展和改革委员会等	《安徽省促进消费扩容提质加快形成强大市场若干措施》	优化绿色智能产品供给，健全绿色产品标准和绿色标识认证体系；鼓励消费者更新淘汰能耗高、安全性差的家电产品，支持企业开展以旧换新促销超高清电视、节能冰箱、节能空调、5G手机等绿色智能产品活动
2021.3.31	浙江省发展和改革委员会	《浙江省消费升级“十四五”规划》	鼓励创建绿色商场、绿色饭店等；推进绿色流通，大力推广电子面单，探索简易包装和无包装配送模式，减少一次性用品使用；完善绿色产品标准、认证、标识体系，实行产品全生命周期绿色管理，鼓励开展“碳标签”实践；完善废旧产品回收处理体系，规范发展废旧汽车、家电、电子产品等回收利用行业；积极推动“互联网＋旧货”“互联网＋资源循环”，支持二手闲置物品在线交易平台发展

续表

发布时间	发布单位	文件标题	绿色消费重点内容
2021.4.30	重庆市人民政府办公厅	《关于培育发展“巴渝新消费”的实施意见》	引导企业绿色低碳化生产经营，逐步限制和禁止不可降解一次性塑料制品使用；组织绿色商场、绿色饭店创建；鼓励企业开展汽车、家电以旧换新；推动政府绿色采购，优先采购或使用环保产品
2021.8.3	江苏省人民政府办公厅	《江苏省“十四五”消费促进规划》	加大政府绿色采购力度，扩大绿色产品采购范围，逐步将绿色采购制度扩展至国有企业；加强对企业和居民采购绿色产品的引导，鼓励采取补贴、积分奖励等方式促进绿色消费；推动销售场所和电商平台设立绿色产品销售专区；健全绿色产品、服务标准体系和绿色标识认证体系；实行产品全生命周期绿色管理，鼓励开展“碳标签”认证
2021.9.15	江西省人民政府办公厅	《江西省“十四五”消费升级发展规划》	积极推进能效领跑者计划，引导消费者优先购买使用能效水效领跑者产品；加大国家流通领域节能环保技术产品目录推广，鼓励流通企业采购和销售绿色产品；推进公共机构带头绿色消费，推行政府、国有企业绿色采购；发挥赣江新区绿色金融改革创新试验区优势，引导消费者进行绿色消费
2021.9.29	上海市人民政府	《上海市关于加快建立健全绿色低碳循环发展经济体系的实施方案》	鼓励企业开展绿色设计、选择绿色材料、实施绿色采购、打造绿色制造工艺、推行绿色包装、开展绿色运输、做好废弃产品回收处理；政府投资的基础设施、公共民生设施项目要优先采购利用绿色技术及产品；积极引导企业和居民采购绿色产品，试点餐饮行业绿色账户积分激励机制；支持有条件的商场、超市、旅游商品专卖店等流通企业在显著位置开设绿色产品销售专区
2021.10.11	湖北省人民政府办公厅	《湖北省城乡人居环境建设“十四五”规划》	推行绿色生产，倡导绿色出行，鼓励使用再生水和新能源，鼓励使用绿色建材、家具、家电等生活耐用品，减少一次性消费品

6.2.3 新能源与清洁能源发展

在全球气候变暖及化石能源日益枯竭的大背景下，加快能源消费低碳化、推动高耗能和传统产业采用清洁能源是长江经济带碳减排的主要解决方案之一。近年来，长江经济带各省市大力开发新能源与清洁能源，并将其广泛应用于工业、建筑业、交通运输业等领域，提升能源利用效率，在构建城市清洁低碳能源体系方面取得了一定进展。

(1) 加快推进新能源与清洁能源开发。各省(市)依托人才、技术和产业基础，提升自主创新和系统集成能力，突破关键能源技术装备，研究建立机构、企业和高校等共同构成的多层次能源技术创新模式。推进近海风电集中连片、规模化开发，打造千万千瓦级海上风电基地，统筹规划远海风电可持续发展。促进光伏与储能、微电网融合发展，推动光伏综合利用平价示范基地建设。推广热泵系统、冷热联供等技术应用，扩大地热能和空气能利用。大力构建新型电网保障体系，完善智能电网、分布式能源、新型储能等新能源产业链，有序衔接好化石能源消费占比下降和可再生能源消费比例提高，把传统能源的逐步退出建立在新能源安全可靠的替代基础上。因地制宜利用生物质能，探索开发利用海洋新能源。积极安全有序发展核电，积极稳妥开展核能供热示范。

(2) 积极推广应用新能源与清洁能源。近年来各地政府都提出了工业锅炉清洁能源替代方案，原有的燃煤工业锅炉纷纷被燃气工业锅炉替代，甚至使用更为高效的电热锅炉。同时企业应用新产品、新技术和可再生能源进行节能改造，实施了一批超低排放改造工程。推广绿色低碳运输工具，淘汰更新或改造老旧车船，加快新能源或清洁能源汽车在城市物流配送、邮政快递、铁路货场、港口和机场服务等领域应用。

长江经济带各省(市)“十三五”期间新能源与清洁能源发展成效如表 6-10 所示。

表 6-10 长江经济带各省(市)“十三五”期间新能源与清洁能源发展成效

省(市)	主要成效
四川	促进新能源等战略性新兴产业重大工程和能源等领域国家重大项目在经开区优先布局；落实国家新能源汽车车辆购置税优惠政策；新增(更新)公交车中新能源、清洁能源车辆占比达 90%；加快高排放营运车辆更新淘汰，新能源营运车辆保有量是“十三五”初期的 8 倍
云南	全力推进新能源电池产业发展，形成年产 12 万吨新能源电池正极材料、2 万吨电池负极材料、8 000 吨碳纳米管导电液生产规模；以水电为主的绿色能源生产达到世界一流水平，已初步建成清洁低碳、安全高效的现代能源产业体系，能源产业跃升为全省第一大支柱产业；全省电力总装机达到 10 340 万千瓦，居全国第 7；绿色能源装机占比 85%，绿色能源发电量占比约 90%，清洁能源交易电量占比 97%，非化石能源占一次能源消费比重 42%以上，4 项指标全国领先，并达到世界一流水平；“西电东送”累计送出清洁电量超过 1 万亿千瓦时

续表

省(市)	主要成效
贵州	全省新能源、清洁能源公交车比例超过82%，LNG、电动等新能源动力船舶投入使用；共有新能源汽车生产企业16家，2020年规模以上工业总产值同比增长15.6%，生产汽车数量同比增长38.9%；水电日发电量、火电日发电量、新能源日发电量、“黔电送粤”日送电量、水电日蓄能值均创造新的历史记录；光伏竞价项目2019年、2020年连续两年获得装机规模、补贴规模两个全国第一；光伏发电装机规模从2018年的177万千瓦达到现在的1 057万千瓦；全省电力装机结构不断优化，火电、水电、新能源发电装机分别为3 560万千瓦、2 281万千瓦、1 637万千瓦，非化石能源装机比重达52.4%；煤层气、页岩气产能产量实现质的突破，2020年煤层气、页岩气产能各1亿立方米/年，抽采量分别达2 390万立方米、1 940万立方米；累计建成天然气输气管道1 668千米
重庆	广泛应用新能源和清洁能源运输装备，中心城区公交车、出租汽车实现CNG全覆盖；加快打造水电、风电清洁能源基地，推动乌江白马航电枢纽工程、黔江麒麟风电等一批重点项目尽快建成投用
湖南	2020年天然气、电力消费分别同比增长3.7%、3.5%；发电总装机容量为4 984万千瓦，同比增长5.1%，其中风电装机669万千瓦、光伏装机391万千瓦，同比分别增长56.7%、13.6%；新能源发电量168亿千瓦时，占全省发电量比重首次突破10%
湖北	新能源装机容量从246万千瓦上升到1 309万千瓦，占总装机容量的15.8%，年均增长38%；2020年，湖北新能源发电电量183.5亿千瓦时，占全社会用电量的6.46%，省内新能源实现全额消纳；三大类清洁能源中，水电装机容量达3 766.02万千瓦，风电为647万千瓦，太阳能达735.25万千瓦，清洁能源占全省电源总容量的比例达60.68%
江西	截至2020年底，全省新能源汽车推广量达8.8万辆，建成交直流充电桩11 257个，车桩比约为1∶8，充电能力150万千瓦，基本可满足全省电动汽车充电需求；不再新增自备燃煤机组，鼓励现有自备燃煤机组改为公用或清洁能源
上海	累计推广新能源汽车42.6万辆，新能源和清洁能源公交车占全部公交运营车辆的67%，已有各类充电桩37.7万个；上海华峰铝业12兆瓦分布式光伏项目正式开建，预计建成后，有望实现年发电量1 200万千瓦时，碳减排1.2万吨/年
江苏	风电、光伏装机将分别达到1 400万千瓦、1 500万千瓦，分别超出“十三五”规划水平40%、88%；以城市公交、出租汽车为重点领域，加大新能源车辆推广力度，新能源营运车辆5.5万辆、清洁能源营运车辆7.5万辆，比2015年分别增长358%、5.6%；在全国率先开展内河船舶应用LNG清洁能源的研究和推广工作，完成24艘LNG动力船舶建造和68艘大吨位船舶LNG动力更新改造，总数占全国LNG运营船舶总数的三分之一
浙江	城市公共汽电车、出租汽车清洁能源化比例分别达82%、81%；2021年4月，与中国长江三峡集团签署合作备忘录，围绕共抓长江大保护、新能源开发利用和清洁能源等重点领域，全面开展合作；基本建成国家清洁能源示范省，能源清洁化水平基本达到国际先进水平
安徽	2020年新能源汽车产销量达到15万辆左右；推进城市建成区新增和更新的公交、环卫、邮政、出租、通勤、轻型物流配送车辆使用新能源或清洁能源汽车，使用比例达到80%；推广使用电、天然气等新能源或清洁能源船舶；支持车船和作业机械使用清洁能源

尽管新能源与清洁能源产业在发展过程中受到国家政策的大力支持，但目前长江经济带各省(市)新能源与清洁能源发展仍存在一些制约瓶颈。一是

国内市场刚刚启动，人们在消费新能源产品或应用清洁能源时仍心存顾虑，因而国内需求对新能源与清洁能源产业的拉动作用有待提高；二是企业核心技术自主研发能力弱，部分国产化设备的质量、性能及技术水平与国外同类产品相比尚有差距，许多关键设备依赖进口；三是大部分企业生产规模小、集约化程度低，导致产品生产成本偏高，影响新能源及清洁能源的推广应用；四是目前新能源产业在规划布局时没有很好地与市场结合，而是坚持把区位资源禀赋放在第一位，但是这些地方缺乏足够的市场需求来消纳新能源产出的电量，且由于地处偏远，电力输送、储存等基础设施落后，新能源产业的大量投资回报少，需要依靠国家的补贴维持。2022 年 1 月 30 日，国家发展改革委、国家能源局印发的《关于完善能源绿色低碳转型体制机制和政策措施的意见》强调，要推动构建以清洁低碳能源为主体的能源供应体系，“十四五”时期，基本建立推进能源绿色低碳发展的制度框架，形成比较完善的政策、标准、市场和监管体系，构建以能耗“双控”和非化石能源目标制度为引领的能源绿色低碳转型推进机制。这对长江经济带各省（市）新能源与清洁能源的发展提出了更高要求。

07

第七章

固体废弃物污染防治

随着长江经济带工业化和城镇化的快速推进，固体废物产生量与日俱增，固体废物不当堆存、非法倾倒处置等环境污染事件频繁发生。根据国家统计局近几年发布的《中国统计年鉴》，长江经济带 11 个省（市）三大类固体废物产生量整体呈增加趋势。随着经济社会的发展和人民生活水平的不断提高，未来几年固体废物的产生量或将更高，且更加多样化。因此，禁止在长江流域河湖管理范围内倾倒、填埋、堆放、弃置、处理固体废物，强化县级以上地方人民政府对固体废物非法转移和倾倒的联防联控对于保护长江流域生态环境安全至关重要。2018 年，生态环境部通过了《关于聚焦长江经济带　坚决遏制固体废物非法转移和倾倒专项行动方案》，要求将长江经济带 11 个省（市）作为重点区域，认真排查沿江沿岸固体废物，督促当地政府及时妥善处置，为各省（市）防治固体废物污染、保障公众生命健康提供了依据。

7.1　工业废弃物防治

7.1.1　长江流域工业废弃物种类与特点

（1）长江流域工业废弃物种类

① 根据污染特性划分

长江流域工业废弃物可分为一般工业固体废弃物和危险固体废弃物两类。前者如高炉渣、钢渣、赤泥、有色金属渣、粉煤灰、煤渣、硫酸渣、废石膏、脱硫灰、电石渣、盐泥等，属于常规的工业固体废物，毒性低、不易腐蚀窑体；后者包括有毒的、易燃的、有腐蚀性的、能传播疾病及有较强化学反应的固体废弃物，属于工业有害废物，会对人群健康或对环境造成现实危害或潜在危害。

② 根据废物来源划分

长江流域工业废弃物可分为：冶金废渣，是指在各种金属冶炼过程中或冶炼后排出的所有残渣废物，如高炉矿渣、钢渣、各种有色金属渣、铁合金渣、化铁炉渣以及各种粉尘、污泥等；采矿废渣，是指在各种矿石、煤开采过程中产生的矿渣，包括矿山的剥离废石、掘进废石、煤矸石、选矿废石、选洗废渣、各种尾矿等；燃料废渣，是指燃料燃烧后所产生的废物，主要有煤渣、烟道灰、煤粉渣、页岩灰等；化工废渣，是指化学工业生产中排出的工业废渣，主要包括硫酸矿烧渣、电石渣、碱渣、煤气炉渣、磷渣、汞渣、铬渣、盐泥、污泥、硼渣、废塑料以及橡胶碎屑等。

(2) 长江流域工业废弃物特点

① 从属性层面看，长江流域工业固体废弃物表现出堆存数量庞大、种类繁多、成分复杂等特点，并在时空上具有时间跨度长、事发地点分布随意且邻近环境敏感点、影响范围广等特性，风险防控难度大。非法倾倒、处置、堆存或跨区域转移各种工业固废，将直接导致长江流域水质恶化、区域土壤污染严重等问题。

② 从产生行业看，钢铁、电力和化工行业是长江流域工业固体废弃物的主要来源。长江是天然黄金水道，具有很好的航运优势，长江水道运输成本较低，沿线的重工业城市以及东部民营经济发达的苏南地区布局了大量钢铁、电力和化工企业。而煤炭、金属作为主要原料，使得粉煤灰、炉渣也成为大多数城市最主要的工业固体废物，可见工业固体废物的产生与区域行业分布特征关系紧密。

③ 从地域差别看，长江中上游城市工业固体废弃物的另一个重要来源为具有本地禀赋优势的矿产资源型行业，如云南、贵州、江西、湖南等省具有明显的有色金属、非金属矿物优势，其在开采、冶炼和加工过程中会产生大量的尾矿、粉煤灰、矿渣等工业固体废物；而相对来说，长江下游地区矿物资源比较贫乏，其产生的采矿废渣比重较小。

7.1.2 长江流域工业废弃物处置措施

(1) 坚持精准施策，多部联合发力

① 国家政策引导和支持

2016 年以来，以习近平同志为核心的党中央高度重视固体废弃物污染防治工作，作出一系列重大决策部署(图 7-1)。2016 年 9 月，中华人民共和国工业和信息化部(以下简称工信部)出台《建材工业发展规划(2016—2020 年)》，其中明确提出，鼓励合理利用劣质原料和工业固废，推进生产环节固废“近零排放”。2018—2019 年，国务院办公厅和生态环境部先后出台《“无废城市”建设试点工作方案》《“无废城市”建设试点实施方案编制指南》《“无废城市”建设指标体系(试行)》，公开 16 个无废试点城市，其中包括安徽省铜陵市、重庆市(主城区)、浙江省绍兴市、江苏省徐州市和江西省瑞金市。2020 年 9 月 1 日，修订后的《中华人民共和国固体废物污染环境防治法》施行，进一步强化了工业固体废物污染防治相关的法律责任。2021 年 3 月，国家发展改革委等10部门联合印发《关于"十四五"大宗固体废弃物综合利用的指导意见》，提出到2025年，煤矸石、粉煤灰、尾矿（共伴生矿）、冶炼渣、工业副产石膏、建筑垃圾、农作物秸秆等大宗固废的综合利用能力显著提升，利用规模不断扩大，新增大宗固废综合利用率达到60%，存量大宗固废有序减少。通过国家政策文件的引导和支持，长江经济带各省（市）工业固体废物源头减量与清洁利用技术等方面得到较大发展，工业固体废物综合利用率不断提高。

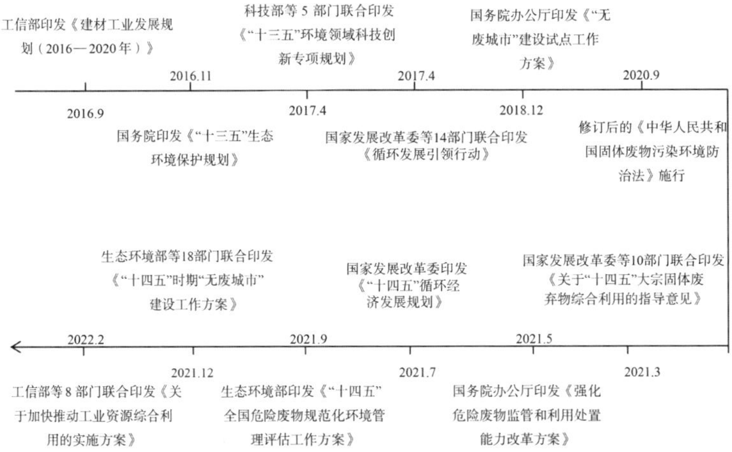

图7-1　国家工业固体废物污染防治重点政策文件

② 各省市政策对标和落实

为贯彻落实国家工业固体废物污染防治相关要求，长江经济带各省（市）以"中央生态环保督察'回头看'"为契机，适时出台多项政策措施，制定工业固体废物资源综合利用评价管理实施细则，推动各级党委政府和相关部门落实环境保护责任，全面推进工业固废污染防治任务，着力解决工业固体废物领域存在的突出问题，工业固体废物利用处置能力、环境监管能力和环境风险防范能力稳步提高。2020年，长江经济带11个省（市）的一般工业固体废物产生量为10.19亿吨，占全国总量的27.7%；危险废物产生量为2 642.86万吨，占全国总量的36.3%。

长江经济带各省（市）工业固体废物污染防治重点政策文件如表7-1所示。

表 7-1　长江经济带各省(市)工业固体废物污染防治重点政策文件

省(市)	发布时间	文件标题	重点内容
四川	2017.6.20	《关于推进工业固体废物综合利用工作方案(2017—2020年)》	以大宗工业固体废物综合利用作为重点,实施一批工业固体废物综合利用示范项目,打造工业固废综合利用和高效利用的产业模式
	2018.11.9	《四川省工业固体废物资源综合利用评价管理实施细则》	引导企业自行或通过中介机构开展资源综合利用评价工作,支持相关企业依法申请税收优惠及产业扶持政策
	2019.4.15	《关于组织开展四川省工业资源综合利用示范基地(园区)企业创建的通知》	以国家、省级工业资源综合利用基地(园区)、企业创建为抓手,加快推动创建一批工业资源综合利用基地(园区)、企业
云南	2019.4.24	《云南省工业固体废物资源综合利用评价管理实施细则(暂行)》	企业可依据评价结果,向税务管理部门申请暂予免征环境保护税,以及减免增值税、所得税等相关产业扶持优惠政策
	2021.9.30	《云南省工业绿色发展"十四五"规划》	打造工业固体废物综合利用产业链,加强产业协同利用;持续完善工业固体废物资源综合利用评价机制,加强第三方评价机构管理
贵州	2019.4.2	《贵州省工业固体废物资源综合利用评价管理实施细则》	企业可依据评价结果,向税务管理部门申请暂予免征环境保护税,以及减免增值税、所得税等相关产业扶持优惠政策
	2021.11.2	《贵州省"十四五"大宗工业固体废物综合利用规划》	坚持创新引领、示范带动、分类施策,强化科技攻关、源头管控、过程控制、协同处置,培育扶持一批带动性、示范性综合利用骨干企业,创建工业资源综合利用基地
重庆	2018.11.15	《重庆市危险废物集中处置设施建设布局规划(2018—2022年)》	以提升危险废物处置能力为核心,建设一批前期基础好、管理水平高的危险废物集中无害化处置设施和水泥窑协同处置工程
	2022.1.27	《重庆市生态环境保护"十四五"规划(2021—2025年)》	全面摸底调查和整治现有一般工业固体废物堆存场所,新建、扩建一批一般工业固体废物处置场;支持工业园区配套建设危险废物末端处置设施
湖南	2018.12.25	《湖南省工业固体废物资源综合利用评价管理实施细则》	企业可依据评价结果,按有关规定申请暂予免征环境保护税,以及减免所得税等相关产业扶持优惠政策
	2019.11.27	《湖南省工业固体废物资源综合利用示范创建工作方案》	推动工业固体废物资源综合利用示范基地(园区)、示范企业建设,开发和推广一批工业固体废物资源综合利用先进适用技术装备及高附加值产品

续表

省(市)	发布时间	文件标题	重点内容
湖北	2021.9.24	《湖北省科技创新“十四五”规划》	加快一般工业固体废物和危险废物的集中处置、化工行业尾矿库及工业固体废物污染治理及综合利用等技术创新
	2021.11.14	《湖北省生态环境保护“十四五”规划》	推动大宗工业固体废物综合利用,有效消纳尾矿、粉煤灰、炉渣、冶炼废渣、脱硫石膏等工业固体废物;强化工业固体废物堆存场所环境整治
江西	2019.3.22	《江西省工业固体废物资源综合利用评价管理实施细则》	企业可依据评价结果申请暂予免征环境保护税;资源综合利用企业可按照现行税收政策规定享受增值税、企业所得税优惠政策
	2021.11.16	《江西省“十四五”生态环境保护规划》	推动大宗工业固体废物源头减量和资源化利用,开展非正规固体废物堆存场所排查整治;持续推进危险废物规范化管理,完善危险废物监管体系
上海	2021.8.6	《上海市生态环境保护“十四五”规划》	支持企业采用固体废物减量化工艺技术,依法实施强制性清洁生产审核;加强重大产业规划布局的危险废物评估论证和处置设施建设,强化危险废物源头减量化和资源化
	2021.9.29	《上海市关于加快建立健全绿色低碳循环发展经济体系的实施方案》	推动产业园区配套建设固体废弃物中转、贮存和预处理设施,推进上海化工区、宝武集团宝山基地等重点园区率先实现“固废不出园”;鼓励化工等产业园区配套建设危险废物集中贮存、预处理和处置设施
江苏	2021.8.16	《江苏省“十四五”制造业高质量发展规划》	加强可循环、可降解材料及产品应用推广,削减工业固体废物产生量;研究制定退役光伏、风力发电装置、海洋工程装备等新兴固体废物综合利用措施
	2021.9.28	《江苏省“十四五”生态环境保护规划》	以大宗工业固体废物为重点,建立健全精准化源头分类、专业化二次分拣、智能化高效清运的一般工业固体废物收运体系
浙江	2019.11.18	《浙江省工业固体废物专项整治行动方案》	以集聚化、产业化、市场化、生态化为导向,全面提升工业固体废物资源综合利用水平,尽快构建从产生、贮存、转运到利用和处置全过程的工业固体废物管理体系
	2021.5.31	《浙江省生态环境保护“十四五”规划》	坚持固体废物减量化、资源化、无害化和治理能力匹配化,以全域“无废城市”建设为载体,统筹推进工业和其他固体废物管理,实现固体废物全过程闭环管理

续表

省(市)	发布时间	文件标题	重点内容
安徽	2018.10.26	《安徽省人民政府关于建立固体废物污染防控长效机制的意见》	按照“控源头、奖举报、查输运、堵落地、严打击、重追责”的总体思路,全面加强固体废物全过程监督管理,压实污染防控责任
	2021.11.9	《安徽省“十四五”危险废物 工业固体废物污染环境防治规划》	完善政策法规标准体系;推动“无废城市”创建;推动源头减量与资源化利用;提升环境监管能力和水平;健全危险废物收集转运体系;统筹设施建设,持续优化结构

(2) 强化源头防控,优化产业布局

① 推进工业固体废物源头减量化

各省(市)积极推行绿色产品设计、绿色产业链、绿色供应链、产品全生命周期绿色管理,形成一批“三废”产生量小、循环利用率高的示范企业和示范园区。对于工业固体废物产生量大、危害性大以及难以利用处置的项目,严格项目准入,从严实施环境影响评价。制定循环经济重点技术推广目录,支持企业采用固体废物减量化工艺技术,依法实施强制性清洁生产审核,降低有毒有害物质的使用,减少固体废物的产生。产生、贮存、利用、处置固体废物的建设项目,必须遵守建设项目环境保护管理规定,建设符合环境保护标准的固体废物贮存、处置场所和设施。

② 优化涉危险废物产业空间布局

各省(市)统筹考虑区域环境承载能力和资源分布,合理确定涉危产业发展布局、结构与规模,加强重点行业建设项目的危险废物环境影响评价。坚持就近、集中利用处置原则,加快涉危产业布局调整,推动工业项目向园区集中,利用园区或周边配套条件加强危险废物利用处置。如四川省结合城市化地区、农产品主产区、重点生态功能区三大主体功能区定位及城市发展规划,选择在成都、德阳、绵阳和攀枝花等条件较为成熟的重点区域、重点行业开展危险废物减量化试点工作,将危险废物源头减量化工作落到实处。

(3) 加强末端处置,拓宽利用渠道

① 提升固废运营管理和技术水平

各省(市)依托国家和地方科技创新平台,充分发挥工业固体废弃物综合利用工程技术研究中心等省级专业研发平台优势,积极引入国内外高校、科研机构等专业团队,建设产业技术创新联盟等产、学、研、用基础平台,加强新技术、新产品、新工艺、新装备的科技研发,突破一批制约大宗工业固体废物综合利用效率提升的关键技术瓶颈。例如贵州省按“先试点、后示范、再推广”的原则，优化技术创新和成果转化模式，推动研发应用了一批用量大、成本低、效益好、技术先进的大宗工业固体废物综合利用技术与装备。此外，部分省（市）引进先进、成熟的运营技术，鼓励市场化建设和运营模式，推广危险废物污染防治最佳可行技术和最佳环境实践，推动危险废物焚烧、填埋等处置企业向规模化发展。

② 拓宽工业固体废物资源化利用渠道

深入推进资源循环利用城市和基地建设，促进固体废物资源利用园区化、规模化和产业化，提升工业固体废物综合利用率。以水泥建材、冶金和环保产业为核心构建工业固体废物综合利用系统，充分利用水泥、建材和冶炼企业消纳粉煤灰、磷石膏渣、冶炼废渣、脱硫石膏等工业固体废物，加大尾矿的综合利用，推进固体废物的“减量化、无害化、资源化”。云南省“十三五”期间打造了4个国家工业资源综合利用示范基地，初步形成了以化工渣、冶金渣、尾矿等大宗工业固体废弃物为主的资源化利用产业链。上海等地开展危险废物“点对点”利用及建设预处理点工作试点，建立危险废物回收利用体系，鼓励和促进危险废物委托处置信息化平台建设，促进了各省（市）大型工业园区内危险废物的有效回收利用。

（4）聚焦闭环监管，严打犯罪行为

① 健全固体废物闭环式监管体系

各省（市）以沿江、沿河、沿湖等区域为重点，对长江干流及主要支流工业固体废物产生、贮存、转移、处置和利用情况进行全面监管。大力推行固体废物监管信息化，持续扩大固体废物管理信息系统的应用覆盖面，推进跨部门、跨层级、跨领域的数据共享和平台互联互通，实现对固体废物全过程闭环管理。建立涉固体废物单位清单，同时督促有关单位在信息化管理平台对危险废物和工业固体废物产生、贮存、运输、利用、处置全过程实行申报登记，并及时动态更新。重庆目前已基本建成固体废物污染防治大数据平台，建立产废单位、经营单位及自行利用处置设施“三张清单”，覆盖企业7 385家，对370家企业实施精细化管理，近3年累计排查相关企业1.95万家次。

② 建立部门和区域联防联控机制

各省（市）生态环境部门加强与公安、交通等部门之间的沟通协作，建立多部门信息共享和联动执法机制，及时共享固体废物跨区域转移审批情况、危险废物转移联单、危险货物（危险废物）电子运单、危险废物违法转移情报等相关信息，定期通报危险废物转移种类、数量及流向情况。建立区域联防联控机制，强化长江流域上下游各级政府各部门协调，加强联合监测、联合执法、应急联动、信息共享，共同应对固体废物跨界污染事件。推进大宗工业固体废物综合利用产业与上游煤炭、火电、化工等产业协同发展，与下游建材、建筑、农业、生态等领域深度融合，开创全产业链、多途径综合利用新局面。

③ 严厉打击固废领域违法犯罪行为

各省(市)生态环境部门根据产业分布结构，重点针对本地区内主要的工业固体废物种类，持续开展工业固体废物专项整治和执法监督行动，严厉打击危险废物非法转移倾倒等违法犯罪行为。强化溯源追查，围绕源头、中介、运输、倾倒、处置等环节全面侦查取证、深挖扩线，对参与犯罪行为的组织者、经营者、实施者、获利者等所起的作用均要查清、查实、查透，坚决摧毁犯罪网络、斩断利益链条、严惩犯罪分子。对于排查发现的非法倾倒固体废物，督促各地生态环境部门会同相关部门组织开展核查、鉴别和分类等工作，根据环境风险程度确定优先整治清单。对排查出的固体废物堆放倾倒点，督导市县两级地方人民政府迅速查明来源，落实相关责任，限期完成处置工作。“十三五”期间，各省(市)始终对工业固体废物违法犯罪行为保持高压态势，开展有效防范，化解了一系列固体废物污染环境风险。

7.2 生活废弃物防治

7.2.1 长江流域垃圾分类进展

2017 年 3 月，国家发展改革委、住房和城乡建设部(以下简称住建部)发布《生活垃圾分类制度实施方案》，要求在全国 46 个城市先行实施生活垃圾强制分类。2019 年 4 月，住建部、国家发展改革委、生态环境部等 9 部门联合印发《住房和城乡建设部等部门关于在全国地级及以上城市全面开展生活垃圾分类工作的通知》，要求自 2019 年起，全国地级及以上城市全面启动生活垃圾分类工作，到 2025 年，全国地级及以上城市要基本建成垃圾分类处理系统。为全面贯彻落实党中央、国务院关于生活垃圾分类的决策部署要求，近年来，长江经济带各省(市)加快推进城乡生活垃圾处理设施建设，强化城乡生活垃圾全过程系统治理，全面提升城乡生活垃圾无害化处理和资源化利用水平，长江流域垃圾分类工作取得较大进展。2020 年，长江经济带 11 个省(市)生活垃圾清运量为 9 767.3 万吨，占全国总量的 41.5%；除重庆市和贵州省，其余省(市)生活垃圾无害化处理率均达 100%。

长江经济带各省(市)垃圾分类进展如表 7-2 所示。

表 7-2　长江经济带各省(市)垃圾分类进展

省(市)	主要进展
四川	"十三五"期间深入实施生活垃圾分类，开展有害垃圾分类投放试点，县城生活垃圾无害化处理率达 99.8%，较 2015 年提高 17.7 个百分点；2021 年城市生活垃圾回收利用率达 33%
云南	"十三五"期间全省新增环卫运输车辆 3 018 台，生活垃圾收转运能力达到 20 931 吨/日，设施处理能力达到 26 286 吨/日，处理能力比 2015 年增加 10 008 吨/日；生活垃圾分类收集覆盖率达到 90%，所有地级及以上城市已启动生活垃圾分类工作；全省建成厨余垃圾处理设施 4 座，累计厨余垃圾处理能力 400 吨/日
贵州	目前已实现县城以上城市生活垃圾处理设施全覆盖，837 个建制镇中有 695 个建成生活垃圾转运设施；截至 2020 年 6 月底，全省生活垃圾处理设施达到 101 座，日处理能力 2.4 万吨；2021 年新增生活垃圾焚烧发电处理规模 5 100 吨/日
重庆	截至 2020 年底，全市运行生活垃圾一次转运站 796 座，总转运能力 3.33 万吨/日，运行生活垃圾二次转运站 3 座，总转运能力 1.29 万吨/日；运行生活垃圾处理设施 59 座，总处理能力 2.85 万吨/日；共有建筑垃圾处理设施 108 座，无害化处理建筑垃圾 1.04 亿立方米/年；生活垃圾无害化处理率保持 100%，焚烧处理比例达 56%，处理技术逐步由卫生填埋向焚烧处理转变；2020 年全市资源化处理餐厨垃圾 90 万吨，餐厨垃圾资源化处理水平全国领先
湖南	2020 年，长沙市基本建成生活垃圾分类处理系统。其他地级城市实现公共机构生活垃圾分类全覆盖；2021 年，全省地级城市餐厨垃圾处理设施全覆盖，并协同处理厨余垃圾，设市城市生活垃圾焚烧处理能力占无害化处理总能力的比例达到 55%以上
湖北	"十三五"期间建成生活垃圾末端处理设施 155 座，生活垃圾处理能力达到 4.97 万吨/日
江西	2021 年，全省新增生活垃圾焚烧发电设施 9 座，新增日处理能力 0.64 万吨，总数达 38 座，日处理能力 3.245 万吨；新增厨余垃圾集中式处理设施 4 座，新增日处理能力 640 吨，总数达 30 座，日处理能力 1 683 吨；2022 年 3 月 1 日起，《江西省生活垃圾管理条例》正式施行，江西省全面进入强制垃圾分类时代
上海	2019 年 7 月 1 日起，在上海必须依法进行垃圾分类，个人混合投放垃圾，最高可罚 200 元，单位混装混运，最高则可罚 5 万元；2020 年，上海居住区、单位垃圾分类达标率均达 95%，可回收物回收量平均每天达 6 375 吨，同比增长 57.5%；有害垃圾收运量每天达 2.57 吨，同比增长 3 倍多；湿垃圾收运量每天达 9 504 吨，同比增长 27.5%；干垃圾处置量每天为 1.42 万吨，同比减少 20%
江苏	截至 2020 年底，生活垃圾处理设施达到 97 座，日处理生活垃圾 8.94 万吨，其中焚烧处理占比超 80%，居全国第一

续表

省(市)	主要进展
浙江	“十三五”期间,城镇生活垃圾处置结构不断优化,焚烧和餐厨垃圾处理能力大幅度提升,全省生活垃圾基本实现“零填埋”,走在全国前列;农村生活垃圾分类处理行政村覆盖率达85%
安徽	2021年底前,全省所有设区市建成运行厨余垃圾处理设施;2022年5月1日起,《安徽省生活垃圾分类管理条例》正式施行,安徽省全面进入强制垃圾分类时代

当前各省市生活垃圾分类和处理取得初步进展,但在诸多方面仍存在短板,难以满足新时代生活垃圾分类工作的要求。

(1) 生活垃圾资源化利用率仍然偏低。虽然近年来各省市垃圾焚烧设施能力发展迅速,厨余垃圾处理设施建设取得一定成效,但目前生活垃圾采取填埋方式处理的比重依然较大,生活垃圾资源化利用率仍然偏低,渗滤液大量蓄积不达标排放情况突出,填埋作业不规范、防渗系统功能缺陷、填埋气收集导排处置不安全等问题频繁出现,对周边水环境、土壤环境和大气环境构成较大威胁。同时,各省市生活垃圾可回收物回收利用企业普遍存在“小、散、乱、污”现象,回收利用水平低的局面仍未实现根本扭转。

(2) 现有收转运和处理体系难以满足分类工作要求。垃圾分类是生活垃圾的基本发展方向,许多省市过去长期形成的垃圾收转运和处理体系都是按照垃圾混合处理要求进行建设的,不符合垃圾分类投放、分类收集、分类运输和分类处理要求。随着垃圾分类工作的持续深入推进,前端分类投放效果日渐显现,但与此同时后端分类收集、分类运输和分类处理体系规划建设滞后,“先分后混”现象突出,无法满足经济社会发展需要。

(3) 区域发展不平衡状况依旧突出。不同地区间发展差距依然较大,制约了长江经济带城乡生活垃圾分类处理的整体水平。一是部分地区无害化设施能力依旧不足,建制镇生活垃圾无害化处理尚未实现全覆盖;二是各地推进垃圾分类工作进度不一,除全国第一批实施生活垃圾强制分类的试点城市以外,其他地区多数处于前期摸索阶段,垃圾分类政策措施千篇一律,没有做到因地制宜;三是人口稀疏、位置偏远等特殊地区,受经济条件、人口数量、运输条件等限制,尚未探索出与当地经济发展水平相匹配的经济适用型垃圾焚烧处理模式。

(4)体制机制仍存在不协调、不健全等问题。一是环卫市场开放程度仍有待进一步提升,部分地区垃圾前端收集运输、填埋设施运营管理等领域仍未真正实现市场化、专业化运作；二是居民生活垃圾减量化激励机制尚不健全，垃圾处理费征收难度大，目前仍由地方政府承担垃圾处理主要的成本支出，地方财政补贴压力较大；三是第三方服务市场监管机制不健全，低于成本价中标、权责不清晰或不对等、治理信息公开不及时、监管不到位等情况时有发生；四是标准规范体系不完善，垃圾分类相关标准缺失，缺少厨余垃圾收费运营相关指导意见，渗滤液达标纳管排放存在标准障碍；五是垃圾跨区域清运及处理实施难，跨区域协同处置机制不顺畅。

7.2.2 长江流域垃圾分类长效措施

(1) 加快建成生活垃圾分类和处理系统

各省(市)对标国内先进水平，推广上海、厦门等城市生活垃圾分类工作实践经验，因地制宜建立生活垃圾分类和处理系统。

① 科学设置分类投放设施。按照城市《生活垃圾分类标志》(GB/T 19095—2019)规定，统一垃圾分类标识，根据可回收物、有害垃圾、厨余垃圾、其他垃圾“四分类”要求，以简便易行、规格适宜、数量适当等原则合理布局居住社区、商业区和办公场所的生活垃圾分类收集容器、箱房、桶站等设施设备。

② 加快配套分类运输系统。建立与生活垃圾分类、回收利用和无害化处理等相衔接的运输体系，配备满足“四分类”需求、密封性好、标识规范、节能环保的专用收运车辆。积极推行市容环卫市场化，提升环卫作业企业收运装备标准。逐步推行“车载桶装、换桶直运”等密闭、高效的厨余垃圾运输系统，淘汰敞开式收运设施。加大对运输环节的监管力度，严控装车运输过程中的“抛洒滴漏”，防止生活垃圾“先分后混”“混装混运”。

③ 加快建设分类处理设施。鼓励生活垃圾处理产业园区、资源循环利用基地等建设，优化技术工艺，统筹处理不同类别生活垃圾。科学预估本地生活垃圾产出水平，按适度超前原则，加快推进以清洁焚烧为主要方式的处理设施建设，合理布局生活垃圾焚烧飞灰处置设施。同时，鼓励利用既有生活垃圾处理设施用地建设生活垃圾焚烧项目。

(2) 实现垃圾分类与资源利用的高效衔接

① 推进生活垃圾源头减量。单位、家庭和个人应当依法履行生活垃圾源头减量和分类投放义务，承担生活垃圾产生者责任。推行生态设计，提高产品可回收性，推广使用清洁产品和用品，鼓励和引导实体销售、快递、外卖等企业严格执行限制商品过度包装的有关规定。落实国家有关塑料污染治理

管理规定，禁止或限制部分一次性塑料制品的生产、销售和利用，推广使用菜篮子、布袋子，推进环保纸袋替代塑料包装袋。旅游、住宿等行业推行“不主动提供一次性用品”活动。提倡绿色生活，制止“餐饮浪费”，倡导“光盘行动”，引导消费者适量消费。提倡绿色办公，鼓励使用再生纸制品，加速推动无纸化办公。

② 加强分类处理产品资源化利用。积极推广废旧商品回收利用、焚烧发电、生物处理等生活垃圾资源化利用方式，研究推进生活垃圾资源化产品应用，促进生活垃圾处理产业化发展，打通垃圾资源化利用出路。鼓励因地制宜地选用厨余垃圾处理工艺，着力解决堆肥、沼液、沼渣等产品在农业、林业生产中应用的“梗阻”问题，支持在公共绿地、公益林的土壤改良中优先使用厨余垃圾资源化利用产品。推进城市生活垃圾中低值可回收物的回收和再生利用。

(3) 推动全民参与

① 加大宣传力度。大力开展生活垃圾分类和治理工作宣传，倡导绿色健康生活方式，普及生活垃圾分类知识，提高全社会认识水平，激发群众自觉参与。注重典型引路、正面引导，全面客观报道生活垃圾分类政策措施及其成效，营造良好舆论氛围。统筹居(村)民委员会、业主委员会、物业单位力量，加强生活垃圾分类宣传，普及分类知识，充分听取居民意见，将居民分类意识转化为自觉行动。

② 从社区抓起。着力构建“纵向到底、横向到边、共建共治共享”的城乡治理体系，以建立和完善全覆盖的社区基层党组织为核心，以垃圾分类为载体，通过分片包干、“路长制”等模式，探索建立“以块为主、条块结合”的“市、区、街道、社区”四级联动的工作体系，充分发挥社区自律作用，发动群众共谋、共建、共管、共评、共享，广泛开展“美好环境与幸福生活共同缔造”活动，深入推进生活垃圾分类工作。

③ 调动社会力量。广泛动员并调动社会力量参与生活垃圾分类，鼓励产品生产、实体销售、快递、外卖和资源回收等企业积极参与生活垃圾分类工作，主动开展社会服务。鼓励探索运用大数据、人工智能、物联网、互联网、移动端 APP 等技术手段，推进生活垃圾分类相关产业发展。鼓励采用“积分兑换”“绿色账户”、荣誉奖励等激励形式引导居民实施分类投放。积极开展生活垃圾分类志愿服务行动和公益活动，加强生活垃圾分类的引导和监督。

(4) 完善配套政策

① 加快生活垃圾管理立法。严格落实《中华人民共和国固体废物污染环境防治法》《中华人民共和国清洁生产促进法》《中华人民共和国循环经济促进法》等相关法律法规规定，加强产品生产、流通、消费等过程管理，减少废物产生量和排放量。加强法治和政策制度建设，积极推进省级层面城市生活垃圾分类管理立法工作，设区市加快出台生活垃圾分类的地方性法规、规章，建立健全生活垃圾分类法规体系，将生活垃圾分类处理纳入依法实施、规范实施的轨道，到2025年底前形成一批具有地方特点的生活垃圾管理模式。

② 加强科技支撑。开展生活垃圾分类技术专题研究，推动生活垃圾分类投放、收集、运输、处理等技术发展。建立完善技术标准体系，加强生活垃圾分类处理技术装备研发和集成示范应用，重点解决小型焚烧处理、焚烧飞灰处置、渗滤液处理、厨余垃圾处理等技术问题，构建生活垃圾从源头到末端、从生产到消费的全过程分类技术支撑体系。

③ 健全垃圾收费机制。按照产生者付费原则，建立生活垃圾处理收费制度。根据本地实际并充分征求公众意见，合理制定生活垃圾处理收费标准，体现分类计价、计量收费等差别化管理。鼓励有条件的地方探索提高混合垃圾收费标准，积极促进生活垃圾减量。生活垃圾处理费专项用于生活垃圾的收集、运输和处理等，不得挪作他用。

④ 落实部门职责。各地各部门要将生活垃圾分类作为基层治理的一项重要工作来抓，住房和城乡建设(环境卫生)主管部门充分发挥牵头协调作用，其他相关部门按照职责分工积极参与，加强部门协作联动，推动公共服务、社会管理资源下沉到社区，使生活垃圾分类工作落到基层、深入群众。加强监督考核，建立健全生活垃圾分类工作成效评估机制，将生活垃圾分类工作纳入政府目标管理绩效考核、节约型机关创建和文明城市等群众性精神文明创建的考核评估内容。

7.3 农业废弃物防治

农业废弃物是指在整个农业生产过程中被丢弃的有机类物质，主要包括作物生产过程中的植物残余类废弃物，渔牧业生产过程中产生的动物废弃物，农业加工过程中产生的加工类废弃物和农村生活垃圾等。按其成分，主要分为植物纤维性废弃物(农作物秸秆、谷壳、果壳及甘蔗渣等农产品加工废弃物)和畜禽粪便两大类。狭义的农业废弃物特指秸秆和畜禽粪便。农业废弃物的数量不断增多,大多数没有被作为资源利用,随意丢弃或者排放到环境中,对生态环境造成很大的污染。

近年来,随着农业投入的大幅度增加,我国农业综合生产能力得到明显增强,但这种增强是以环境污染和资源粗放利用为代价的。尤其是在基础设施相对落后的地区,由于缺乏必要的技术、设备,大量农业废弃物无法得到妥善处理,导致废弃物污染事件频频发生,给农业生态安全、居民身体健康造成了严重损害。因此,如何实现农业废弃物资源化利用和无害化处理成为我国生态环境治理面临的重大问题。一种行之有效的解决对策是完善环境治理政策,综合利用管制、激励、教育等措施引导农户参与到生态环境治理工程中来。在这种形势下,许多省(自治区、直辖市)相关部门纷纷将农业生产废弃物无害化和资源化处理、实施乡村清洁工程、强化秸秆还田技术指导、布设农村生产生活废弃物回收点等内容纳入农业生态环境保护条例之中,并逐步将其作为生态补偿的重要内容。

2020 年 4 月修订通过的《中华人民共和国固体废物污染环境防治法》首次将农业固体废物写入法律文件,明确了农业固体废物产生者的回收利用责任,规定相关部门应组织建立回收利用体系,规范其收集、贮存、运输、利用、处置行为,防止污染环境。国家高度重视农业固体废物的处理利用,2020 年中央一号文件《中共中央 国务院关于抓好"三农"领域重点工作确保如期实现全面小康的意见》要求推进畜禽粪污资源化利用。

7.3.1 长江流域农业废弃物种类与特点

(1) 来源

生态环境部颁布的《农业固体废物污染控制技术导则》(HJ 588—2010)界定,农业固体废物指农业生产建设过程中产生的固体废物,主要来自植物种植业、动物养殖业和农用塑料残膜等。农业废弃物也称农业垃圾,按其成分,主要包括植物纤维性废弃物和畜禽粪便两大类,是农业生产和再生产链环中资源投入与产出物质和能量的差额,是资源利用中产出的物质能量流失份额。国家标准《农业废弃物综合利用 通用要求》(GB/T 34805—2017)界定,农业废弃物指农业生产和加工过程中废弃的生物质,包括种植业废弃物、林业废弃物和养殖业废弃物。2020 年修订的《中华人民共和国固体废物污染环境防治法》界定,农业固体废物是指在农业生产活动中产生的固体废物,相关条文中明确涉及的农业固体废物包括畜禽粪污、农作物秸秆、废旧农膜，但未对其外延进行详细说明。

农业生产活动是人类有意识地利用动植物(种植业、畜牧业、林业、渔业和副业)，以获得生活所必需的食物和其他物质资料的经济活动。根据《中华人民共和国固体废物污染环境防治法》的界定，农业固体废物源于农业生产活动，其外延非常广泛，既包括种养业直接产生的农作物秸秆、果木剪枝、尾菜烂果、畜禽粪便、病死畜禽等，也包括农产品初加工产生的果壳、玉米芯、花生壳等，还包括可收回的废旧农业投入品，如废旧农膜、废弃农药包装物、废弃水产养殖网箱等。

(2) 分类

根据中国固体废物分类的一般原则和基本方法，结合农业固体废物自身特点，本书对农业固体废物按照其来源、毒性、组分和形态等进行了分类，主要可分为畜禽粪污、病死畜禽、农作物秸秆、废旧农膜及废弃农药包装物。具体分类方法与主要固体废物类型如表 7-3 所示。

表 7-3 固体废物分类

分类方法	类型	主要成分	备注
来源	农业种植固体废物	农作物秸秆、果木剪枝、废菌包、尾菜烂果等	废旧农业投入品来自农业种植、畜禽水产养殖和农产品初加工的各个环节，一般为塑料或金属类轻工业产品
	畜禽水产养殖固体废物	畜禽粪便、废垫料、病死畜禽、废饲料等	
	农产品初加工固体废物	花生壳、玉米芯、果皮、蛋壳、废羽毛等	
	废旧农业投入品	废旧农膜(地膜、棚膜、菌包膜)、农药包装物、废旧网箱等	
毒性	一般固体废物	秸秆、畜禽粪污、果木剪枝、废旧农膜、病死畜禽等	疫病病死畜禽及其排泄物具有危险特性，环境污染风险大
	危险废物	农药包装物	
组分	易腐有机固体废物	秸秆、畜禽粪污、果木剪枝、尾菜、花生壳等	农业固体废物以有机固体废物为主，既有污染属性也有资源属性
	难降解有机固体废物	旧农膜、农药包装物(塑料类)等	
	无机固体废物	农药包装物(石英类、金属类)、废旧金属机具等	

续表

分类方法	类型	主要成分	备注
形态	固态废物	作物秸秆、果木剪枝、废菌包、废旧农膜、农药包装物、花生壳、玉米芯	农业固体废物以固态废物为主，封存性的液态与气态废物少见
	半固态废物	畜禽粪污、养殖废垫料	

注：危险废物指列入国家危险废物名录或者根据国家规定的危险废物鉴别标准和鉴别方法认定的具有危险特性的固体废物。

按照来源，农业固体废物可分为农业种植、畜禽水产养殖、农产品初加工固体废物和废旧农业投入品等，其中前三类以农业生产活动中自然产生的废物为主，多数为生物质；最后一类废旧农业投入品一般为轻工业产品，与工业固体废物相似，来源于农业生产的各个环节。按照毒性，农业固体废物可分为一般固体废物和危险废物，依据《国家危险废物名录（2025 年版）》，农药包装物属危险废物，危废代码是 900－003－04，但在豁免管理清单明确其收集过程不按危险废物管理。病死畜禽虽未列入危险废物名录，但因其除含有常规病原菌外，还可能含有口蹄疫、炭疽等高致死病毒，具有高危险特性，应进行无害化处理。

按照组分可分为易腐有机固体废物、难降解有机固体废物和无机固体废物，农业固体废物以有机废物为主，尤其是易腐类有机固体废物占绝大多数，难降解有机废物和无机废物一般来源于农业投入品。按照形态可分为固态废物和半固态废物，其中以固态废物为主。（3）特征

农业固体废物来源广泛，外在形态和理化性质差异大，除了具有一般固体废物的基本特征外，也有一些自身特征，主要体现在以下方面。

① 统一来源与类型多样的双重性。农业固体废物全部来源于农业生产活动，但其类型复杂多样，以无毒性废物为主，但也包含有毒性废物，少数属危险废物，如农药包装物；以有机废物为主，也有无机废物；以固态废物为主，也有半固态废物。各类废物适宜的资源化利用和无害化处置技术路径差异大。

② 潜在污染与重要资源的两面性。农业固体废物绝大多数来源于农业种植和畜禽水产养殖，尤其是农作物秸秆与畜禽粪便产生量大，是重要的生物质资源来源，但“用之则利、弃之有害”，若不能妥善处理，均是重大污染源，对土壤、水体和大气均存在污染风险。

③ 全年产生与季节波动的复杂性。农业是经济社会发展最重要的物质基

础，农业固体废物与农业生产伴生，这决定了农业固体废物产生的全年持续性。同时，农业生产，尤其是种植业具有明显的季节性，因此秸秆等农业固体废物的产生量呈季节性波动特征，对于农业固体废物的储存、转运和资源化利用有不利影响。

7.3.2 长江流域农业废弃物处置措施

农户的行为态度能够显著地正向影响其对农业废弃物污染防控的支付意愿。这意味着政府需要更加注重对农户的心理调节和思想引导。可以采取的措施有：强化媒体的舆论指向，加强有关农业废弃物污染方面的报道，树立农民对农业废弃物污染防控的价值认同观念。主观规范对农户农业废弃物污染防控支付意愿的影响则表明，加强示范带动作用是提高农户支付意愿的有效路径。此外，农户对农业废弃物污染防控支付行为的难易程度认知（例如是否具有足够的经济能力）是决定其支付意愿高低的重要因素。可见，要依据当地的经济发展水平，因地制宜地制定农业废弃物污染防控的生态补偿政策。

（1）农业固体废物污染风险

农业固体废物有害成分可通过环境介质对大气、土壤或水体等产生污染，影响生态环境与农业可持续发展，直接或间接危害人体健康。农业固体废物危害环境不但取决于其物理、化学和生物特性，也与储运方式、利用途径和处置措施等有关。

① 农业种植固体废物

废弃物就地露天焚烧情景下，存在大气污染风险和交通安全隐患，引发了广泛关注。秸秆等农业种植固体废物露天焚烧排放的污染物主要包括颗粒物、氮氧化物等。在河流、沟渠等水源地随意堆弃的秸秆、尾菜烂果等腐烂后，有机物和微生物进入水体可造成水体污染。另外，不经好氧发酵处理的废菌包随意堆弃，存在杂菌、虫卵等污染风险。

在处理利用情景下，收储运环节污染风险包括两方面：一是在秸秆捡拾、打捆和转运过程中存在扬尘风险；二是在储存过程中，部分废物腐变后存在有机物或微生物污染水体风险，以及挥发性有机物污染大气风险。转化利用环节污染风险包括燃烧条件下的氮氧化物等常规气体污染物排放风险、厌氧发酵条件下的甲烷泄露和沼液二次污染风险、热解气化过程中的焦油污染风险、堆肥过程中的臭气污染风险、基料化利用中杂菌污染风险等。另外，有研究认为，秸秆直接还田容易携带大量植物病原菌和虫卵，并为其提供适宜的生长环境和营养物质，增加土传病害风险。《中华人民共和国土壤污染防治法》指出，国家鼓励和支持农业生产者综合利用秸秆、移出高富集污染物秸秆。

② 畜禽水产养殖固体废物

废弃物随意堆放情景下，畜禽粪污对水体、土壤和大气均存在污染风险，主要表现在有机物污染、病原微生物污染、抗生素污染、重金属污染、臭气污染和挥发性有机物污染等，尤其是病死畜禽因携带不明病原体，随意丢弃存在重大环境污染风险。

在处理利用情景下，收储运环节主要存在病原微生物和挥发性有机物污染风险，病死畜禽有特殊致病菌污染风险。转化利用环节污染风险包括厌氧发酵条件下的沼气泄露和沼液污染风险，好氧堆肥过程中的臭气（NH_3、H_2S等）污染风险等。病死畜禽焚烧、深埋和化制无害化处置过程中，也存在病原微生物、挥发性有机物和焦油等污染风险。《畜禽规模养殖污染防治条例》指出，染疫畜禽以及染疫畜禽排泄物、染疫畜禽产品、病死或者死因不明的畜禽尸体等病害畜禽养殖废弃物，应当按照有关法律、法规和国务院农牧主管部门的规定，进行深埋、化制、焚烧等无害化处理，不得随意处置。

③ 废旧农业投入品

废弃情景下，废旧农膜对土壤和水体有微塑料等污染风险。农药包装物因具有毒性，属于危险废物，随意丢弃后对土壤、大气和水体均有重大污染风险。

在处理利用情景下，收储运环节污染风险包括：

a. 因地膜田间收集环节还存在技术瓶颈，残留部分对土壤有微塑料等污染风险。

b. 农药包装物在储存转运过程中存在毒性气体污染风险。

转化利用环节污染风险包括焚烧或热解技术条件下的挥发性有机物和焦油污染风险，再生塑料颗粒生产过程中的废气、废水污染风险等。法规文件对废旧农业投入品污染防治也有具体规定，如《农药包装废弃物回收处理管理办法》提出，农药生产者（含向中国出口农药的企业）、经营者和使用者应当积极履行农药包装废弃物回收处理义务，及时回收农药包装废弃物并进行处理。

④ 农产品初加工固体废物

与农业种植固体废物污染风险相似，农产品初加工固体废物在废弃情景下存在就地露天焚烧和随意堆放两类污染风险，其在存储、转运和利用环节与农业种植固体废物的污染风险也基本相同。因农产品初加工产生的固体废物相对比较集中，收集与利用成本较农业种植固体废物低，利用难度小，因此，目前多数农产品初加工固体废物的开发利用较好，处理利用的各个环节存在的污染风险也相对较小。

（2）处理利用体系和路径

① 处理利用路径与模式

在技术应用层面，经过多年探讨逐步积累了一批经济适用的农业固体废物循环应用模式，如基于种养循环的“畜沼果”“畜沼茶”“畜肥菜”等模式，基于土壤改良的“秸炭果”“秸炭烟”等模式，基于区域特点的“1＋N”“1＋N＋N”农业固体废物处理利用等模式。在运行体制机制方面，基于生产者责任延伸制，实践探索了农膜商品服务一体制、农药包装物回收奖励制、使用者押金返还制等，取得了较好的应用效果。

基于上述对农业固体废物基本特征、法规要求和应用模式的剖析，在种养加结合的农业固体废物循环系统中，除农业投入品和病死畜禽进出循环系统外，其他农业固体废物均基本源于并用于循环系统，其基本特征主要体现在以下方面。

a. 分类处理、多措并举：将农业固体废物源头分类，分成生物质类、高风险类和一般塑料金属类，根据不同废物特征，选择适宜的技术路径与措施，进行收集、储存、转运和资源化利用或无害化处理。

b. 统筹兼顾、绿色循环：统筹农业生产和农民生活、农业种植和畜禽养殖、环境保护和社会发展的各方面，通过物质和能量的双循环，实现农业固体废物的资源化利用，获取农业生产的最佳综合效益。

c. 减量回用、精准处置：废旧农业投入品尽可能回收再利用，如减少或杜绝使用一次性农药包装物，推行农药包装循环使用等，规范农膜使用，降低回收难度；对于病死或染病畜禽，尤其是重大疫病畜禽，须精准处置，严防病原体扩散，危害人们健康。另外，由于我国各地经济社会发展水平、自然地理条件、人们生活习惯、农业固体废物产出量等均存在明显不同，需在遵循上述原则和思路的基础上，因地制宜制定农业固体废物处理利用路径。

② 秸秆能源化利用技术

农业生产活动会产生大量秸秆，这些秸秆也给生态环境带来较为显著的压力。如果能够对这些秸秆进行合理的处理，就可以将其转化为能源。结合当前的实际工艺情况来看，秸秆能源化利用技术有很多，这里结合实际使用的技术进行全面分析。

a. 直接燃烧技术

在以前的农业生产活动中，很多农民都会直接在田地里集中秸秆，并进行秸秆的燃烧。这种处理方式虽然比较简单，但是会造成非常显著的生态污染问题。在这种情况下，如果能够将秸秆燃烧用于生活环境，那么就可以较好发挥秸秆的能源作用。目前很多发达国家都开始研究植物秸秆燃烧发电技术，并且也取得了较好成效。比如美国使用农业废弃物等材料的燃烧发电技术，发电设备装机容量已经达到了736兆瓦。但需要注意的是，我国在直接燃烧技术方面与其他国家有差距，主要因为我国在秸秆原材料处理方面存在不足，很难达到秸秆燃烧发电的标准。因此当前我国在秸秆直接燃烧方面的能源化利用，主要集中在家庭和暖房的取暖模块。这也说明了当前我国在秸秆直接燃烧技术方面还存在比较显著的不足，很难取得较好的预计成效，需要在后续时间里加强这方面的探索与研究。

b. 固化与碳化技术

农作物秸秆的质地比较松散，同时能量密度也比较低。利用植物秸秆的这类特性，可以将秸秆废弃物制作成高密度的燃烧棒或者固体颗粒。植物秸秆的燃烧性能就可以得到较好的转变，切实提高植物的燃烧效率，使得植物秸秆转变成为优质能源。除此之外，农作物秸秆经过固化和碳化，自身运输环境也得到了较好改善，同时在使用方面也变得更加安全、清洁与卫生，符合我国可持续发展战略。

c. 液化技术

农作物秸秆中含有非常丰富的有机物，通过使用液化技术也可以将这些秸秆转化为多种有机物的混合溶液。目前我国已经有学者研究了玉米秸秆液化技术，最终将玉米秸秆制作成包含烃类、酚类、酯类等多种有机物的混合溶液。该溶液在经过蒸馏处理以后，可以得到一些140～200 ℃的轻质馏出物，这些轻质馏出物的性能跟柴油非常相近，可以作为发动机燃料的替代物。而200 ℃的重质馏出物经过进一步加工以后，可以形成焦油抗聚剂、抗氧剂、工业杂酚等。但我国在农作物秸秆液化方面的研究起步还是比较晚的，因此很多液化技术都还停留在理论和试点运作层面，并没有进行全面推广。

d. 气化技术

农作物秸秆在被点燃以后，通过控制变量，就能够形成一氧化碳、氢气、甲烷等可燃性气体，特别是在去除焦油和杂质以后，具有非常广泛的应用前景，比如直接用于供热、发电等。我国在1981年就成功研发了稻壳气化发电装置，并且在多年发展过程中实现了较好的技术革新。但目前这套技术在推广使用过程中还存在燃气热值低、焦油量多、温度需求比较高、投入产出效益不高等多种问题，应该在后续时间里进行积极的改善与调整。

③ 家禽家畜粪便能源化利用技术

在农业生产过程中，家禽家畜的粪便也会带来生态环境污染问题，对农村环境体系带来一定的负面影响。但如果能够合理利用家禽家畜粪便，也可以将其转化为可用的能源。

a. 沼气发酵法

我国在沼气发酵法方面的研究起步比较早，在世界范围内也处于前列。当前沼气发酵技术在我国很多地区都已经得到了非常广泛的应用。2007 年时，我国沼气用户就达到了 2 623 万户，同时还建成了养殖场沼气工程 2.6 万处。在后续发展过程中，我国沼气普及率增长速度不断提升，年增长率达到了 17.6%。我国当前已经将沼气发酵法与生态农业实现了有机结合，将家禽家畜粪便、农作物秸秆等农业固体废弃物作为原料，并通过厌氧细菌的分解作用，实现固体废弃物中的有机物在厌氧消化作用下转化为沼气、沼液、沼渣。沼气可以直接作为燃料能源，沼液则可以回归田地实现土地增肥，沼渣则可以用来养鱼。通过这种模式，就可以利用沼气发酵法形成联动养殖业、种植业、渔业等多种产业共存的生态模式，实现农业固体废弃物的有效利用。

b. 焚烧回收热能技术

也可以通过焚烧农业家禽家畜粪便的方式回收热能，实现粪便的能源化利用。在国外发达国家，直接焚烧回收热能技术已经在家禽家畜粪便能源化利用方面取得了较好的成效。而我国目前还没有全面贯彻应用这套技术，同时整套技术也不是很成熟。在后续时间里可以考虑融入沼气的直接燃烧技术，实现热能技术的升级与创新。

(3) 有效技术路径

① 畜禽粪污

围绕收集、处理、终端产品利用等关键环节，促进资源化利用。一是对不能自行处理废弃物的中小规模养殖场、养殖小区及散养户，实行干湿分离，干粪生产有机肥，尿液污水进行发酵处理，完善畜禽粪污收集、堆沤积肥、有机肥加工等设施设备；二是由专业化公司、农民合作社或养殖场成立专门机构，开展农村沼气工程专业化建设、管理、运营，建设原料收集存储和预处理系统、厌氧消化系统、沼气沼肥利用系统、智能监控系统等设施设备，实现沼气高值高效利用，沼渣沼液充分还田或生产商品化有机肥。

② 病死畜禽

围绕收集、暂存、处理等关键环节，促进无害化处理。健全完善病死畜禽收集暂存体系，建设专业化病死畜禽无害化处理中心，配备相应收集、运输、暂存和冷藏设施，以及无害化处理设施设备。有条件的地方探索开展副产品深加工，生产工业油脂、有机肥、无机炭等产品。

③ 农作物秸秆

围绕收集、利用等关键环节，促进多元化综合利用。采取肥料化、饲料化、燃料化、基料化、原料化等多种途径，着力提升综合利用水平。一是各类新型农业经营主体购置秸秆粉碎还田、深松机等设备，促进秸秆就地还田；二是加强专业化养殖企业和饲料企业生产优质粗饲料产品，建设青(黄)贮窖，购置秸秆收割、收集和处理设备、蒸汽膨化设施设备等；三是专业化企业生产固化成型燃料沼气或生物天然气，建设秸秆收集、固体成型或厌氧发酵和提纯设施设备；四是专业化企业生产食用菌基料和育秧、育苗基料，建设堆肥车间，购置秸秆收集、破碎和堆肥等设施设备；五是专业化企业生产秸秆板材和墙体材料，购置秸秆收集、打包和板材生产等设施设备。

④ 废旧农膜及废弃农药包装物

围绕回收、处理、奖补政策制定等关键环节，提升再利用水平。研究制定《农用薄膜管理办法》，完善农业地膜产品标准，提高标准准入，鼓励回收地膜。按照“谁购买谁交回、谁销售谁收集、谁生产谁处理”的原则，实施废弃农药包装物押金制度，探索基于市场机制的回收处理机制，对废弃农药包装物实施无害化处理和资源化利用。

(4) 农业废弃物综合利用模式

① 南方丘陵多雨地区采用“1+N”组合

南方丘陵多雨地区集中在长江以南的广大区域，丘陵山地地形复杂，垂直分异明显，气温较高、雨量丰沛，全年日照 1 600～2 500 小时，人多地少，水热资源丰富，一年四季适宜种植，散养与规模养殖并存。本地区农村环境突出问题是畜禽粪污随意排放、病死畜禽无害化处理不足，可优先采用“病死畜禽无害化处理中心+若干畜禽粪污资源化利用点”模式开展综合治理。

② 南方平原水网地区采用“1+N+N”组合

南方平原水网地区集中在长江中下游区域，地形平坦、土壤肥沃、湖泊众多、水热资源丰富，全年日照 1 600～2 500 小时，一年四季适宜种植，畜禽养殖方式以规模化为主。本地区农村环境突出问题是畜禽粪污、病死畜禽和农作物秸秆综合利用程度不高，可优先采用“病死畜禽无害化处理中心+若干畜禽粪污资源化利用点＋若干农作物秸秆综合利用点”模式开展综合治理。

(5) 政策建议

① 完善政策体系

为更好促进长江流域农业生产废弃物综合循环利用，可从以下三个方面开展工作。

a. 明确农业生产废弃物循环利用、资源化利用的发展定位与农业发展方向，在已有国家、省市支持政策基础上，深入调研，制定针对长江流域不同区域的差异化农业生产废弃物资源化利用政策。如通过政策性补贴鼓励企业采取绿色生产技术标准和手段，减少废弃物的产生，提高废弃物的利用率。

b. 进一步加强资金补贴的力度，调动农户及农业生产企业利用绿色高效农业生产技术的积极性，加强农业生产废弃物资源化利用转移支付资金支持力度，通过调研，设立企业感兴趣的、操作性强的补贴类别及标准并简化申领程序。

c. 针对农业弱质性特点，对融资能力不强的企业给予政策支持与帮助，鼓励其采取先进农业废弃物综合利用技术，实现农业废弃物生产资源化利用。

② 构建产业体系

伴随农业生产力的不断进步和农业科技水平的不断提升，在人与自然和谐共生的理念影响下，农业生产废弃物资源化利用的观念将逐渐深入人心，企业发展、农户生产等活动都将受到巨大影响。而随着农村劳动力不断减少，农业生产集约化、规模化不断增加，传统一家一户的手工农业生产模式将逐步淘汰，高投入、高消耗、高污染的农业生产模式也将逐步退出历史舞台，取而代之的将是绿色、高效、集约、友好的农业生产技术和装备，农业产业也将与第二、三产业深度融合，“六次产业”的发展地位将越来越凸显。

结合市民绿色生态农产品需求和农业观光沉浸式旅游行业的发展，农业已不仅仅是生产行业，更普遍的是通过生产技术的提升与改进，减少污染环境的废弃物产生并提高其利用价值，形成生产与加工紧密结合的新业态。因此，未来的都市型农业将是以第一产业为辅，以观光体验为主，紧密结合加工、生产、销售、包装、策划、文娱等行业，成为一个全产业链的行业。

③ 发展技术体系

农业生产废弃物资源化利用主要得益于农业新技术的研发与创新工作，通过与相关高校合作，进一步加强对专业化技术人才队伍的培养，创新农业废弃物资源化技术研发机制，引入先进农业废弃物资源化生产手段和设备。在农业废弃物资源化利用方面，农业园区的一些企业开始引入生物质发电设备，这些设备能有效提升农产品废弃物资源化循环利用的水平。同时，政府通过设立新技术使用专项补贴资金，引导企业购买使用相关技术与设备，不断激发相应资源化利用企业技术改造的积极性。

④ 培养新型农民

生产力中最活跃的因素是劳动者，新型农民是未来农业的主要参与者，因此，培养懂技术、爱农业、会管理的新型农民尤为重要。

a. 在长江流域设立吸引农业技术人才的鼓励政策，促进农业生产队伍年轻化、知识化，引导外来人口和人才留下来，并致力于培养本地农业人才。

b. 与农林类高校和科研院所合作，加强农业技术推广培训力度，通过科技特派员、大学生村官等形式，将科学技术引入田间。

c. 倡导绿色生产、循环利用理念，引导农民减少废弃物排放，提高其资源化利用率。

08

第八章

长江流域生态改善治理机制创新

8.1 长江流域生态协同治理机制

协同治理起源于 20 世纪 70 年代德国物理学家赫尔曼・哈肯(Hermann Haken)创立的协同学,旨在解决"新公共管理运动"中公共服务碎片化的困境。20 世纪末,英国政府启动的"协同型政府"是协同治理理论首次在国家层面的实践,直接推动了协同治理理论成为全球性共识和新趋向。全球治理委员会认为,协同治理是"各种公共的或私人的个人和机构管理其共同事务的诸多方式的总和",并同时包含了正式的制度约束和非正式的协商机制。协同治理具有丰富的内涵,包括主体间要素的匹配性、利益与目标的一致性、合作调整的动态性、主体行为及关系的有序性以及治理功能的有效性。协同治理强调公共管理主体的多元化、主体间共同参与的自愿平等与协同性,最终目标是促使公共利益的最大化。目前,关于协同治理的研究主要集中于系统背景与产生机制、理论内涵新视角、治理主体间的关系、治理机制与制度构建、治理理论应用等方面。

生态环境是典型的公共产品,而生态环境治理是一个典型的公共管理问题。生态环境的不可分割性和关联要素的多元性决定了生态环境治理必须坚持协同治理的系统思维。20 世纪中后期以来,伴随对环境治理认识的深入,协同治理理论在区域性、流域性生态环境治理领域的应用得到了快速发展,各国从法律法规体系、环境经济政策和激励制度、公众教育等方面开展了多渠道全方位的协同治理探索。密西西比河委员会、保护莱茵河国际委员会(ICPR)统筹协调政府、公众、企业、社会组织各方力量参与到流域治理中,成为全球大河协同治理的成功典范。研究学者们可在此基础上探究长江流域协同治理机制。将协同治理的思想融入《长江保护法》的基本原则,充分体现了流域的山水林田湖草是生命共同体的理念:流域治理应从流域是统一的生态系统出发,开展系统治理。《长江保护法》第三条规定,长江流域经济社会发展,应当坚持共抓大保护、不搞大开发;长江保护应当坚持统筹协调、系统治理。人与流域也是生命共同体,流域生态系统是人类生存发展的物质基础,流域经济社会发展应遵循流域生态规律,不搞大开发。流域的整体性也决定了流域的上中下游、左右岸、河湖关系、河海关系是命运共同体,流域治理应统筹协调多元利益诉求,共抓大保护,构建共治共建共享的流域治理格局。

8.1.1　多主体协同机制

多元主体协同治理是推进国家治理现代化的有效路径。党的十九大报告指出，要加强和创新社会治理，打造共建共治共享的社会治理格局。长江生态环境保护修复要突破政府单一主体治理模式，建立以政府为主导、多元主体协同治理机制，促进国家与地方协同、地方政府协同、政府部门协同、企业协同、社会公众协同，充分发挥各方力量来提升共抓“长江大保护”的整体效能。2021 年 3 月 1 日起施行的《长江保护法》，明确提出建立国家及地方层面的协调机制，极大促进多元主体协同治理新格局构建。

实现长江生态环境治理主体协同的评判标尺是有序度。序变量是决定系统有序度的物理参量，参考系统论及基于序变量的协同度评价理论，政府、企业、社会机构、公众是长江生态环境保护修复的四大主体，可视作四大子系统，子系统按区域、类型又可衍生出多个子子系统。子系统及子子系统被视作不同层级、类型的序变量。长江生态环境治理主体协同由各序变量的协作产生，序变量协同度大小决定了系统演化速率的大小及系统整体的有序度。

（1）政府协同建设

实现长江生态环境多元主体协同治理的核心要义是不同区域间的政府要协同。中央和地方政府应维护中央的权威和信誉，在流域水污染治理方面，中央要统筹规划治理政策和措施，提出治理总体目标，地方政府要认真深入地贯彻落实。这种协同模式不仅要求政府治理政策具有较高的科学性和可行性，而且地方政府如果违反治理目标、不履行具体政策，将面临严格的惩罚，保障了协同治理工作的统一性和高效性，树立了中央政府的权威。另外，还要保障权力的灵活行使。要改变以往上至地方政府、下至基层政府的权力治理模式，实现中央与地方政府的灵活管理，充分尊重地方的发展特点和环境差异性，灵活安排下级政府的职责，保障权力的上下流动。制定相应的法规政策，保证协调工作顺利进行。由于经济发展的不平衡性以及资源的相互竞争，中央政府应该制定相关的法规政策，明确各地方政府的责任，在权力下放的同时对其行为进行一定的约束，只有在一个完善的行政环境中，协同治理才能有秩序地进行。长江生态环境多元主体协同治理的关键抓手是强化机制引领、创新制度设计，从生态环境的治理目标、治理措施、绩效评估等角度全方位厘清多元主体间的协同行为，确定多元主体的运作方式及协同行为的实现路径。

2018 年 4 月 27 日，生态环境部党组决定组建“国家长江生态环境保护修复联合研究中心”，旨在整合优势科研资源，创新科研服务机制，围绕长江保护修复难点开展联合攻关，派驻 58 个专家团队开展驻点城市跟踪研究，推动落实科学治污和精准治污，以科技支撑助力打好长江保护修复攻坚战。为确保长江生态环境保护修复联合研究的协同协作、有序有效，构建基于“伞形＋扇形”耦合架构的长江生态环境保护修复联合研究协同模式，即实现国家级联合研究中心—省级联合研究中心（如四川、重庆、江西省级中心）—驻点工作组的“伞形”协同模式、国家级联合研究中心—驻点工作组的“扇形”协同模式（图 8-1）。联合研究作为一项创新性、协同治理工作机制，两年多来，以科技协同创新为核心，推动长江保护修复的专家资源—信息知识—治理主体—治理目标与措施—考核评估（“五大体系”）系统联动，实现数据资源—智慧知识—责任任务—考核评估—方法质控—联防联控（“六个方面”）有序协同，最大程度地发挥“国家长江中心”科技人才智库的整体效能，提升长江生态环境协同治理能力。

（2）市场主体的协同治理建设

企业是市场的主体，要实现生态环境治理市场协同，就必须实现环保企业与非环保企业的协同。从两个方面对市场主体进行协同治理：一是降低长江流域内环保企业内部交易成本，二是加速建立排污权与产权交易机制。公司内部交易成本过高主要是由于公司内部组织结构不合理，技术落后，交易风险存在较大的不确定性。所以，要实现生态环境协同，就必须优化企业内部治理结构，研发或引进新技术，增加风险确定因素。通过对生态环境进行评价，确定每个企业污染物的最大排放总量，从而确定每个企业的排污权和排放权，并允许此类交易。排污权交易有利于环境友好型企业与非环境友好型企业协同合作。由于受排污权限制，非环保企业对企业的污染物排放进行治理和减排，

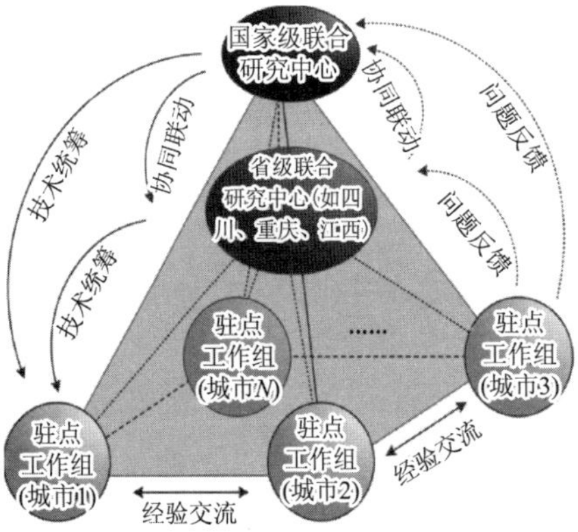

（a）伞形模式

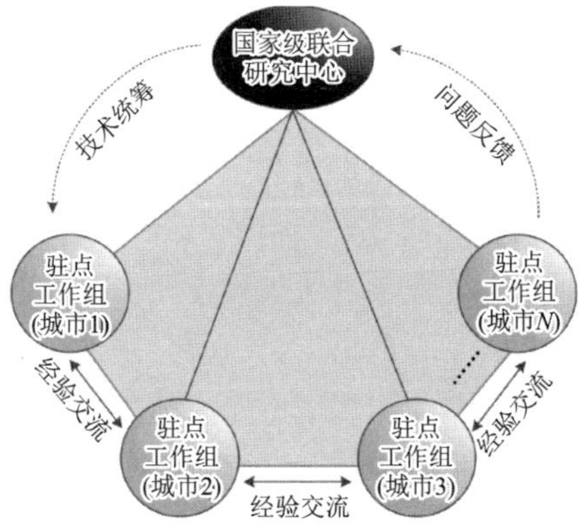

（b）扇形模式

图 8-1　基于“伞形＋扇形”耦合架构的长江生态环境保护修复协同模式

当超过企业规定的排污量时，非环保企业与环保企业进行排污权交易，同时环保企业也从中获取收益，从而建立起环保企业与非环保企业之间合理的协同机制，提高协同治理的效率。

(3) 社会主体的协同治理建设

社会主体的协同治理可以通过提高公众的协同治理能力和环境保护组织的治理能力来实现。提高协同治理能力的具体实施途径包括：加强生态环境保护意识宣传、增强公众环境意识、拓宽公众参与渠道等。而提高环境治理能力主要是通过加强环境保护来实现组织的资源建设，同时注重环境团体和公众的发展并与政府进行有效沟通，聚集民间环境力量，促进协同治理的发展。

(4) 市场、政府和社会间的协同治理建设

一是根据生态文明建设的实际需要，建立部门间工作协调机制。特别是在环保部门与人事部门、财政部门之间建立工作协调机制，使环保部门在处理与生态文明建设有关的事务时，能迅速而有效地从人事部门和财政部门获得所需的人力资源和财力资源。同时，建立环境保护部门与经济部门之间的协调机制，使两者在地方发展过程中能够共商共赢，相互监督，促进生态文明建设与经济建设协调发展。二是整合各部门在生态文明建设中的职能。生态文明建设部门间存在协作问题的一个重要原因是部门之间职能过于分散，要想实现部门间协作，必须有针对性地解决这一问题。应从生态文明建设的实际需要出发，统筹考虑部门设置，对职能相近的部门进行整合，如把发展改革委、水务局、林业局、国土资源局等部门的生态文明建设职能整合到生态环境局，由生态环境局统一规划。开展功能整合工作，有利于生态文明建设的整体规划，增强相关规划的科学性，提高生态文明建设效率，优化最终成果。

8.1.2 多措施协同机制

长江生态环境治理措施是落实协同治理的主要内容，涵盖协同治理过程的方方面面(图 8-2)。

(1) 调整产业分工，完善绩效考核，重构动力机制

国家应尽早出台长江经济区总体产业规划，从“全国一盘棋”的角度考虑长江经济带全流域的产业布局和梯度转移，运用财政补贴、信贷工具、土地供给等多种手段鼓励下游部分逐步失去比较优势的产业向中上游转移，促进产业合作链条在更大范围内的展开；同时严格执行准入制度，实行区域和行业限批制度，确保“腾笼换鸟”过程中不出现污染转移。完善长江航道和沿江高铁等大型基础设施建设，降低区域内的要素流动成本，减少产业转移的阻力。重

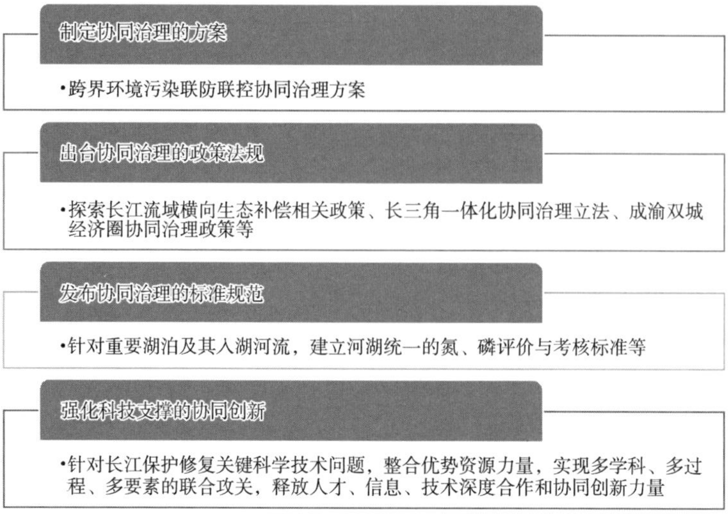

图 8-2　多措施协同治理

构绩效考核制度，将环保考核目标纳入政府官员的任期成绩和晋升依据，加强对重大污染事故的问责制度，对于出现问题的地区实行一票否决制度。改变环保部门的管理体制，逐步在省内垂直管理的基础上实现全国性垂直管理体制。

(2) 加快流域立法，加强沟通合作，理顺协作机制

我国的《中华人民共和国水污染防治法》对流域管理有原则性的规定，但针对长江流域需要进一步细化。因此，需加快制定专门的法律法规，提高规划在流域环境治理中的地位和效力，规范沿长江各省(市)的行为准则，防止地方政府在水环境保护区际合作过程中的机会主义行为，对地方政府的非规范行为对其他地区造成的损失详细规定赔偿的标准。要参考经济发展阶段和水污染防治的目标任务，不断调整相应的经济技术指标，分阶段提高长江流域的防治水平。应借鉴美国田纳西河流域管理局的经验，成立集农业、水利、交通、生态、能源等多方发展与管理功能于一体的综合机构，协同处理长江流域的经济协作和水污染防治问题。同时，可成立长江经济带有关省(市)组成的长江流域合作发展委员会，围绕产业投资、基础设施建设、生态环境保护不定期召开各级别的协调会，增强各地方政府互相信任，提高地方政府参与合作的积极性。

(3) 明确各方权责，改革融资手段，建立补偿机制

首先，要明确河流省市跨界断面，签署政府间水资源保护和发展合作协议，明确双方的权利和义务，提出上下游之间水质水量达到协议标准的激励措

施以及达不到预期目的的惩罚措施。其次，要逐步建立起上下游之间的生态补偿管理办法，对生态补偿原则、补偿主体、补偿对象、补偿内容、补偿标准以及补偿资金的使用、管理和监督等作出详细的安排。再者，要建立多元化流域环境保护投融资机制，除加大中央财政、地方财政、国债资金对环境保护的投入力度之外，还应该通过建立环境保护基金、发行环境保护彩票、引入社会投资等方式扩大环境保护的投资来源。最后，要尽快开始征收环境保护税，相关税收除用于环境治理外，还应用于长江全流域管网建设、河道疏浚等工程建设。

8.1.3 多系统协同机制

从践行“两个维护”、牢固树立“四个意识”的高度，强化政治责任与担当，统筹推进山水林田湖草生态保护修复。工程试点须把修复长江生态环境放在压倒性位置，遵循生态系统的完整性和内在规律，以改善生态环境质量、提升绿色发展水平为目标，构建江河湖库水质优良、山水林田湖草生态系统稳定、人与自然和谐共生的生态安全格局。坚持流域生态系统整体性修复。国家长江流域协调机制统筹协调自然资源部、水利部、生态环境部、住房和城乡建设部、农业农村部、交通运输部、国家林业和草原局等部门，和长江流域省级人民政府共同制定长江流域河湖岸线修复规范，确定岸线修复指标。

(1) 坚持用系统思维推进山水林田湖草的整体保护和修复

① 健全工作机制，提升统筹能力

推进工程试点需创新环境治理路径、方法、技术，坚持规划引领、项目治理、依法监管和政策支持四方面协同发力，形成源头保护、受损修复、破坏追责和制度保障的生态系统综合、长效保护修复体制。强化统筹协调，加强项目全过程管理，健全相关部门、科研机构等联动机制。合理制定片区生态治理综合性解决方案，因地制宜、分类施策、科学治理，确保生态保护修复项目取得显著成效。强化生态保护修复的宣传教育和监管，严格责任追究，夯实企业责任，形成党委统领、政府主导、企业担责和多方参与的协同共治工作格局。

② 坚持用系统的思维和方法推进生态系统整体保护修复

注重山水林田湖草生态保护修复的尺度性、整体性、功能性和均衡性特征，科学谋划项目内容，兼顾短期目标与长远效益，协调生态保护修复与产业发展。发挥居民人力资源优势，组织群众积极参与生态环境、珍稀濒危动植物资源的保护和修复，开展生态系统管护，巩固生态保护修复成效。

③ 坚持问题导向、目标导向、质量导向，健全项目管理制度

坚持问题导向，强化源头治理、科学治理、系统治理，提升项目方案的针对

性、精准性。坚持目标导向，将绩效指标进一步分解到各个项目，强化绩效指标落实情况考核。坚持质量导向，严格项目设计文件技术审核，强化工程质量、竣工验收及生态环境效益的检查考核；将资金拨付与项目设计文件、工程管理及验收质量挂钩，确保资金高效精准投入。完善项目设施运维管理制度，健全资产移交及管理办法、组织保障机制，强化生态系统修复成果管护的主体责任。

(2) 准确识别生态环境问题，突出区域重点攻坚

① 加强生态系统质量调查，准确识别生态环境问题，科学确定治理范围、治理目标和技术方案，提升工程试点整体效益。进一步突出长江流域生态保护修复重点领域，推进三峡库区水源涵养能力提升及水土流失治理、化工企业"关改搬转"及腾退土地污染地块治理修复、超标流域水环境综合整治等工程，加大"三磷"治理、长江水生生物多样性保护、河流湖库自然岸线和湿地的生态修复力度，科学策划矿山环境治理恢复、土地整治与污染修复、生物多样性保护、流域水环境保护治理和全方位系统综合治理修复五方面重点任务，加强对森林、河流、湖库和湿地等重要生态系统的整体保护和修复，构建生态廊道和生物多样性保护网络，全面强化生态系统功能。

② 结合工程实施规划，进一步提高项目策划的针对性和精准性，强化规划措施落地见效，坚持综合施策、标本兼治，加大陆域、水域、滨岸和田间的环境污染治理与修复，开展"散乱污"综合整治，发展绿色生态产业，协同实施超标水体环境治理、生态与景观修复，实现水清岸美、鱼翔浅底。具体措施分两方面，一是开展河湖协同修复，国务院水行政主管部门会同有关部门制定并组织实施长江干流和重要支流的河湖水系连通修复方案，长江流域省级人民政府制定并组织实施本行政区域的长江流域河湖水系连通修复方案，逐步改善长江流域河湖连通状况，恢复河湖生态流量，维护河湖水系生态功能。二是开展河海协同修复，国务院水行政主管部门会同有关部门和长江河口所在地政府按照陆海统筹、河海联动的要求，制定实施长江河口生态环境修复和其他保护措施方案，加强对水、沙、盐、潮滩、生物种群的综合监测，采取有效措施防止海水入侵和倒灌，维护长江河口良好生态功能。

③ 加大攻坚力度，着力破解复杂生态环境难题。采用先进的环境治理、植被恢复及水土保持技术，大力开展三峡库区消落带生态修复、地质灾害防治、森林抚育；提高石漠化地区林草保水保土功能；改善耕作层土壤质量，加大酸化土壤治理力度；实施废弃渣堆资源化利用、酸性矿井水治理、矿区水环境综合整治和受损生态系统自然恢复，推进废弃矿山环境修复。

8.2 长江流域横向生态补偿机制

横向生态补偿是在生态保护过程中，通过采取公共政策或市场化手段，调节生态关系紧密但不具有行政隶属关系的地区间利益关系，使外部性内部化，从而充分调动生态保护积极性的一种重要制度。长江流域横跨19个省（自治区、直辖市），长江经济带横跨我国东、中、西3大区域，覆盖11个省（市），是我国重要的内河经济带，更是生态文明建设的先行示范带。遵循“谁受益、谁补偿”的原则，长江流域大力推进体制机制创新，在建立横向生态补偿机制方面取得了初步进展，今后要继续深化合作共识、完善体制机制、创新补偿方式、强化技术支撑，推动生态补偿向常态化、制度化、市场化、合理化发展。

8.2.1 横向生态补偿的依据与必要性

(1) 长江流域横向生态补偿依据

长江流域地域辽阔，流域上中下游生态资源禀赋不同，主体功能定位和生态功能区划不同，经济社会发展水平不同，利益诉求也不相同。而流域生态服务价值通过空间流转，将流域不同区域、不同利益主体联系起来。从流域功能需求的环境治理角度出发，流域生态补偿实践可划分为流域环境质量改善、流域水源地功能保护两种类型。前者的目的是控制流域污染态势；后者因功能定位特殊，水质要求相对严格，流域流经地区需做出严格保护，因此其目的是强化保护，遏制水质下降。因此，依据流域功能需求不同，可将流域生态补偿划分为一般流域水污染控制生态补偿和水源地保护生态补偿两种类型。

① 一般流域生态补偿

上游腹地大都为流域生态安全屏障的重点生态功能区，资源环境承载能力较差，生态环境保护与修复责任较重，同时又须放弃较多的产业发展机会。下游地区分享了上游改善生态环境付出努力所贡献的成果，按照“谁受益、谁补偿”原则，理应对上游做出补偿。进入生态文明新时代，对长江流域的生态补偿必须在“新发展理念”引导下，树立全流域视角的横向生态补偿观，避免补偿破碎化及政出多门、多头治污、九龙治水的现象，按照国土主体功能区规划，调整优化资源配置，通过横向生态补偿，构建长江流域现代生态产业体系，打造流域生态命运共同体。因此，下游地区受益于上游生态环境保护和治理成果，理应分担起共同大保护的责任，应该对上游生态环境保护和治理所付出的直接成本和机会成本做出补偿。

② 水源地保护生态补偿

水源地因其地理区位、功能区划等原因，其经济基础一般较为薄弱，却担负着供给其他城市饮用水的重要任务。水源地作为受偿方，为了提高自身提供生态产品的能力，会对辖区内的生态资源实施更为严格的管制措施，对企业排污标准的制定也更为严格。为了平衡利益关系，取水行政单位应对水源地提供补偿。水源地区域的居民和企业为了保护流域环境质量，限制了产业发展，减少了污染物的排放，按照“保护者受偿”的原则，理应由取水行政单位向水源地进行补偿。而在我国，一方面下游用水区域较难识别，另一方面上一级政府要对全省的环境质量负责，因此往往由省级政府对水源地区域进行补偿。

(2) 构建长江流域横向补偿机制的必要性

① 完善生态文明制度体系的本质要求

党的十八大以来，作为落实生态文明建设的重要举措，一系列与生态补偿机制建立有关的政策文件密集出台，我国生态补偿机制建立进入关键阶段。党的十九届四中全会对坚持和完善生态文明制度体系，推进生态治理体系和治理能力现代化作出了战略部署，指出要坚决“落实生态补偿和生态环境损害赔偿制度”。长江经济带是我国生态文明建设的先行示范带和生态系统保护修复的创新示范带，2018 年财政部印发《关于建立健全长江经济带生态补偿与保护长效机制的指导意见》，专门就长江经济带生态补偿问题作出制度安排。建立生态补偿机制，不仅是提高长江经济带生态治理能力的本质要求，更能为全国生态补偿机制改革提供重要经验。为深入贯彻习近平总书记在全面推动长江经济带发展座谈会上的重要讲话精神，加快推动长江流域形成共抓大保护的工作格局，财政部、生态环境部、水利部、国家林业和草原局于 2021 年研究制定了《支持长江全流域建立横向生态保护补偿机制的实施方案》，进一步要求长江流域建立横向生态补偿机制。

② 加快流域生态环境治理的客观需要

长江流域横跨我国 19 个省(自治区、直辖市)，流域面积约 180 万平方千米，是我国重要的生态安全屏障，在维护生物多样性、涵养水源、调节气候、保持水土等方面发挥着重要作用。但是进入 21 世纪之后，受人为经济活动和自然气候变化影响，长江生态形势十分严峻。以流域水污染问题为例，水环境污染、水生态破坏和水环境威胁长期并存。一方面，农业和工业生产对水体产生直接影响，磷污染已经成为制约水质改善的核心因素；另一方面，湖库富营养化趋势没有改变，水生生物资源开始出现衰退，湿地生物多样性明显下降；此外，航运干扰、化工围江等现象又构成了严重的水污染威胁。从成因看，水污染与工农业产业布局高度相关，不同类型的污染也在一定程度上呈现聚集状态，如云南玉溪地区、四川岷沱江流域是磷肥、黄磷、磷矿企业的集中区；江苏镇江—南通沿线是含磷农药和磷肥企业聚集区，也是水体中总磷超过《地表水环境质量标准》(GB 3838—2002)Ⅲ类标准值的断面集中区；长江上游汇水区分布众多尾矿库，贵州、四川、重庆布局了大量采矿冶炼企业，给乌江、嘉陵江水污染防治带来了重大安全隐患。这就迫切需要从制度层面推动长江经济带建立横向生态补偿机制，改变过去“保护者得不到合理补偿、受益者未承担破坏成本”的现象，从而倒逼产业转型，提高流域生态保护的主动性和积极性。

③ 促进区域合作实现协同发展的重要手段

长江流域横贯东西、连接南北，流域面积大、范围广、人口多，从上中下游情况看，经济发展层级差很大(图 8-3)。长江干流横跨我国东、中、西部 11 个省(自治区、直辖市)，上游从长江源头至湖北宜昌，占干流全长约 70%，包含青海、西藏、云南、四川、重庆等西部省(自治区、直辖市)，经济发展水平相对落后。中游从湖北宜昌至江西湖口，主要包括湖北、湖南、江西和安徽 4 个中部省份，经济发展水平处于快速提升阶段。下游自湖口至扬子江出海口，覆盖了江苏和上海两地，此区域属我国东部沿海发达地区。上中游发展明显滞后于下游发达地区，经济落后反过来又制约着生产方式的转变，上中游粗放发展在破坏本地区生态环境的同时，也威胁着下游地区的生态安全。科学的生态补偿机

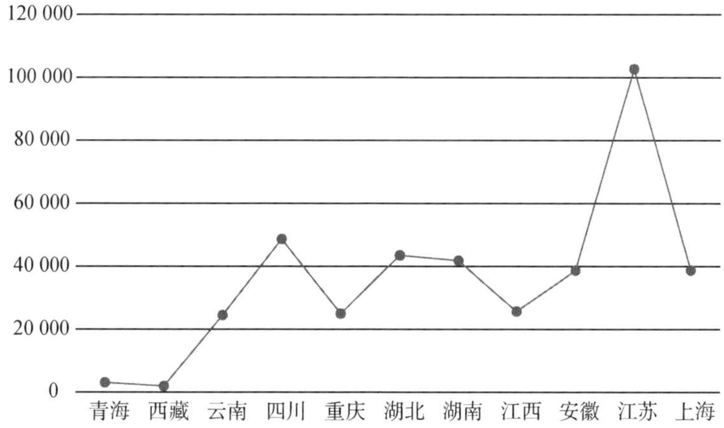

图 8-3　2020 年长江干流流经省(自治区、直辖市)地区生产总值(单位:亿元)

制是建立在高效的管理平台、合作平台和市场平台之上的，因此在推动产业合作、人才流动、技术开发、信息共享等方面有着积极效果。以全国首个跨省横向生态补偿机制试点——新安江流域生态补偿为例，在 2018 年启动的第三轮试点中，浙江和安徽提出由单一的资金补偿向产业共建、多元合作转型，其中就包括推动浙皖旅游深度合作，把“新安江—千岛湖—富春江”一线打造成为中国最美的山水风景带和世界文化旅游目的地，为安徽实现绿色转型和高质量发展注入了内生动力。

8.2.2 横向生态补偿的创新模式

长江流域的典型生态补偿类型如表 8-1 所示。表中的 6 种补偿类型并不完全独立，类型①和类型②是陆域和水域结合，保护对象是综合的，几乎涵盖所有保护对象，属于分块型的综合补偿。几乎所有江河、湖泊源头区都存在水源涵养区，所以，类型①涉及区域较多。类型②一般都包含水源涵养功能，类型①和类型②受益地区包括保护地下游的所有地区，涉及地区多，受益者关系复杂，补偿标准难以确定，所以，过去这类补偿主要是国家和地区财政支持的纵向补偿。类型③和类型④可能存在重复，但受益地区或者主体比较明确，考核指标容易确定。类型⑤是长江大保护的重点，目前实施的 10 年禁渔属于纵向补偿典型案例，但也存在补偿主体过于单一的问题，水电等河道内用水企业是野生鱼类主要影响者，应该作为补偿的出资者，下游的受益地区也应该参与补偿。类型⑥目前尚未开展，但十分重要，因为长江中下游防洪保护区面积大，遇特大洪水，蓄滞洪区必须启用。

表 8-1 长江流域几种典型生态补偿类型

编号	补偿类型	保护事项	涉及范围及补偿主体
①	水源涵养区	林(草)保护、天然水土保持，珍稀陆生动物、植物、自然河流及激流鱼类保护	长江流域范围内有 91 个源头水保护区、14 个国家级水土流失重点预防区和重点治理区，以及多个省级水土流失重点预防区和重点治理区。补偿主体：国家及地方政府、受益企业、下游受益地区
②	自然保护地	生物多样性、世界自然和文化遗产	国家公园、国家和省级自然保护区。补偿主体：国家及省政府、受益企业、下游受益地区
③	集中式饮用水水源地	国家重要水源地	包括三峡、丹江口水库在内的 221 个国家重要饮用水水源地以及县级以上集中式饮用水水源地。补偿主体：国家及省政府、受益企业、受益地区
④	跨界水域	河流水质和生态流量	重点考核长江流域水功能区中的 91 个省界缓冲区(跨省界断面)及跨界水源地的水质和水量。补偿主体：下游受益地区、直接受益企业

续表

编号	补偿类型	保护事项	涉及范围及补偿主体
⑤	水生生物保护	水生生物物种资源保护、水产种质资源保护、重要水生物种生境的保护	38个涉水国家级和省级自然保护区、239处国家级水产种质资源保护区、重要湖泊和生态功能区。补偿主体：国家及省政府、相关企业、受益地区
⑥	重要蓄滞洪区	流域防洪安全	长江流域的42个蓄滞洪区。补偿主体：国家及省政府、防洪保护区

为进一步解决横向生态补偿中的问题，需要引入新型横向生态补偿机制，使得水源区的社会经济发展与生态环境保护相协调，实现水源区流域的社会政治经济关系可持续协调健康发展。针对目前我国实际应用情况和现行的行政补偿管理体制，建议建立以下几种新型生态补偿机制，以便开展相关理论基础研究和实际推广应用。

(1) 多级横向生态补偿机制

多级横向生态补偿机制主要是为有效保护和合理持续利用生态系统，通过公共政策或其他市场经济手段，调节不具有行政隶属关系但又生态利益关系密切的不同地区间经济利益关系的一种制度安排。多级横向生态补偿机制并不是简单的在省(自治区、直辖市)同级政府之间的生态补偿，而是不同的流域、区域及市县等通过各种公共政策经济手段或其他市场化经济手段，逐级在各地之间进行横向生态补偿。

多级横向生态补偿机制的适用范围是水体依次流经行政非隶属关系的市、县、乡等行政区域(其中市位于流域的最上游，县位于中游，乡位于下游)。市因其生产、生活对流经三个行政区域的水体造成污染，给中下游地区的用水带来一定的影响，相应的市与县构成补偿方与受偿方。同时县并未对水体造成污染，一方面，若对流经县的水体进行改善，乡因县改善水体而享受到满足生态要求的环境，则县与乡构成受偿方与补偿方；另一方面，若县未改善水体，乡因水生态环境遭到破坏可向县索要赔偿，此时县与乡构成补偿方与受偿方。补偿方和受偿方明确之后，一级一级地依次进行生态补偿。

(2) 梯级横向生态补偿机制

梯级横向生态补偿机制是将流域内的水按照水价的高低划分为不同的等级，根据等级内的单位水价和用水量相应地进行生态补偿。由于水体受污染程度越大，其恢复到同一标准时所需的成本越高，故补偿费用随着水价和用水量的增加而增加。当上游梯级区域造成水体污染时，不仅提高了相邻梯级区域的治理水污染的费用，还对下游梯级区域造成经济损失，从而上游梯级区域应对下游梯级区域造成的损害进行补偿。

梯级横向生态补偿机制分为两方面：上游对下游实施的上升式的梯级生态补偿和下游对上游实施的下降式的梯级生态补偿。为尽量控制补偿方法对流域水体产生的不利影响，从而更好地协调流域梯级间的利益矛盾，侧重介绍上游对下游的梯级生态补偿，选取用水量消耗与水价补偿相结合的方法对水体受污染的下游梯级区域进行补偿。引入水价机制，根据下游区域内的水体受污染程度，同时结合当地区域的单位水价和所需用水量，以折合水价的方式进行补偿，下游梯级区域所得补偿效益为补偿水价与实际水价的差值效益。

(3) 横向为主、纵向为辅的多元互补机制

横向补偿为主、纵向补偿为辅的多元互补机制是指在发挥政府政策类补偿方式的引导作用的同时，不断激活市场的补偿方式。实现从“输血式补偿”到“造血式补偿”的转变，通过生态补偿实现流域地区的可持续发展。横向生态补偿主要发生在同级实体间，而纵向生态补偿体现在中央对地方之间实施的政策，自上而下地辅助同级实体间形成多元互补机制。

横向为主、纵向为辅的多元互补机制主要通过经济、政策和市场等手段，利用资金补偿、政策补偿等不同形式，解决区域内生态保护和经济发展中出现矛盾的问题。基于横向为主，纵向为辅的多元互补机制，实行资金补偿和政策补偿。资金补偿实施方式主要通过交易等各种市场化经济手段，不同区域地方人民政府间进行地区横向财政转移支付，中央政府对不同地区经济利用纵向财政转移进行辅助。政策补偿通过建立供水区与受水区之间的交流对接，即借助具有资源优势的地方供水区通过对口协作关系弥补发展水平较差的受水区，充分发挥市场在资源配置中的作用，使二者实现生态补偿的根本目的。

(4) 一对多、多对多、多对一的多方补偿机制

横向生态补偿中的补偿者与受偿者之间不存在行政上的隶属关系，经济带中不同的行政区间有可能会出现一个或多个补偿者对应多个或一个受偿者的情况。存在多个补偿者的情况下，需要多方考虑行政区的地理位置和社会经济发展水平。城市临界区域的共享资源应改变单一按面积或者位置远近来确定补偿的方式，朝着按资源利用率或使用价值分配补偿份额的综合补偿方式努力。与此同时，具有较高经济实力及较大行政区划的核心城市应积极带动周边城市参与补偿机制，建立与其经济实力相适应的补偿标准。补偿方面可以依据自身情况制定，如水质净化、栖息地保护、防洪抗旱、景观美化等。完善的补偿管理机制则还需根据资源综合使用情况、自身社会经济发展实力等多方面综合分析考虑，才能真正做到公平公正，明确责任补偿主体。

存在多个受偿者的情况下，需要首先明确受偿主体，排在最前的应该是资源提供最多或者受损最严重的地区。为此需要确定受偿优先等级，等级的划分可以从当地环境现状、经济发展水平、提供资源质量等方面综合考虑。受偿方面与补偿方面对应，由地方政府自主协商以平衡区域的生态效益和经济效益，最大限度地实现资源优化配置。

（5）博弈型补偿机制

博弈型补偿中参与各方在决策后所得到的补偿不仅仅局限于自身决策，而受参与各方策略共同影响。由于生态补偿涉及众多行为主体，每一个行为主体作为参与方，都会根据其他参与方的策略，结合自身实际情况以及当前经济社会环境做出对自身最有利的决策，当参与方中存在利益趋同，形成一个利益共同体时，就会演化成集体的不断博弈，以实现整个群体的得益最大化或达成某种均衡状态。中央政府作为博弈组织者，以补偿奖励或处罚的形式，建立长效的约束机制。

由于生态补偿主体的复杂性，决策需要参与各方沟通交流、磋商谈判，并不断优化策略选择，形成动态演化博弈。按照利益的相关方对流域资源的使用关系，可以分为使用破坏者和保护建设者。使用破坏者在流域资源使用中获得了利益，需要支付生态补偿金，在博弈中可进行补偿或不补偿两种决策；而保护建设者为了保护资源放弃了自身利益，需要获得相应补偿，在博弈中可进行保护或者不保护两种决策。在整个博弈的过程中，所有行为主体的行为和由此造成的效果是相互影响、相互作用的。

（6）多渠道、多种类补偿机制

多种类补偿机制是指在进行横向生态补偿时不局限于资金补偿，既可以通过管理权交易、股权转让等衡量物质价值的补偿方式完善补偿机制，也可以根据政府与市场各部门之间的互动，明确各治理主体的责任，构建多种类融资渠道的补偿机制。补偿与受偿双方通过水权等交易提升自身在行政上的影响力和领导力，有利于社会经济水平提高的同时也激发参与生态补偿机制的积极性。补偿基金基于市场化运作，通过股份投资发展绿色生态，经过一系列的基金募集、转让及管理推动生态项目实施，并且从长远角度来看，区域的对口协作、横向援助等对建立跨区域合作关系意义深远。政府充分发挥引导作用，利用受益区产业发展和科技优势，适当给予一些政策上的优惠，以达到互惠互利、协作共赢的目的。多种补偿机制的完善有利于在生态补偿机制中对生态环境进行多层次、多角度的管理控制，使得参与主体更加紧密地联系合作，实现资源的可持续发展。

8.2.3 横向生态补偿的市场化途径

(1) 长江流域横向生态补偿的市场化潜力

长江流域上中下游的经济增长水平和生态资源分布具有截然不同的特点,长江流域上中下游地区除了经济发展差距明显外,其生态资源的分布也极不均匀。经济增长水平较高的地区生态资源禀赋较低,经济增长水平较低的地区生态资源禀赋则相对较高。根据《长江年鉴(2020)》,上游、中游和下游以林地、森林、活立木蓄积量、湿地和水资源为代表的生态资源总量呈现西高东低的分布特征。上游各类生态资源对长江干流水源涵养、水质维系、水土保持以及生物多样性维护等方面都起着重要作用(表 8-2)。

表 8-2 2019 年长江流域主要省(自治区、直辖市)典型生态资源总量

区域	省(自治区、直辖市)	林地(万公顷)	森林面积(万公顷)	活立木蓄积量(万立方米)	湿地(万公顷)	水资源(亿立方米)
上游	青海	819.16	419.75	5 556.86	814.36	919.3
	云南	2 599.44	2 106.16	213 245.00	56.35	1 533.8
	贵州	927.96	771.03	44 464.57	20.97	1 117.0
	四川	2 454.52	1 839.77	197 201.80	174.78	2 748.9
	重庆	421.71	354.97	24 412.17	20.72	498.1
上游合计		7 222.79	5 491.68	484 880.40	814.36	6 817.1
中游	甘肃	1 046.35	509.73	28 386.88	56.35	325.9
	陕西	1 236.79	886.84	51 023.42	20.97	495.3
	河南	520.74	403.18	26 564.48	174.78	168.6
	湖北	876.09	736.27	39 579.82	20.72	613.7
	湖南	1 257.59	1 052.58	46 141.03	1 087.18	2 098.3
	广西	1 629.50	1 429.65	74 433.24	169.39	2 105.1
	江西	1 079.90	1 021.02	57 564.29	30.85	2 051.6
中游合计		7 646.96	6 039.27	323 693.20	62.79	7 858.5
下游	安徽	449.33	395.85	26 145.10	144.50	539.9
	江苏	174.98	155.99	9 609.62	101.97	231.7
	浙江	659.77	604.99	31 384.86	75.43	1 321.5
	上海	10.19	8.90	664.32	91.01	48.3
下游合计		1 294.27	1 165.73	67 803.90	675.94	2 141.4

注:因数据四舍五入,计算结果有微小偏差。

（2）加快构建长江流域生态补偿市场机制

实现长江流域横向生态补偿的准市场化路径，主要是通过生态补偿市场机制，构建形成政府、社会资本共同参与的多元主体协同补偿模式，促进流域全要素资源流动和绿色发展。近年来，中央及地方政府陆续制定了横向生态补偿的相关政策法规，在一些受益区与生态保护区、流域上游与下游之间已经初步形成协商平台和机制，但生态补偿的市场化体系尚未形成。对此本书提出以下建议。

① 探索编制基于生态补偿的长江流域生态资源资产负债表

流域生态资源资产负债表是反映流域内生态资源资产使用消耗情况的报表，用以解释在一定时期内该流域地区的经济发展对生态环境资源的影响。探索编制基于生态补偿的长江流域生态资源资产负债表，作为考核评价流域省市横向生态补偿权利义务的计量依据。由国家授权的长江流域生态资源监管机构作为编制主体，以流域省（市）对生态资源占有、使用、受益的权益作为其资产、负债和所有者权益的划界，按照该表设置的内容结构，利用监测和统计的数据完成编制，重点是确认计量流域省（市）横向生态补偿的负债和所有者权益。可以采用总表与分表相结合的编制方法，构建流域生态资源资产负债系列报表。用总表反映流域资源资产负债总量，用分表反映流域单一地区生态资源资产负债的价值构成和量值。建立包括实物量表和价值量表的框架体系。实物量表包括生态资源资产期初量、期末量和变化量，反映实物存量（数量）变化情况，提供生态资源资产核算和价值量表编制的数量基础。价值量表用于核算各类生态资源资产实物价值和生态系统服务价值，记录当期生态资源资产价值的变化情况，并作为负债和所有者权益的确认计量依据。报表框架的建构基础是核算账户、核算方法和报表内容结构。

a. 生态资源资产账户

流域生态系统可分为四个组成部分：水生态系统、水陆交错带生态系统、陆地生态系统、综合生态系统。流域生态资源是流域生态系统内所有能被人类的生存、繁衍和发展利用的生态因子总和，包括水资源、湿地、森林等，本报表编制重点关注水资源，具体内容如表8-3所示（暂不讨论综合生态系统）。按流域生态资源具体内容设置一级科目，根据一级科目资源性质进行二级科目分类，同时分设实物型与价值型账户。其中，实物型账户的数据主要来源于资源统计数据、遥感数据、水文数据和土壤数据等；价值型账户将实物数据折算为货币计量的经济指标，以分析流域生态资源资产的价值变化，其数据来源于经济统计数据、大型统计数据库及实物型账户数据。核算方法的选择主要取决于价值型账户，实物型账户采用直接登记法。按资源属性不同，对于在市场上流通的有价资产，如动植物资源和部分土地、水资源等，可采用直接市场法核算，包括生产率变动法、重置成本法、机会成本法和预防支出法。暂无市价的资产运用代替市场法和模拟市场法核算。

表 8-3　报表流域生态资源资产内容

类型	水生态系统	水陆交错带生态系统	陆地生态系统
具体内容	水资源	湿地资源	森林、土地
内容标准	地表水、地下水、水生动物、藻类植物期初期末量及变化量	根据物种多样性，统计两栖动物、湿地植物期初期末量及变化量	森林、陆生动物、植被期初期末量及变化量

b. 生态资源负债账户

生态资源负债账户可按资源保护负债和环境保护负债两类分设一级科目。在资源保护负债类一级科目下，按主体对生态资源消耗补偿和对上游保护生态应分担的成本分别设置二级科目，再根据不同类型资源设置三级科目。其中下游对上游生态保护应分担成本包括上游保护水源及其他资源的投入和放弃相关产业发展的损失，即上下游横向生态补偿。在环境保护负债类一级科目下，应根据不同情形设置二级科目：一是政府有责任为公众提供舒适的生存环境而进行环境保护产生的管理性负债，如藻类治理费、防洪费等；二是因企业或个人行为造成流域内资源损害，企业尚未做恢复行为或已交罚款，由政府代为恢复产生的恢复性负债，如废水废物治理、地表水地下水恢复等；三是流域生态环境污染与政府有直接关系或政府主动承担的一般性负债（表 8-4）。根据流域地区监测或统计数据计算各个项目。保护性负债核算方法有影子工程法、维护成本法、损害评估法等；管理性负债核算采用维护成本法和净现值法等；补偿性负债核算方法主要有意愿支付法、代替市场法；恢复性和一般性负债按实际支出法核算。

表 8-4　报表流域生态资源负债账户分类

<table>
<tr><th>一级分类</th><th>二级分类</th><th>三级分类</th><th>四级分类</th></tr>
<tr><td rowspan="2">资源保护负债</td><td>环境保护负债</td><td>水资源保护
湿地资源保护
森林资源保护
……</td><td rowspan="2">地表水保护
地下水保护
水生动物保护
……</td></tr>
<tr><td>横向生态补偿</td><td>对上游生态补偿
对上游发展补偿</td></tr>
</table>

续表

一级分类	二级分类	三级分类	四级分类
环境保护负债	管理性负债	藻类治理 防洪 ……	……
	恢复性负债	废水废物治理 地表水地下水恢复	
	一般性负债	……	

应根据实际情况，就资源特性和地方政府的重点开发利用进行针对性的设置。负债账户同样需要反映存量变化，设置期初期末值，区分实物量和价值量。实物量主要表示负债的增加量和减少量，能全面、清晰地描述各资源在一段时间内污染物的排放和治理情况，政府能根据这些变化发现生态发展的趋势，做出正确处理。通过价值量量化生态保护责任，可以对资金流向有直观的了解，但其核算比较有难度。

c. 生态资源所有者权益账户

生态资源所有者权益账户主要反映流域生态资源资产总额减去该流域生态资源负债总额后的净值，旨在核算生态资源净资产价值量和国家与地方的所有者权益，账户类型涉及三类：一是流域生态资源占有权益，该权益表示对尚未开发利用和出让的流域生态资源的占有权，这类资源具有一定的生态价值或经济价值，如流域水资源、湿地、天然防护林；二是流域生态资源使用权益，是国家或地方政府为人类生存发展使用开发流域生态资源的权益，如流域水量调度分配权益；三是流域生态资源处分权益（收益权益），即政府授权相关部门将流域生态资源出让给社会组织所获取的权益，包含出让金、资源税等。

数据主要来源于资产和负债价值量账户，以及国家和流域地区统计数据。以流域生态资源资产和负债能够准确计量为前提，按照国家与地方分享流域生态资源资产的所有权进行划分，基本遵循会计恒等式的逻辑关系，以实物量或价值量的计量方法核算所有者权益。

d. 报表内容结构

流域资源资产负债表拟采用实物型和价值型两类表反映流域某一时点的生态资源状况和一定期间的变化。由于流域生态负债属于经济数据，实物型表中只存在资产项目（表 8-5）：期初实物量旨在反映各级政府流域资源和实物存量，如水生动物、地表水容量等；本期变化量用以衡量各流域的生态资源利用恢复情况，该栏可按原因不同细分，如自然生成、人为生产和其他因素等；期末实物量统计剩余资源。实物型账户表示实物变化，单位根据资源项目确定，如平方米、吨等；价值型账户根据实物量计算资源货币价值，单位为万元、亿元。

价值型账户包括资产、负债和所有者权益项目，按照实物数据与市场提供单位数据进行核算转化为经济数据，按期初量、变化量和期末量进行填列，报表左边为资产项目，右边为负债和所有者权益项目，其中资源保护负债和环境保护负债为核算难点，需要依照不同科目建立模型进行分析填列，具体见表8-5。

表8-5 实物型流域生态资源资产负债表框架结构

流域生态资源资产项目	期初实物量	本期变化量	期末实物量
1. 水资源			
1.1 水生动物资源			
1.2 水生植物资源			
1.3 地表水			
1.4 地下水			
1.5 水质			
2. 湿地资源			
2.1 两栖动物			
2.2 两栖植物			
3. 森林资源			
3.1 林木			
3.2 陆生动物资源			
4. 土地资源			
资产合计			

② 加快建立长江流域生态环境保护市场化机制

重点建立长江流域水权交易、排污权交易、林权交易、碳排放权交易等制度及市场体系，形成流域生态资源资产有偿使用制度。在整合设立的长江流域生态资源资产管理机构引导下，通过市场化交易，培育和发展交易平台，完善流域生态资源资产价格形成机制，构建流域生态环境保护市场，形成社会资本投入流域生态环境保护的市场主导机制。

③ 创新长江上下游区域合作与横向生态补偿的产业引导机制

a. 建立长江上下游区域合作资金保障机制

设立由中央、地方政府共同出资的区域合作引导基金，通过基金杠杆放大效应，引导社会资本投入区域合作重点项目。鼓励和支持金融机构发挥资金、智力、产品等优势，在促进区域合作的重大项目建设、合作规划编制、推进产业承接转移等方面发挥积极作用。

b. 创新上下游生态补偿的产业合作与利益共享机制

长江上游重点生态功能区大都是限制开发区，作为长江重要的生态屏障，其横向生态补偿应积极探索承接产业转移和生态扶贫的"飞地经济"园区合作模式，通过委托管理、投资合作、共同组建公司管理园区等多种形式开展合作共建。结合长江经济带发展战略规划，支持建立流域产业链上、下游联动机制，促进产业组团式承接和集群式发展，形成市场主导的生态补偿产业合作与利益共享机制。

c. 创新流域生态补偿项目的PPP模式

积极探索针对流域生态补偿特点的新型PPP模式。在合作机制上，从全流域视角统筹生态环境保护与产业布局发展，建立有中央及地方政府参与的流域生态产业基金，由该基金引导社会资本参与流域生态保护修复及生态产业发展，形成流域生态产业利益共享的合作机制。在合作主体上，可以是中央政府、上下游地方政府、企业、各类金融机构、非营利组织、公众参与的多元主体；在项目回报机制上，谨慎采用政府付费，鼓励采用使用者付费和政府可行性缺口补助，缺口补助应该有财政资金补贴和贴息、税收优惠、地方自然资源与能源等多种形式。

④ 创新流域生态补偿的金融服务

a. 构建流域生态信用评价体系

目前我国缺少生态信用评估体系，致使生态金融措施难以操作。可由中国人民银行、银保监会和环保部等部门联合牵头研究并确定生态信用评级标准和方法，由评级公司对企业和项目进行生态信用评级。

b. 加大对实施生态扶贫的上游地区产业转移的金融支持力度

可考虑由国家开发性和政策性的金融机构设立支持流域上游地区产业转移基金和生态环保基础设施投资基金。同时，鼓励资本市场、商业银行参与支持流域产业转移融资，中央、地方财政予以一定的贴息；支持各类股权投资基金、创业投资基金和其他私募基金参与流域生态产业投资；鼓励融资担保公司和融资租赁公司等开展生态补偿专营业务，金融重点支持生态产业创新升级和传统产业绿色改造转型。

c. 创新发展生态金融产品和服务

创新生态环境权益交易的金融工具，探索流域水权、排污权、林权、碳排放权等生态项目特许经营权及生态工程项目收益权等抵质押融资模式；鼓励发展绿色生态信贷，建立生态金融风险防范机制。

d. 拓宽生态产业融资渠道

支持金融机构和大中型、中长期生态产业项目投资运营企业发行生态项目债券或项目支持票据，提升直接融资能力；积极推动符合条件的企业在多层次资本市场上市（挂牌），支持行业领先企业在资本市场进行融资、并购重组，提高生态产业整体水平；开展天使投资、引导创业投资和私募股权投资，支持以生态项目为核心的企业发展。

8.3 长江流域水生态产品价值实现机制

建立健全生态产品价值实现机制，是贯彻落实习近平生态文明思想的重要举措，有利于走出一条协同推进生态环境保护与经济发展的新路子，促进人与自然和谐共生，践行绿水青山就是金山银山的理念；有利于破解绿水青山转化为金山银山的深层次体制机制障碍，推动生态环境优势持续转化为生态经济优势；是从源头上推动生态环境领域国家治理体系和治理能力现代化的必然要求，对推动经济社会发展全面绿色转型具有重要意义。生态产品价值实现政策背景梳理如图 8-4 所示。

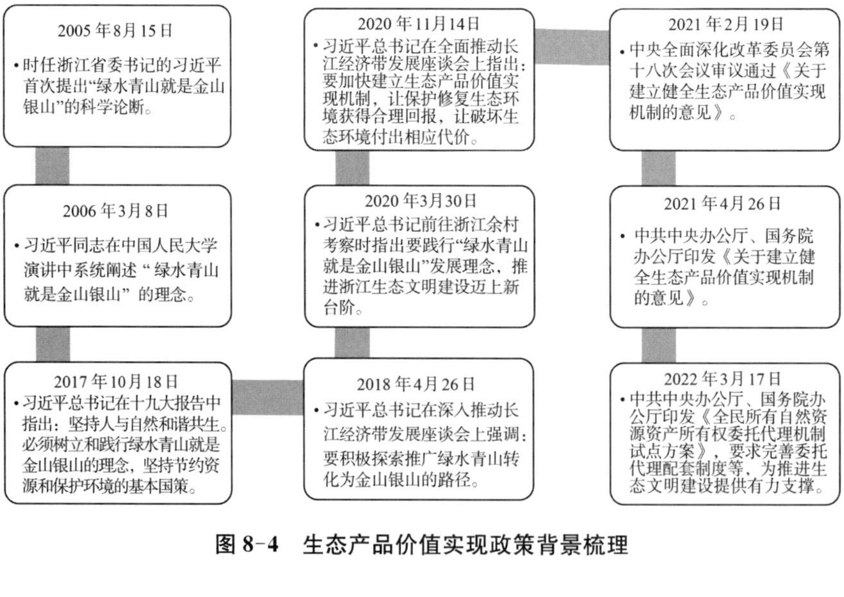

图 8-4　生态产品价值实现政策背景梳理

8.3.1 生态产品价值评估与核算

(1) 生态产品价值实现相关理论

① 资源稀缺性理论

资源的稀缺性是指资源总量相对于人类无限增长的需求来说是有限的。人类对自然的过分索取超出了自然的承载能力,最终导致资源成为稀缺品。随着社会生产和技术的进步,人类开发利用资源能源的条件和能力大于资源能源本身形成的条件和能力,资源的稀缺性逐渐凸显。一方面资源本身在一定时期和一定范围内是有限的,另一方面资源开发利用的技术条件会受到时间和范围的限制和影响。资源的稀缺性问题直到 20 世纪 60 年代才逐渐受到人们的关注,因为从这时期开始,自然资源和生态环境等问题不断凸显,过去人们认为取之不尽、用之不竭的自然资源如清新的空气、干净的水等逐渐减少,品质下降,其稀缺性愈加明显。森林、湿地等生态资源在一定时间内难以完全生成,所以具有一定的稀缺性,这些生态资源的稀缺性很大程度上决定了所产生的各种产品的经济价值的大小。

② 公共产品理论

公共产品就是指能够为全社会人们共同使用的产品的总称,比如公园、广场、空气等。这些物品和资源具有明显的非竞用性和非排他性。非竞用性是指一人使用该公共物品并不影响他人使用该公共物品的数量和质量;非排他性是指一人使用该公共物品不能阻止他人使用该公共物品。湿地、森林、草原等就是公共产品的典型代表。这些公共产品往往可以最大限度地满足多数人的需求,可以体现出这些生态资源和产品的最大限度的经济价值。

③ 外部影响理论

外部影响是指某一经济行为对社会上其他人的影响,也叫外部性。这种影响分为正的外部性和负的外部性。生态产品的外部影响主要体现在两方面,一方面是人类对生态资源进行适度合理的开发,将其蕴含的经济价值和生态价值转化成推动生产力发展和国民经济可持续发展的动力,这是正向的外部性;另一方面是人类过度的开发利用甚至破坏生态产品,则蕴含的经济价值将会大幅减少,生态价值也将丧失殆尽,从而引发一连串负面的连锁反应,影响人类生产生活的方方面面,这就是负向的外部性。生态产品的这种外部性取决于人类本身,只有遵循人与自然和谐相处的原则,走可持续发展的道路,才能最大程度上激发生态产品和服务的价值,造福全人类。坚持生态文明思想,才能真正地保护好生态资源。根据外部影响理论,应当遵循自然规律,只有合理、科学地开发和利用各种生态产品，才能使各种生态产品或服务得到可持续发展，不断实现生态优势向经济价值的转变。

④ 生态系统可恢复理论

生态系统如同生物，其内部的物质和能量随着时间的变化而进行新陈代谢和新旧更替，旧的、落后的被淘汰，新的、先进的被保留，最终处于较为平衡的状态。生态系统这种循环往复的新旧更迭最终又到达稳定，体现了其自我恢复的能力。但这种能力会受到不同外界因素的影响，产生不同的结果。一方面，人类的不合理活动，例如滥砍滥伐、过度开采资源等使得生态系统受到破坏，打破了生态系统原本平衡稳定的状态，使其很难恢复到原来的状态；另一方面，人类可以通过退耕还湖、退耕还草、禁止滥砍滥伐等措施，促进湖泊、湿地、草地、森林等生态系统的恢复和保护，加强其自我恢复的能力。依据生态系统可恢复理论，各种生态产品的价值会随着生态资源的保护而不断增加，也说明了保护和科学利用生态资源和产品对提高生态产品价值的作用和意义。

⑤ 生态资本理论

生态资本是指生态资产中用于进行价值再生产或再创造的部分或全部投入份额。生态资本是能够带来经济和社会效益的生态资源和生态环境，主要包括自然资源总量、环境质量与自净能力、生态系统的使用价值以及能为未来产出使用价值的潜力等。生态资本理论的基本内容包括：必须具有使用价值的自然资源才有可能成为生态资本，从这一点可以看出，并非所有的自然资源都能转化为生态资本；所有符合生态资本条件的人造资源都能成为生态资本，从而扩大了生态资本的界限；具有价值的生态服务也能成为生态资本。

（2）生态产品价值评估与核算方法

生态产品总值核算基于资源经济学、生态经济学、环境经济学与生态系统服务价值核算的理论方法体系，采用遥感解译技术、机理模型、实地监测法、统计分析法、现场调查法等方法，对森林生态系统、湿地生态系统、草地生态系统、农田生态系统等不同生态系统的产品供给服务、生态调节服务和文化服务的实物量和价值量进行核算。其中，供给服务主要包括农业产品、林业产品、畜牧业产品、渔业产品、生态能源等；调节服务主要包括水源涵养、土壤保持、防风固沙、海岸带防护、洪水调蓄、生态固碳、氧气释放、空气净化、水质净化、气候调节和物种保育；文化服务主要包括休闲旅游和景观价值。

参考生态环境部印发的《陆域生态系统生产总值（GEP）核算技术指南》，具体指标的核算方法见表 8-6。

表 8-6　生态产品价值核算方法

服务类别	核算项目	实物量	价值量
供给服务	农业产品	统计调查	市场价值法
	林业产品		
	畜牧业产品		
	渔业产品		
	生态能源		
	其他		
调节服务	水源涵养	水量平衡法，水量供给法	替代成本法
	土壤保持	修正通用土壤流失方程(RUSLE)	替代成本法
	防风固沙	修正风力侵蚀模型(REWQ)	恢复成本法
	海岸带防护	统计调查	替代成本法
	洪水调蓄	水量储存模型	影子工程法
	空气净化	污染物净化模型	替代成本法
	水质净化	污染物净化模型	替代成本法
	生态固碳	固碳机理模型	替代成本法
	氧气释放	释氧机理模型	替代成本法
	气候调节	蒸散模型	替代成本法
	物种保育	统计调查	保育价值法
文化服务	休闲旅游	统计调查	旅行费用法
	景观价值		享乐价格法

以上是对相关生态指标的核算方法，而目前测算生态产品价值的方法主要可归结为 3 种，分别是当量因子法、功能价格法以及“生态元”法。

① 当量因子法

基于不同类型生态系统服务功能，采用可量化标准，构建不同类型的生态系统各种服务功能的价值当量。其优点在于核算的规范性，数据需求量少，核算结果具有横向可比性，缺点在于无法核算区域内具体的生态价值。

② 功能价格法

在明确生态系统类型的基础上划分服务类型，根据各类监测统计数据核算生态系统提供产品的实物量和服务量，并分别与价格相乘，加总得到价值总量。其优点在于供给功能的核算真实，可以专门核算一类土地利用类型的生态价值，缺点为模型参数多，计算量大。

③ “生态元”法

以各类生态资源提供生态服务所需的太阳能值为纽带，分别计算不同类型生态资源拥有的服务价值，最后统一以“生态元”为单位加以表达。其优点在于统一的量纲便于比较，缺点为参数多，核算结果不确定性较大。

8.3.2 生态产品价值实现的模式与途径

(1) 生态产品价值实现的主要模式与相关实践

作为重大国家战略发展区域，长江流域19个省(自治区、直辖市)人口密集，经济实力雄厚。党的十八大以来，浙江省丽水市、江西省抚州市先后被列为国家生态产品价值实现机制试点和试验区。截至2020年底，生态环境部共命名87个“绿水青山就是金山银山”实践创新基地，其中，长江经济带共有40个，占比达46%，生态产品机制实现基础良好。近年来，长江流域各省(市)开展了系列生态产品价值实现探索，取得了积极进展和初步成效，推动了“资源—资产—资本—资金”的转化。生态产品价值实现模式主要分为产业生态型、生态产业型、产权交易型、生态溢价型、生态补偿型以及绿色金融型(图8-5)。

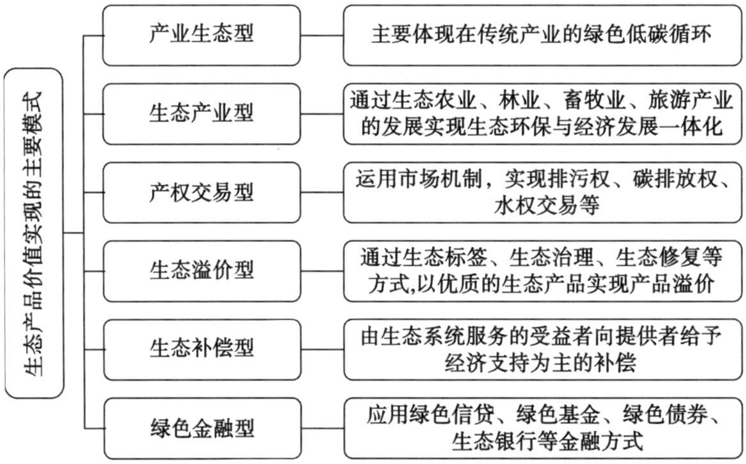

图8-5 生态产品价值实现模式

① 产业生态型

主要体现在传统产业的绿色低碳循环。依托生态资源优势，积极发展绿色生态农业，不仅可以带动农业经济繁荣，而且可以实现农业发展和生态保护的双赢，同时还可以促进农民增收，实现绿色富民。同时，注重如绿色矿山、绿色工厂改造和建设，以及相关生态系统修复和综合治理等。长江流域应当深入挖掘各种“绿色要素”，保护和拯救原生物种，充分发挥多样化物种的互抵性和互补性，增强自然的恢复能力；推进绿色生产，实现投入品减量化、生产清洁化、废弃物资源化、产业模式生态化，增强产业的绿色可持续发展能力。

绿水青山不仅是生态旅游、绿色农业不可或缺的基础，更是一些生态敏感型工业的关键生态要素，从而成为某些高端工业企业布局选址的首要条件。长江经济带要促进生态要素向生态工业品转化，充分利用清新的空气、清洁的水源、适宜的气候等高质量的生态环境，大力发展环境适应性产业，吸引环境敏感型产业，构建“企业—园区—社会”多层次循环体系，培育发展资源循环利用产业（静脉产业），大力发展物联网、医药、电子、光学元器件等对生态环境要求严苛的产业，促进环境敏感型产业与生态环境“共生”发展，以产业收益反哺生态建设，实现保护绿水青山与发展高端产业相得益彰。

② 生态产业型

主要体现在通过生态农业、林业、畜牧业、旅游产业实现生态环保与经济发展一体化。大力发展生态旅游业是实现生态产品价值转化的有效途径，通过将生态修复治理与文化旅游、古村落规划相结合，实现生态景观与生态文化相融合等。长江流域要依托丰富的旅游资源优势和生态优势，推进生态与健康、旅游、文化、休闲相融合，通过发展生态旅游业带动运动休闲、养生保健以及配套的导游、餐饮、购物等多产业、多业态发展。同时，选择生态资源良好的地区，围绕湿地公园、森林公园、自然保护区等生态旅游资源，因地制宜建设一批生态休闲养生基地，积极培育和丰富生态休闲养生产品，打造一批有品牌、有品质、有品位的湖边渔家、温泉小镇、森林小镇、茶叶小镇等生态休闲养生基地，实现生态产品的增值。此外，顺应“互联网＋”新趋势，以生态产品开发、产业化运营等为重点，采用“互联网＋旅游”“互联网＋森林康养”等多种模式，加快发展生态产品电子商务和物联网，实现“线上”与“线下”相结合，打造生态旅游康养带。江苏省苏州市通过发展“生态农文旅”促进生态产品价值实现，坚持生态优先、绿色发展的理念，按照“环太湖生态文旅带”的全域定位，依托丰富的自然资源资产和深厚的历史文化底蕴，积极实施生态环境综合整治，推动传统农业产业转型升级为绿色发展的生态产业。

③ 产权交易型

主要体现在运用市场机制，实现林权、排污权、碳排放权、水权等交易。生态资源的“活化”最终要落脚到交易，将政府主导与市场力量相结合，引导和激励相关利益方进行交易，推动生态资源权益交易。

林权：依托南方林业产权交易所，打造集林产品网上交易、线下交割、林银融合等服务的林业要素交易平台。江西省抚州市出台了全国首部市域统一的《抚州市生态资产交易管理办法(试行)》,建设了市县乡生态资产交易场所,开发了市县乡统一使用的抚州市生态资产交易系统,形成了确权颁证、价值评估、抵押贷款、交易处置闭环体系。其中,东乡区依托政府投资平台,将区域内土地、森林、矿产等自然资源整合打包,形成优质资源资产包,实现经营权抵押、产权交易和规模化交易。资溪县对重点生态功能区域实施"森林赎买",集中进行融资贷款、专业运营管理。乐安县实施了全省首个国际核证碳减排标准碳汇项目,通过"国有林场+公司"模式交易森林面积11.6万亩。

排污权:2018年底,浙江省排污权交易中心在全国率先启动"浙江省排污权交易指数"研究工作,创建了以排污权交易价格指数、交易量指数、交易活跃度指数为核心的排污权交易指数框架体系,其建立的排污权有偿使用、水权交易等制度,为全国生态环保和经济发展提供了有价值的参考。2020年,安徽省《新安江流域水排污权有偿使用和交易管理办法(试点)》施行。排污权交易有助于优化资源配置,推动企业转型升级。

碳排放权:2011年,上海、重庆、湖北成为第一批开展碳排放权交易试点的省(市),随后四川、江西等地也启动本省碳排放权交易试点工作,积累了丰富的经验。一些企业逐渐建立了一套相对完善的碳交易体系,开展了森林、湿地等生态产品碳汇品种等摸索中的创新,作出了先行探索。历经十余年,国内碳市场从分割试点走向统一。2021年7月16日,北京、上海和湖北三个会场连线,共同启动了全国碳排放权交易市场上线交易,为推动长江经济带区域绿色低碳循环发展和"双碳目标"的实现提供了更通畅的平台。

水权:通过构建水资源产权的利益共享机制、共建水资源利用生态补偿机制、构建调水工程开发企业与当地群众的利益共享机制、构建水源区与受水区的利益共享机制,实现南水北调、引汉济渭等调水工程相关区域的可持续发展,使经济利益惠及所有流域系统,保障长江流域调水工程全区域社会经济与水资源生态环境之间的协调发展。从健全水资源资产产权制度和完善水权制度两方面提出长江流域水资源资产产权行使机制。水资源资产产权制度重点在于明确水资源资产管理机构及其职责、建立分级行使水资源所有权的体制、探索实行政府有偿出让水资源使用权、开展水资源使用权确权登记、推行水资源使用权(水权)交易、加强水资源用途管制和水市场监管;水源区水权制度主要通过建立宏观控制指标和微观用水定额体系、确定合理的水权分配方式、做好水量分配方案、建立水权市场及其管理运行机构、制定水权市场管理办法、建立合理有效的水资源补偿机制等来实现。

④ 生态溢价型

主要体现在通过生态标签、生态治理、生态修复等方式，以优质的生态产品实现产品溢价。通过大力发展精品生态农业、林业、牧业和渔业，加强新技术、新工艺、新方法的运用，加快新产品研发，打造绿色品牌，生产满足人们绿色消费的新型绿色产品，通过绿色、生态农产品的市场溢价，实现生态产品价值提升。对于物质类生态产品，如有机农产品、中草药、清洁能源等，采用品牌化方式实现增值，这类生态产品能够直接进入市场体系，转化为货币化的经济收入从而实现其价值。这类生态产品的价值附着在农林等产品之上，在实现过程中，往往走产业绿色化转型发展道路，通过现代化、标准化生产技术应用以及绿色认证、信息溯源，实现品牌化生产经营方式，使得农林产品的生态溢价得到充分体现。农业品牌“丽水山耕”是该种模式的案例，不仅提高了经营性生态产品的溢价率，还助推产业发展，助力农民增收。

⑤ 生态补偿型

主要由生态系统服务的受益者向提供者给予以经济支持为主的补偿。按照“谁受益、谁补偿，谁保护、谁受偿”的原则，实现生态保护地区和受益地区的良性互动，推进生态保护补偿制度建设，充分体现了生态财富观。对于调节服务类生态产品，采用生态补偿方式实现价值，如水源涵养、水质净化、气候调节等，这类生态产品具有明显的外部性，可采取庇古手段或科斯手段，实现外部性内部化。如由政府对生态产品的生产者给予一定的生态补偿，提高其边际私人收益。这一手段在我国公益林保护上已经得到广泛运用，如对公益林产权所有者予以经济补偿；又如生态产品提供者通过产权的初始界定，向该生态产品的正外部性受益者索取收益，目前我国部分地区已经探索河流上下游之间的生态保护补偿机制；再如在明确不同经济主体生态产品权利的基础上，开展不同主体间的生态产品权利交易，促使该权利流向对其评价最高者手中，实现生态产品价值最大化，目前已经得到广泛应用的用能权、碳排放权、排污权等权利交易正是这种模式的具体应用，有效促进了森林碳汇、环境容量(环境介质容纳污染物的能力)等生态产品价值实现。

相关案例如下：

a. 2012 年，安徽和浙江两省在新安江流域实施全国首个跨省流域生态补偿机制试点。目前，新安江流域生态保护补偿试点已经实施了 3 轮，共安排补偿资金 52.1 亿元，其中：中央出资 20.5 亿元，浙江省出资 15.0 亿元，安徽省出资 16.6 亿元。皖浙两省统一“成本共担、利益共享”共识，明确双方责任和义务，流域补偿标准结合治水需要不断完善。皖浙两省还通过对口协作、产业转移、人才培训等方式建立多元化补偿关系，激发生态保护动力，促进流域上下游共同保护和协同发展。从生态补偿实施以来，黄山市将生态补偿项目和培育壮大新兴产业相结合，有效推进"生态补偿腾笼换鸟产业升级行动计划"，"关、停、并、转"高污染、高耗能企业近 200 家，新、扩、改建项目 2 000 多个，大力发展绿色低碳产业，建设现代生态茶园基地近 100 家。

b. 2016 年，江西省与广东省签订《东江流域上下游横向生态补偿协议》；2019 年，江西省与湖南省签订《渌水流域横向生态保护补偿协议》，从高位推动，科学规划，以制度为保障，严格执法，助推保护区流域生态环保治理显成效。

c. 2018 年 2 月，云南、贵州、四川三省正式签署《赤水河流域横向生态补偿协议》，建立首个长江经济带跨省生态补偿机制，三省按照 1∶5∶4 的比例，形成了规模为 2 亿元的赤水河流域生态补偿基金。有了资金保障，赤水河流域生态环境得以极大改变，流域出境断面的水质常年稳定，达到国家地表水Ⅱ类标准，赤水市森林覆盖率提高到 82.51%。

⑥ 绿色金融型

主要体现在应用绿色信贷、绿色基金、绿色债券、生态银行等金融方式。绿色金融型模式主要用于支持资源节约、环境友好和生态保护等生产、消费活动，如江西省抚州市推出的"生态资产权益抵押＋项目贷""古屋贷""畜禽洁养贷"等。而在浙江云和县，选择饮用水源保护区——雾溪乡作为首个"两山贷"试点乡镇，对生态信用积分较高的农户发放享受优惠贷款利率的"两山贷"：一是建立生态信用积分评定制度，将"认养水源涵养林""参与生态保护主题活动""履行垃圾分类"等 20 项内容纳入正面清单，将"违规排放""盗取、开采林木""违规使用农药"等 19 项内容纳入负面清单；二是依据生态信用积分，将贷款政策划为 5 个档次。其中，"基础档"贷款利率较普通信用贷款至少低 40 个基点，"先进档"至少低 60 个基点，"榜样档"至少低 90 个基点。据统计，10 万元以下的"两山贷"加权平均利率比省级信用村享受的贷款利率低 40 个基点、比普通贷款利率低 270 个基点。"两山贷"既满足了当地村民搬离水源地后生产生活的融资需求，也强化了村民保护水源意识。截至 2020 年末，丽水市"两山贷"余额达 3.32 亿元。

（2）生态产品价值实现路径

生态产品价值实现路径可分为政府路径、市场路径、社会路径三类（表 8-7），政府路径是指以政府作为主要参与者，协助实现生态产品价值转化的路径；市场路径是指通过市场化手段，直接或间接进行生态产品价值实现；社会路径则是指通过行业协会机构、自律性组织参与实现生态产品价值转化。

表 8-7　生态产品价值实现路径

名称	分类	具体方式
政府路径	政策支持	林权抵押政策、国家特许经营政策等
	财政补贴	财政转移支付、生态补偿等
	技术支持	就业安排、无偿高新技术培训或咨询等
	财税补贴	环境税、污染税等
市场路径	直接交易	直接在市场中参与交易
	权属交易	碳交易市场、水权交易市场等
	绿色金融	湿地银行、森林银行、绿色基金等
	生态产业化	改变零散生产方式，进行集约化、高效化生产
	产业生态化	优化产业结构，转变生产方式
社会路径	生态标志	森林认证体系认可计划(PEFC)、国际有机认证服务机构(IOAS)等
	生态倡议	参与联合国提出的《2030 年可持续发展议程》等

① 政府路径

我国生态产品价值实现以中央与地区、地区与地区之间的生态补偿为主，辅以政策支持、技术支持、财税补贴等。从政策支持角度看，政策支持包括产业政策、土地优惠政策、财政金融优惠政策等。《中央对地方重点生态功能区转移支付办法》《关于加快建立流域上下游横向生态保护补偿机制的指导意见》《关于完善主体功能区战略和制度的若干意见》等文件的颁布，促使各地均对生态补偿制度做出不同的实践。“国家公园特许经营制度”在不破坏生态环境的前提下，提高了国家公园内自然资源的经营利用水平，既能缓解财政压力，又能发挥生态系统服务的福祉功能；“三线一单”(生态保护红线、环境质量底线、资源利用上线和生态环境准入清单)制度减缓了中国生态环境的恶化；浙江省丽水市探索“政府采购生态产品机制”，对年度生态系统生产总值增量较大的乡镇予以生态产品价值增值奖励，以激励人们探索创新生态产品价值实现路径的积极性。

② 市场路径

2018 年，习近平总书记在推动长江经济带发展座谈会上首次提出形成市场化运作的生态产品价值实现路径，但目前市场化路径发育尚不成熟。生态产品价值实现的市场化路径包括直接交易、权属交易、绿色金融(湿地银行、森林银行、绿色基金、绿色期权、债券、信贷等)、生态产业化、产业生态化，其中农林产品、副产品等权属明晰的生态产品可直接在市场上交易，而现阶段权属还不够明晰，但未来可通过先进的技术手段辨明权属的生态产品（碳汇、水权等）则可通过权属进行交易。建立森林银行等金融机构，将生态资源资本化，实现生态产品价值转化。2018年，福建省南平市顺昌县借鉴商业银行分散式输入与集中式输出的模式建立"森林生态银行"，搭建起资源到资产和资本的转换平台。浙江省衢州市柯城区"一村万树"项目，为绿色金融（期权模式）提供了一个新型实现路径，即由企业、机关事业单位、社会团体、家庭或个人出资认购一定数量的珍贵树木资产包或期权单位，认购方享受约定时限期满后的资产处置权。2020年7月，首个国家级绿色投资基金"国家绿色发展基金"在上海成立，表明了绿色金融的市场化路径形成雏形。

③ 社会路径

社会路径以生态标志、PPP合作为主。2019年，国务院办公厅印发的《关于深入开展消费扶贫助力打赢脱贫攻坚战的指导意见》指出，我国要加快农产品标准化体系建设，鼓励贫困地区制定特色农产品地方标准，开展标准化生产，全面提升贫困地区农产品供给水平和质量。企业积极加入雨林联盟认证（Rainforest Alliance，RA）、森林认证（Forest Stewardship Council，FSC）、日本有机农业标准（Japanese Agriculture Standard，JAS）、中国特色地理标志商标认证（有机农产品认证、ISO14000）等生态产品认证，可以实现品牌优势。2020年，生态环境部、国家发展改革委等部门联合印发《关于促进应对气候变化投融资的指导意见》，鼓励民间投资与外资进入气候变化投融资领域，以激发社会资本的动力和活力，标志着生态环保领域政府和社会资本合作（PPP）政策逐渐健全。

8.3.3 生态产品价值实现的市场环境支持

2020年，习近平总书记在全面推动长江经济带发展座谈会上的讲话中指出，要加快建立生态产品价值实现机制，让保护修复生态环境获得合理回报，让破坏生态环境付出相应代价。2021年，中共中央办公厅、国务院办公厅出台了《关于建立健全生态产品价值实现机制的意见》，提出要建立利益导向机制，探索生态产品价值实现路径，推进生态产业化和产业生态化，构建完善的生态产品价值实现机制，为实现美丽中国建设目标提供有力支撑。同时，国家"十四五"规划纲要也提出了要建立生态产品价值实现机制。

2020年以来，国家对于生态产品价值实现问题关注程度明显增强，出台了完善的政策意见，在生态产品调查监测、价值评价、经营开发、保护补偿、保障机制等方面均予以阐述说明，系统阐述了生态产品价值实现的主要内容和内在逻辑，从政策层面保障了生态产品价值的顺利实现。相关的行政部门也在进行各自领域的生态产品价值实现工作，如自然资源部在2021年启动了自然资源领域的生态产品价值实现试点工作，意在增加生态产品供给，从自然资源层面理顺生态产品价值实现机制，促进人与自然的和谐共生。可以预见，在“双碳”目标牵引下，未来的5～10年内生态产品价值实现的具体实践工作将进入一个全新的发展阶段。

市场交易是绿水青山变成金山银山、实现生态产品价值的主要渠道和发展方向。建立市场机制，发挥市场在优化环境资源配置中的决定性作用，让生态环境的保护者有收益，让受益者付费，有利于调动全社会保护绿水青山的积极性和主动性。当前，生态产品的市场交易渠道受到资源产权不明晰、环境产权缺失、统一规范的交易市场尚未建立、交易机制不完善等种种约束。长江流域是中国重要的生态宝库，山水林田湖草等生态资源丰富。长江流域森林覆盖率达41.3%，河湖、水库、湿地面积约占全国的20%，多年平均水资源总量约9 958亿立方米，约占全国水资源总量的35%。长江经济带更是中国经济发展的重心，下游地区市场经济高度发达，在水权、林权改革和交易以及排污权、碳排放权等环境权益交易等方面已经开展了一系列的实践，具备进一步探索市场化运作模式的条件，有利于推进绿水青山变为金山银山，实现生态产品价值。

(1) 确权绿水青山，推进长江流域生态资源变资产

产权制度是绿水青山变成金山银山、实现生态产品市场交易的前置性基础性制度。生态产品要从公共物品转化为具有商品属性的可交易产品，首先要明晰产权，在此基础上，遵循市场经济规律和市场机制原则，通过产权的出让、转让、出租、抵押、担保、入股等方式，实现资源变资产、绿水青山变成金山银山。2022年3月，中共中央办公厅、国务院办公厅印发的《全民所有自然资源资产所有权委托代理机制试点方案》指出：“到2023年，基本建立统一行使、分类实施、分级代理、权责对等的所有权委托代理机制，产权主体全面落实，管理权责更加明晰，资产家底基本摸清，资源保护更加有力，资产配置更加高效，收益管理制度更加完善，考核评价标准初步建立，所有者权益得到有效维护，形成一批可复制可推广的改革成果，为全面落实统一行使所有者职责、修改完善相关法律法规积累实践经验。”

① 明晰资源产权

明晰山水林田湖草各类自然资源的所有权、使用权、经营权等权利及其主体，构建统一的确权登记系统，制定产权主体权利清单，针对长江经济带水资源、河湖湿地资源、森林资源丰富的特点，科学界定水流、森林、湿地等生态资

产的产权主体及权利。推进土地承包权和经营权分离的模式向林权、水权、湿地等领域延伸，为产权的交易流转奠定制度基础。适度扩大使用权的出让、转让、出租、担保、入股等权能，使生态产品可以通过使用权（经营权）的出让、转让、出租等获得直接收入，或者通过抵押、担保等获得信用贷款，或者通过入股变成资产，为生态产品价值转换奠定基础。

② 环境使用权

长江经济带污染排放总量大、强度高，废水排放总量占全国的40%以上，单位面积化学需氧量、氨氮、二氧化硫、氮氧化物、挥发性有机物排放强度是全国平均水平的1.5～2倍。磷矿采选与磷化工产业快速发展导致总磷成为长江首要超标污染因子。土壤重金属污染严重，全国近一半的重金属重点防控区位于长江经济带。要通过市场化的手段解决污染排放大、污染严重的问题，首先需要建立起环境产权制度，实行排污许可，赋予权利人依法收益、处置环境产权的权利，在此基础上建立环境权益市场，用经济手段激发企业通过设备改造、技术创新降低污染排放，通过市场手段控制污染物排放总量。

（2）打通转化市场通道，完善生态产品市场交易机制

促进生态产品价值实现的关键就是要充分发挥市场对资源配置的决定性作用。因此，应从以下方面完善生态产品市场交易机制。

① 推动生态产品有效确权和流转

结合长江流域、长江经济带的特点，科学确定长江经济带进入市场交易的生态产品权益品种，资源产权可交易的是使用权和经营权，如林权、用水权等；能源环境权益可交易的包括排污权、碳排放权、用能权等，推动生态产品有效确权和流转。从省级层面制定和完善生态产品保护利用的产权管理条例，推动生态产品要素确权以及相关产权流转。构建“山水林田湖草沙”生态资源统一确权登记系统，制定产权主体权利清单，尽快界定各类生态资源产权主体，形成多元化生态产品生产和供给主体。

② 建立和完善生态产品交易平台

在合理确定生态产品权益供应总量和基准价格的基础上，建立起资源类生态产品交易平台和环境类生态产品交易平台。支持建立长江经济带生态产品交易平台和中转平台。完善生态文化产权交易中心，推动区域内古村落资源加大与国家相关文化产权交易所合作，为生态产品价值实现搭建“一站式”产权交易平台。逐步建立健全长江经济带排污权、排放权、用能权、水权等交易市场。更要创建长江经济带生态产品网上交易平台，积极谋划建设生态产品交易中心，吸引社会资本参与，全力筹集资金和引入资本，建立健全项目法

人治理结构，吸引特色资源向电商交易平台聚集，共同推动生态产品交易体系建设。

针对一些具有稀缺性的生态产品，可以采取竞买与拍卖（或配额交易）的形式进行交易，从而获得溢价收益。例如，为保障长江一江清水，要严格限制畜禽和水产养殖，可以通过开展生态养殖证拍卖的方式，建立有效管控养殖污染的市场机制。实行养殖许可制度，在科学划定可养区、限养区和禁养区的前提下，对可养区、限养区不仅要合理确定养殖容量，引导发展生态养殖，而且要公开合法持证养殖，养殖者要依托公共资源交易平台通过市场方式竞争性拍卖取得养殖权证。

③ 大力培育生态产品市场

统筹开展农村土地承包经营权，林地使用权、林木所有权、宅基地和农房使用权、水域使用权等生态资产产权，用能权、用水权、碳排放权、排污权交易等"四权"以及各类生态产品的交易。借鉴浙江省、福建省、贵州省等成功经验和做法，积极探索林权抵押贷款、水权交易以及排污权交易，积极培育生态产品市场，开展资源资产化、证券化、资本化改革。可以在森林、湿地等不同生态产品领域开展试点，建立完善生态变资本、变财富的市场交易新机制，打造生态产品交易平台。在森林、草原、湿地、水流、空气等不同领域探索和开展资源资产化、证券化、资本化改革。通过结构设计，以自然资源未来产生的现金流为支撑发行证券，进行资产证券化运作。

（3）强化资金支持，创新生态金融产品

生态价值转化资金需求巨大，亟须探索以社会资本投入为主、财政引导为辅、市场化运作的绿色金融模式，积极为符合生态产品价值转化的市场主体提供资金支持服务。浙江、贵州等地已经开展了林权抵押贷款、水权交易、排污权交易等实践，应当不断总结经验，开拓新的方式，建立并完善生态变资本、变财富的新机制。

一是成立生态产品价值转化基金。设立以财政引导为辅、社会资本投入为主、市场化运作的生态产品价值转化基金，重点支持生态产业培育和生态产品价值实现等重点项目。研究生态产品供给与建设用地指标增减挂钩、生态资产账户异地增减平衡等可行性，开拓"换"（生态用地与建设用地异地"置换"）要素的新渠道。

二是鼓励各地探索实施"两山银行"等制度。对山水林田湖草沙等自然资源开展集中收储试点，进行合理开发，通过多种形式引入外来资本进行开发运行，以实现生态产品价值有效转化。借鉴美国湿地缓解银行制度的成功经验，在长江经济带研究设立生态银行，通过经济手段引导社会资本参与湿地、森林等生态产品的保护和恢复，增加生态产品的供给。

三是创新绿色金融产品。鼓励金融机构开发碳汇储蓄、碳汇期货期权，碳汇基金及债券等多层次碳金融创新产品，将生态产品保险与碳汇质押、碳汇融资进行有机融合。在集体林权制度基础上，稳定承包权，拓展经营权能，积极探索林权抵押贷款、公益林补偿收益权质押贷款、林地信托抵押贷款等多种方式，进一步推出小额贴息贷款、担保基金贷款、信用担保贷款等多种信贷品种，引导各类金融机构推出以林产品订单为抵质押物的贷款业务，积极开展林下经济预期收益贷款。

(4) 健全参与机制，实现生态产品共建共享

政府主导、企业和社会各界参与、市场化运作是生态产品价值实现的可持续路径。

一是政府要起到主导作用。生态资源保护和利用过程，长江经济带各级政府要起到引领作用，应调动企业、社会公众参与生态资源保护发展的积极性、主动性和创造性，积极构建多主体参与的生态产品价值转化合作机制。

二是激发公众参与积极性。由于长江经济带许多重要生态产品都在农村，要鼓励农村居民积极参与，有效协调生态产品转化地区居民、当地政府等多方的利益问题，为科学合理地保护和开发生态资源提供支持。进一步发展新乡贤作用。通过资金投入和政策引导，吸引外来的创业成功者、返乡创业者、退休还乡者及有乡村情怀、愿意回报乡村的技术人员和专家学者入驻或扎根农村，引领和带动村落民众进行“生态资源再生产”。

三是建立市场化运作的生态产品运营服务体系。完善金融、税收等优惠政策，引进和吸纳社会资本和民间资本，构建实行政企合作开发股份制经营模式，如可以采取 PPP 等融资模式，实现共同经营管理、多方参与管理的生态产品综合开发经营模式。有条件的生态资源丰富地区，可以鼓励组织村民以入股的方式参与生态资源保护和开发建设，共享生态开发利用成果，逐步建立起“企业专业管理、村民参与经营、政府监督管理”的多元化管理模式。

(5) 发展生态产业，构建生态产品价值的产业支撑体系

通过生态资源化、生态产业化等方式，建立生态产品价值的产业支撑体系，是实现生态产品价值转化的关键路径。一是设立生态产品价值示范区。结合长江经济带主体功能区的规划和国家对生态产品价值转化的要求，可选择生态资源潜力大、稳定性较好的丽水、抚州等地建立示范区，探索培育生态产品价值转化新模式，为在长江经济带范围内构建生态产品产业体系起先行

示范作用。二是因地制宜推广生态产品实现模式。对于农业产品优势地区，可打造优质生态农、林、牧、渔业产品等生态产品；利用生态资源重点发展生态旅游、生态康养及生态扶贫。三是推动与数字经济的融合。生态资源要在保护与发展实践中普及互联网技术，利用互联网技术手段进行产业升级，如推广乡村旅游智能化、乡村生活智慧化，从而形成保护与发展的新态势。通过第三产业的“数字”叠加，将生态资源的生产场所由农业农村部门向非农部门拓展，提高生态资源附加价值。

09

第九章

改善长江流域生态健康状况的政策建议

9.1 扎实推动绿色发展

9.1.1 严格执行负面清单管理制度

长江经济带作为我国重要的生态功能区，具有水源涵养、水土保持和生物多样性维护等重要功能，是我国重要的战略水源地，是支撑我国经济社会可持续发展的重要基础。作为中国第一大河流的长江，其岸线资源非常丰富，对河段和岸线的开发利用由来已久。过去对长江的开发和利用当中存在缺乏统一规划和科学布局等问题，影响了长江沿岸经济社会健康可持续发展进程。党中央、国务院高度重视长江经济带生态环境保护工作，习近平总书记多次就长江经济带生态环境保护与修复作出重要指示，国家将长江保护修复攻坚战列为污染防治攻坚战的七大标志性战役之一。

(1) 管好“空间准入”

① 划定生态保护红线。在长江经济带重点开发区域、农产品主产区、重点生态功能区等各类主体功能区划定生态红线，将保护和修复生态环境作为首要任务，强化生态空间管控。严禁改变生态红线内的国土用途，防止不合理开发建设活动对生态空间的侵蚀破坏，确保生态功能不降低、生态空间范围不减少、生态空间利用性质不改变。

② 明确流域岸线环境管控范围。为加强长江及主要支流岸线化工等重污染项目和工业园区布局管控，推动长江经济带发展领导小组办公室印发《长江经济带发展负面清单指南(试行，2022 年版)》，明确了适用范围、监管责任、动态调整机制，提出岸线、河段、区域和产业等方面的 10 余项管控要求。应进一步明确长江经济带限制开发和禁止开发的岸线、河段、水域，严禁在干流、主要支流岸线一千米范围内新建化工园区，对不符合环保要求占用滥用岸线、河段、土地，突破生态保护红线的园区、企业，限期无条件迁移退出。

(2) 限制“环境准入”

① 划定环境污染物排放上限。对长江经济带水环境重点管控区、大气环境重点管控区等环境污染重点管控单元，加强污染排放控制，重点从污染物种类、排放量、强度和浓度上管控开发建设活动，明确主要污染物允许排放量、新增源减量置换、存量源污染治理等方面的环境准入要求。对环境容量不达标的管控单元，勒令制定污染物排放削减计划和环境容量增容方案。

② 建立环境风险防控机制。对长江经济带各类优先保护单元、水环境工业污染重点管控区、大气污染物高排放重点管控区，以及建设用地、农用地污染风险重点管控区，设定环境风险防控的准入门槛。针对易导致环境风险的有毒有害和易燃易爆物质的生产、使用、排放、贮运等新建、改扩建项目，明确禁止准入要求和限制准入条件，完善应对环境风险和环境突发事件的防控措施，实现新入项目、行业、领域的环境零风险。

③ 明确资源开发效率底线。对长江经济带生态用水补给区、地下水开采重点管控区、高污染燃料禁燃区、自然资源重点管控区等管控单元，针对资源开发存在的突出问题，强化资源开发利用总量、强度和效率等限制性准入条件约束力。对资源开发过度地区，确立禁止资源型产业、高耗能产业准入要求，建立资源开发企业退出机制，严禁加剧自然资源数量减少、质量下降的不合理开发建设行为。

(3) 优化"产业准入"

① 编制重点生态功能区产业准入负面清单。从环境影响程度、资源消耗强度、土地利用效率、经济社会贡献度等层面构建长江经济带重点生态功能区产业准入能力评估指标体系。对资源环境影响尤为突出、居民环境诉求反映强烈、经济社会贡献偏小的行业，原则上列入禁止准入类别；将水耗、能耗、污染排放强度超过资源环境承载能力临界值的行业，列为限制准入类别。加强对重点生态功能区产业的动态监管，对未达到准入门槛的产业，限期整改或转移淘汰，确保产业发展符合重点生态功能区生态保护优先的功能定位。

② 健全产业准入负面清单的制度支撑体系。完善重点生态功能区绩效考核评价机制，将产业准入负面清单执行情况纳入考评体系。建立健全流域生态补偿机制，加强中下游受益地区对上游地区的产业生态补偿，对口支援上游地区绿色生态产业发展所急需的人才、资金、技术等生产要素。加快产业准入负面清单制度的法制化进程，更好保障产业准入负面清单制度高效实施。

9.1.2 开展化工园区评价认定

化工园区是化工行业发展的重要载体，在促进安全统一监管、环境集中治理、上下游协同发展等方面发挥着重要作用，已成为化工行业的主要发展阵地。目前长江经济带沿线分布着约 250 家化工园区，在推动化工产业安全生产、节能减排、发展循环经济等方面发挥了积极作用。推动长江经济带化工园区高质量发展，应以系统思维加强化工园区整治、以规范管理加强化工园区建设、以协同理念促进化工园区发展为发力点，开展化工园区评价认定，指导各地规范园区建设和实施认定管理，提升化工园区安全生产和绿色发展水平，严守长江经济带安全环保底线，推动长江经济带化工园区高质量发展。

（1）以系统思维加强整治

① 坚持分类施策。贯彻落实《长江经济带发展负面清单指南（试行，2022年版）》，对现有化工园区进行分类整合、改造提升、压减淘汰。实施差异化、精准化治理措施，委托专业机构建设“一园一档”信息管理平台，对化工园区进行综合评价，杜绝仅以关闭园区数量作为整治目标，切忌“一刀切”做法。依据法律法规和环保、质量、安全、能效等综合性标准，对不符合产业布局规划、产业关联度低、安全环保基础设施配套不够完善、安全卫生防护距离不足的化工园区实施改造提升或依法退出。对持续整改仍不达标的化工园区，取消化工园区定位，做好减量置换，为精细化工、化工新材料等战略性新兴产业创造良好的发展机会。

② 强化环境风险管控。坚决落实《长江经济带生态环境保护规划》，严禁在长江干流及主要支流岸线一千米范围内新建化工园区，禁止产能过剩、污染严重的新建化工项目。提升化工园区环境管理系统化、科学化、法治化、精细化和信息化水平，综合运用先进技术手段对化工园区及周边大气、地下水和土壤进行监测和评估，及时排查风险隐患，防止各生产环节对环境造成污染。

（2）以规范管理加强建设

① 完善园区评价机制。由相关政府部门牵头，明确归口管理部门，统一加强化工园区管理，从规范建设、产业发展、资源利用、环境绩效、绿色管理等方面，建立一套自我评价、社会评价与政府引导相结合的化工园区评价体系，将考评结果作为化工园区提升本质安全水平、环保管理能力、节能降耗管理水平的重要依据。建立责任明确、协调有序、监管有力的化工园区发展体系，强化目标责任评价考核，常态化开展规划环境影响跟踪评价工作。严格化工园区准入标准，规范化工园区申报、命名和监管程序，对新建园区的土地利用率、工艺先进性、安全风险、污染控制、能源消耗、资源利用、经济效益等进行综合评估。健全化工园区退出机制，强化园区评价结果应用，对评价结果不合格的化工园区实施限期改造或依法退出。

② 加强一体化管理。建设全方位一体化的运行体系，强化产品项目、辅助工程、物流运输和应急保障等一体化管理。明确园区产品项目方向，建设企业间协作配套、互联互供的专业化分工体系，促进上下游企业间生产要素合理分配和有效链接，充分发挥园区内产业、企业、技术、人才协同发展的综合竞争优势。加强集中供水、供热、供气等配套工程建设，构建一体化综合能源供给体

系，实现园区能源统一规划、协同供应，提高能源综合利用效率。

（3）以协同理念促进发展

① 加强总体布局规划。加强总体规划引导调控，明确各化工园区产业发展方向和开发强度，提前规避产能过剩、同质化竞争等问题，实现上中下游地区化工园区差异化、联动发展，促进化工园区布局与长江生态环境资源相协调。依托国家高技术产业基地、国家新型工业化产业示范基地和战略性新兴产业集聚区，促进化工产品结构调整，延伸炼化一体化产业链，形成价值链分工合作、产业链配套协同、创新链流域耦合的化工园区发展新格局。

② 建立协同创新机制。加快构筑化工园区创新体系，建设以企业为主体的产学研协同创新基地，集成各类创新资源，围绕产业链部署创新链，围绕创新链完善价值链，将化工园区打造成特色产业集群、创新资源集聚发展区。统筹协调上中下游地区创新主体，建立共同参与、利益共享、风险共担的化工产业技术创新联盟，突破共性关键技术，不断增强产业综合竞争力和可持续发展能力，抢占未来化工产业制高点。

③ 引导产业有序转移和承接。落实《长江经济带产业转移指南》要求，根据环境因素和产业承接能力，建立跨区域的产业转移协调机制，引导上中下游地区化工园区有序转移和科学承接化工产业。坚持产业转移与转型升级相结合，创新园区合作模式，探索建立飞地化工园区，以产业转移倒逼化工园区提升科技创新、安全环保、清洁生产水平；坚持产业转移与资源环境相协调，加强对化工园区新增产能的协同控制，严禁国家明令淘汰的化工项目向长江中上游转移，避免在产业转移的过程中出现污染转移和环境风险聚集。

9.1.3 推广应用节能环保技术和装备

长江流域污染排放基数大，船舶含油废水等直接排入江的现象依然存在，因此应大力发展长江经济带节能环保产业，推动节能环保装备制造业集群化发展，不断提升节能环保技术研发能力及节能环保服务业水平，推动沿江省（自治区、直辖市）产业聚集化、高质量、可持续发展，实现科学治污，减少航运、工业等发展对长江的负面影响，持续改善长江生态环境。

（1）加强科研平台与基础设施建设

加强长江大保护科研平台与设施建设，系统开展相关研究工作。面向长江生态保护和航运绿色发展的迫切需求，以“提高内河航运效率效益、实现安全生态协同发展”需求为牵引，形成长江新一代航运系统的技术体系、装备谱系和标准架构。通过科技创新，系统厘清船舶绿色智能技术体系和装备谱系，降低绿色智能船舶装备建造成本、提高绿色智能船舶装备技术的成熟度、促进绿色智能技术的经济效益转化，切实实现船舶标准化和船舶绿色智能技术推广应用。

(2) 加强长江流域协同创新

加强协同创新，合力攻关重大技术难题；打通使用各方面数据，建立统一的长江大保护数据共享平台。进一步整合数字长江概念，打通各相关部门、各省市有关长江大保护的数据平台，以大数据、大合作为长江大保护提供坚实科技支撑，形成长江航运高质量发展技术创新工作机制。定期研讨、合力推进绿色智能航运系列技术研发，吸引社会资本进入长江航运创新工程，打通长江航运高质量发展的技术链、产业链和资金链，推动一批长江不同场景“新一代航运系统”工程示范，补齐长江航运高质量发展短板。

(3) 推进集约化航运管理

将长江航运作为引领长江经济带高质量发展的助推器，整合航运企业、港口码头等航运资源，减少无序竞争，避免浪费和恶性竞争，提高管理效率。系统组织筹划构建长江“新一代航运系统”标准体系和内河航运运价指数体系，借助新型赋能技术，以信用为基础整合现有交易平台，建设长江流域统一、权威的航运交易平台，切实解决长江航运市场盲目买卖、低价竞争、自找业务、市场割裂、信息不对称等问题，实现货主企业、港口企业、航运企业等多方共赢的高质量发展新格局。

9.2 深入开展污染防治

9.2.1 推动沿江城市加大污水管网改造力度

环境基础设施是基础设施的重要组成部分，是深入打好污染防治攻坚战、改善生态环境质量、增进民生福祉的基础保障，是完善现代环境治理体系的重要支撑。我国城镇生活污水收集率、管网覆盖率最高的城市，环境基础设施建设也只达到了 70%左右，而不少沿江城市仅为 30%左右，有的城市更低。长江保护修复任重道远，要立足新发展阶段、贯彻新发展理念、构建新发展格局，深入打好长江保护修复攻坚战，补齐基础设施短板，推动沿江城市加大污水管网改造力度，不断改善长江流域生态环境质量。

（1）加大建设资金投入

《关于全面推动长江经济带发展财税支持政策的方案》中强调要完善财政投入和生态补偿机制，着力加强污染防治，加大水污染防治资金等对沿江省市倾斜力度，支持落实长江保护修复相关任务；推动沿江省市加强城镇污水管网更新改造和污水处理设施建设，开展固体废物特别是废弃危险化学品污染、农业面源污染、城镇生活污水垃圾处理、长江船舶污染、尾矿库污染等防治工作。因此应加大支持力度，保障污水处理设施建设用地，设计财政性资金投入保障机制，严防“半拉子工程”；拓宽投入渠道，吸引社会资本进入，鼓励金融机构给予信贷支持，发挥中央企业在项目建设运维方面的龙头带领作用。

（2）深化雨污合流改造

由于排水管网建设年代久远，雨污混流、管网老旧、破损现象普遍存在，因此，雨污分流改造将是一项持续性的工作。要深入开展管网全属性精细化排查工作，在完善排水管网本底资料的基础上，强化雨污混错接等问题排查。针对排查发现的雨污合流问题，按照“控增量、减存量”的要求，以排水分区或汇水分区为单元谋划雨污分流，让雨水污水各行其道。制定城市建成区雨污混流管网“网格化”改造计划，明确改造时序、措施和任务，实现清水入河、污水进厂，防止山水、河水、雨水、地下水等各种外水倒灌进入污水管网，大幅减少雨季污水溢流突出问题，进一步缓解污水处理系统压力和城市内涝问题。

（3）推动厂网一体管理

充分发挥规模化优势，建立区县统筹人员、设备、物资等资源调配体系，逐步取消厂网分块管理体制，探索实行污水处理厂、配套管网及附属设施统一调度和厂网一体化管理机制，支持组建管网公司，不断提高污水收集、厂站运行水平，对排水管网、污水处理厂进行一体化、专业化管理，提高系统的整体管理效能，实现整体效益和规模化经营。

9.2.2 深入推动排污口整治

入河入海排污口（以下简称排污口）指直接或通过管道、沟、渠等排污通道向环境水体排放污水的口门，是流域、海域生态环境保护的重要节点。近年来，长江水生态环境总体上不断改善，但污染物的排放基数较大，形势依然严峻。排污口管理的好坏，直接关系长江水环境质量好坏和生态环境是否安全。入河排污口排查整治是从根本上改善长江生态环境质量的基础工作，是压实各方治污责任的关键。入河排污口排查整治是打好“三大攻坚战”的题中之义，是保护修复好长江水生态环境的必然要求。加强长江入河排污口管理是落实长江大保护的重要举措，需要深化排污口设置和管理改革，建立健全责任明晰、设置合理、管理规范的长效监督管理机制，有效管控入河入海污染物排放，不断提升环境治理能力和水平，坚决打好长江保护修复攻坚战。

(1) 加强组织领导

建立国家统筹、省负总责、市县抓落实的排污口监督管理工作机制。加强政策协调和工作衔接，督促地方人民政府落实相关责任；国务院各相关部门要结合工作职责积极配合，形成合力。省级人民政府要统筹制定管理制度、政策措施，做好组织调度。地市级、县级人民政府要落实属地管理责任，切实做好排污口排查及日常监督管理，将工作经费纳入同级财政预算予以保障。

(2) 严格考核问责

根据属地负责、分工协作的基本原则，长江入河排污口分类整治实行“政府牵头、部门协同、属地落实”的工作机制。将排污口整治和监督管理情况作为中央和省级生态环境保护督察的重要内容。省级人民政府要建立激励问责机制，将排污口整治和监督管理情况纳入相关工作考核。

(3) 强化科技支撑

开展各类遥感监测、水面航测、水下探测、管线排查等实用技术和装备的研发集成；深入开展排污口管理基础性研究，分析排污口空间分布及排放规律对受纳水体水质的影响，推动构建“受纳水体—排污口—排污通道—排污单位”全过程监督管理体系。

(4) 加强公众监督

加大对排污口监督管理法律法规和政策的宣传普及力度，要求排污口责任主体主动向社会公开排污口相关信息，生态环境等部门依法公开并定期更新排污口监督管理相关信息；鼓励公众举报身边的违法排污行为，形成全社会共同监督、协同共治的良好局面。

9.2.3 加强面源污染防治

长江流域是我国重要的粮油、畜禽和水产品等主产区，也是经济和人口相对集中、河流水系比较发达的区域。长期以来，长江生态环境透支严重，沿江污染物排放基数大，流域环境风险隐患突出，长江岸线、港口粗放利用问题突出。接近30%的重要湖库仍处于富营养化状态，长江流域太湖、巢湖、滇池等湖泊蓝藻水华暴发态势仍未根本扭转。氮磷浓度偏高，面源污染已成为影响汛期水环境质量的主要因素，保护和修复长江生态环境已到了刻不容缓的地步。

(1) 加强重要湖泊蓝藻水华防控

湖泊蓝藻水华发生频次增加，生态环境风险不容忽视，需进一步加强重要湖泊蓝藻水华防控，继续深化太湖、巢湖、滇池控源截污，推进退耕还林还草、退塘还湖、退房还湿，科学实施清淤固淤，加强富营养化治理及水生态系统保护修复，建立水华监测预警平台和应急机制。

(2) 开展水生植被恢复试点

水生植被恢复、氮磷等污染物通量监测，是推动改善区域水生态环境的重要技术手段。在长江流域可先行先试，通过保护河湖缓冲带和恢复水域水生植被，开展湖泊水生态监测，逐步提升河湖自净能力，提高生物多样性。

(3) 开展农业面源污染防治试点

长江流域面源污染治理难度大、对水环境质量影响较大，应鼓励指导有条件的地区开展农业面源污染调查监测评估工作，科学确定养殖规模和养殖密度，规范水产养殖生产活动，探索建立符合种植业、养殖业特点的环境管理体系，着力突破面源污染防治瓶颈。选择合适地区开展氮磷通量监测试点，分清行政辖区责任，提出具有针对性的氮磷防控措施，为面源污染防治精准施策提供科学支撑。

9.3 持续开展生态修复

9.3.1 实施山水林田湖草沙一体化保护和修复

人与自然是生命共同体，山水林田湖草沙也是生命共同体。长江经济带各省市必须牢固树立“共抓大保护、不搞大开发”的理念，以推动亚热带森林、河湖、湿地生态系统的综合整治和自然恢复为导向，立足川滇森林及生物多样性生态功能区等 6 个国家重点生态功能区，统筹兼顾、整体施策、多措并举，全方位、全地域、全过程开展生态文明建设，深入实施长江流域山水林田湖草沙一体化保护和修复，进一步增强区域水源涵养、水土保持等生态功能，加快构建长江绿色生态廊道和生物多样性保护网络，全面提升生态系统质量和稳定性。

(1) 以系统思维统筹要素保护和修复

① 健全工作机制，提升统筹能力。坚持规划引领、项目治理、依法监管和政策支持四方面协同发力，形成源头保护、受损修复、破坏追责和制度保障的

山水林田湖草沙一体化长效保护修复体制。习近平总书记强调，环境治理是一个系统工程，必须作为重大民生实事紧紧抓在手上。长江经济带要强化统筹协调，加强项目全过程管理，健全相关部门、科研机构等联动机制，以系统解决生态环境问题为目标，以整合提升工程项目综合效益为重点，打破各部门各自为战的局面，充分发掘各类复合型工程项目的综合效益。统筹长江流域干支流、上下游、岸上岸下、地上地下、城市乡村，重视各类生态系统的内在联系，综合考虑各类重要生态系统的时空分布规律，以相对完整独立的生态修复片区为单元整合系统工程，提高工程项目的系统性和连通性。推进联防联控联治体系建设，坚持中国共产党的绝对领导，明确政府负责的职责定位，发挥社会协同的灵活作用，调动公众参与的关键力量，筑牢法制保障的制度后盾，充分践行和完善社会治理体制，推动落实河长制、林长制等重要制度创新，严格责任追究、夯实企业责任，形成党委统领、政府主导、企业担责和多方参与的协同共治工作格局。

② 科学谋划项目，注重修复实效。注重山水林田湖草沙生态保护修复的尺度性、整体性、功能性和均衡性特征，科学谋划项目内容，兼顾短期目标与长远效益，协调生态保护修复与产业发展。充分考虑生态治理的地区差异性，合理制定片区生态治理综合性解决方案，因地制宜、分类施策、科学治理，针对不同生态区域的自然禀赋和经济社会发展状况，有的放矢地实施宜封则封、宜造则造、宜保则保、宜用则用、宜乔则乔、宜灌则灌、宜草则草、宜田则田的针对性政策。发挥当地居民人力资源优势，组织群众积极参与生态环境、珍稀濒危动植物资源的保护和修复，开展生态系统管护，巩固生态保护修复成效。坚持问题导向，强化源头治理、科学治理、系统治理，提升项目方案的针对性、精准性；坚持目标导向，将绩效指标进一步分解到各个项目，强化绩效指标落实情况考核；坚持质量导向，严格项目设计文件技术审核，强化工程质量、竣工验收及生态环境效益的检查考核。

③ 坚持保护优先，自然恢复为主。牢固树立和践行“绿水青山就是金山银山”理念，尊重自然、顺应自然、保护自然，遵循自然生态系统演替规律，充分依靠大自然的自我修复能力，避免人类对生态系统的过多干预。有关部门应积极采取自然恢复策略，始终以区域生态系统的恢复规律作为基础，全方位、全过程开展生态恢复和治理，同时以区域生态环境的破坏和保护现状为基础，在深入调研和评价生态系统基本情况、恢复潜力和治理目标的基础上，划分山水林田湖草沙一体化保护和恢复的重点项目及区域，充分发挥自然恢复策略的有效性。

(2) 加强生态环境问题突出领域攻坚

聚焦长江流域重点生态功能区、生态保护红线、自然保护地等重点区域，大力实施天然林保护、退耕还林还草、防护林体系建设、退田(圩)还湖还湿、草原保护修复、矿山生态修复、水土流失及岩溶地区石漠化治理、土地综合整治等工程，强化珍稀濒危野生动植物栖息地和候鸟迁徙路线保护，严防有害生物危害，实施生物措施与工程措施相结合的综合治理。

① 横断山区水源涵养与生物多样性保护。全面加强原生性生态系统保护和珍稀濒危野生动植物拯救性保护。保护天然林资源，综合开展退化林修复、封山育林、人工造林、森林抚育。推进草地治理，实施退牧还草、退化草原修复。开展水土流失、石漠化综合治理和干热河谷生态治理，恢复受损地区植被。

② 长江上中游岩溶地区石漠化综合治理。对长江上中游岩溶石漠化集中连片地区，综合开展天然林保护、封山育林育草、人工造林种草、退耕还林还草、草地改良、水土保持和土地综合整治等措施，增加林草植被，增强山地生态系统稳定性。

③ 大巴山区生物多样性保护与生态修复。全面加强大熊猫等特有物种和栖息地保护，建设缓冲带和生态廊道，扩大野生动植物生存空间。全面保护天然林资源，加强封山育林、森林抚育、退化林和退化草原修复，优化乔灌草复合生态系统结构。通过水资源补给、鸟类栖息地恢复等措施恢复湿地和周边植被。加强小流域综合治理，提升丹江口库区及上游等重点区域水土保持与水源涵养功能。

④ 三峡库区生态综合治理。加强库区及周边天然林保护和公益林建设，稳步推进退耕还林还草、防护林建设和森林质量精准提升，实施土地综合整治。加大水土流失治理力度，探索开展库区消落带生态修复。加强自然保护地建设，保护库区野生动植物及生物多样性。

⑤ 洞庭湖、鄱阳湖等河湖、湿地保护和恢复。加强河道整治，优化水资源配置，提高江河湖泊连通性，恢复水生生物通道及候鸟迁徙通道。开展退垸还湖(河)、退耕还湖(湿)和植被恢复，加强生态湖滨带和水源涵养林等生态隔离带的建设与保护，优化防风防浪林树种结构。实施长江干流及重要支流、湖泊生态保护修复，加强岸线资源修复治理。

⑥ 大别山区水土保持与生态修复。全面加强公益林建设和管护，稳步推进封山育林、人工造林、退耕还林还草，加强水土保持林、水源涵养林和防护林建设，加强森林抚育和退化林修复。推进河湖、湿地保护和恢复，加强水土流失治理。

⑦ 武陵山区生物多样性保护。加强珍稀原生动植物保护，稳定和扩大栖息地，建设生态廊道，保护生物多样性。全面加强天然林保护和公益林建设，稳步推进封山育林、人工造林、退耕还林还草，加强水源涵养林和防护林建设，加强森林抚育和退化林修复。

⑧ 长江重点生态区矿山生态修复。加强历史遗留矿山生态修复，重点解决历史遗留露天矿山生态破坏问题，加强矿山开采边坡综合整治，进行地形重塑、生态植被重建，恢复矿区生态环境。

（3）以科技创新驱动生态系统治理

① 全面加强科技力量建设。加快构建以生态文明战略为指导的科技创新体制机制，激活社会各界创新力量，大力引进高层次专业人才，提升工程项目管理机构专业化水平，加强产、学、研、用紧密结合，尽快突破生态文明系统治理的技术难题。积极聘请相关专业领域知名学者、专家，对项目设计理念、策划内容、图纸方案、现场建设、竣工验收和运营管护等进行全方位的指导和把关，高质量谋划和推进项目实施。积极借鉴、吸收国内外生态保护修复的典型经验和先进模式，研究制定山水林田湖草沙生态保护和修复技术规范及验收标准，指导项目方案科学设计、规范建设、精细化管理，同时建立工程试点先进实用技术目录，打造生态治理精品工程，放大试点工作的综合效应。

② 营造科技创新社会环境。以市场和价值创造为导向，改革创新政府服务链，营造有利于创新主体成长的友好型社会环境，积极引导企业突破共性关键技术，避免同质化竞争。资金支持多用于新产品、新工艺或新技术等领域，消除科技创新中的“孤岛现象”，聚集产业发展需求，着力加快科技成果转化和产业化。统筹财政资金、社会资本和金融机构投入，积极争取上级资金，采用特许经营、投资补助和 PPP 等模式，将生态保护修复项目与相关高收益项目合理组合，吸引社会资本积极参与项目建设和运维管理，同时创新投融资模式，加大绿色金融支持力度，完善多层次资本市场，促进创新创业资本高效对接。

（4）强化生态环境监管体系建设

① 加强生态问题监督和查处力度。推动建立健全生态保护红线监管制度，定期评估山水林田湖草沙一体化保护和修复工作成效，对项目实行量化分级管理，建立末位淘汰制，加大对优质项目的支持力度。落实中央生态环境保护督察制度，将生态保护工作开展、责任落实等情况纳入督察范畴，对问题突出的开展机动式、“点穴式”专项督察，不断传导压力，倒逼责任落实。强化生态保护综合执法与相关执法队伍的协同联动，借助大数据、物联网、无人机等应用技术，强化对湖泊生态环境修复、荒漠化防治、岸线保护修复和生物多样性

保护等工程的监督，严肃查处破坏生态环境的违法违规行为。

② 加快构建生态环境监测网络。加快构建基本覆盖长江流域典型生态系统、自然保护地、重点生态功能区和重要水体的生态监测网络，提升生态环境质量监测能力。定期开展生态环境状况调查与评估，构建防范和惩治环境监测数据弄虚作假责任体系，提升监测数据的准确性、独立性和公正性。建立地质灾害风险防范和应急响应体系，加强地质灾害专业队伍建设，实现技术支撑及防灾减灾信息化全覆盖。进一步完善气象灾害预警联动机制，及时启动风险应急预案，防止生态保护修复成果损毁。

9.3.2 落实好长江“十年禁渔”

为避免长江流域“鱼类资源越捕越少，生态越捕越糟，渔民越捕越穷”的恶性循环，农业农村部宣布从 2020 年 1 月 1 日 0 时起开始实施长江十年禁渔计划。随后，2020 年 12 月，我国首部流域法《长江保护法》表决通过，旨在解决长江大保护中“部门分割”“地区分割”的体制问题。2021 年 1 月 1 日 0 时起，长江流域重点水域进入全面禁捕的新阶段，11.1 万艘渔船、23.1 万渔民退捕上岸，开始了“人退鱼进”的历史转折。全面禁捕政策实施后，信息搜集、渔民安置、监管巡护等亟待解决的具体问题也浮出水面。因此，构建常态化统计核查机制，完善长江渔民退捕补偿机制，加强渔政全链条监管等已成为落实长江“十年禁渔”政策的重点。

(1) 开展落实退捕渔民建档立卡“回头看”，构建常态化统计核查机制

① 组织开展专项督查。精准识别渔民是建档立卡的关键，各地要在已有工作基础上，及时将实际进展情况与管理系统数据进行比对，重点核实船籍证号、身份证号、捕捞证号等基础数据是否准确，需要填报的相关信息是否全面，管理系统中的退捕进度与实际进度是否相符，退捕去向、补助资金领取、安置保障、就业培训、创业扶持等基本情况更新是否及时，确保退捕实际进展与管理系统数据一致、口径一致、时效一致。

② 建立常态化统计核查机制。在基本的信息收集、建档立卡工作结束后，应该实施动态性实时更新，对渔民的年龄结构、受教育程度、技能水平以及渔业人口数量、渔船数量及功率进行再登记与再核实，严格核实建档立卡的真实性。进一步加强信息的准确复核与实时更新，保证建档立卡信息的动态监测与再审核工作。

(2) 优化退捕渔民补偿划分标准，完善退捕补偿机制

进一步优化退捕渔民补偿划分标准，综合家庭负担、经济状况、劳动能力

等多方面对退捕渔民群体作分类处理，区分专业、兼业渔民，设定分年龄、分性别、分劳动力的差别补偿标准，避免退捕补偿标准“一刀切”。除现有的捕捞权益补偿、渔船渔具报废补偿外，应充分囊括涵盖物质补偿与非物质补偿两方面的社会保障补偿，兜底渔民生活底线。

① 物质保障补偿

a. 最低生活保障政策：区分城市最低生活保障与农村最低生活保障，建立低保申请、评选、公开、发放一整套程序，规范低保资金运作，兜底退捕渔民生活底线。具体操作上要被动申请与主动补贴相结合，根据各地政府财政水平与渔民实际情况确定最低生活保障标准，保障退捕渔民的基本生活。

b. 养老保障政策：退捕渔民的养老保险政策需要依据不同的户籍适用不同类型，保有农村户籍的渔民可享受新型农村社会养老保险，已转为城镇户口的渔民则按其就业情况分别享受城镇职工基本养老保险或城镇居民养老保险政策。退捕渔民的养老保险应以个人缴费为主，集体辅助为辅，同时政府提供政策的支持，施行基金累积式的账户模式开展养老保险收缴，各地明确缴费比例、缴费年限、缴费基数等具体条例，保障退捕渔民基本养老。

c. 医疗保障政策：根据渔民户籍的不同，保有农村户籍的渔民可享受新型农村合作医疗保险，已转为城镇户口的渔民按是否就业分别享受城镇职工基本医疗保险或城镇居民基本医疗保险。具体做法上，要制定科学合理的报销标准，根据退捕渔民的具体情况，适当提高报销标准；简化报销流程，解决其在报销过程中高时低效的繁琐程序，方便其报销医疗费用；增加大病统筹的范围，加大政府资金扶持力度，加大补贴的范围和数额，补贴款可以从获得的补偿金与地方财政资金中划拨，彻底解决其看病难、看病贵和因病致贫的问题。

② 非物质保障补偿

a. 退捕渔民就业保障政策：建立退捕渔民失业保险，根据全流域地方政府的实际情况，确立合理的给付标准，适当延长其保险金的领取时间。加大转产转业培训力度及再就业信息宣传，将具有就业能力和培训意愿的退捕渔民全面纳入公共就业服务体系，同时要求受益主体，例如江景房开发商，在同等条件下优先录用退捕渔民，解决渔民转业问题。加大转产转业优惠政策，对有意愿、有能力创业的退捕渔民提供低门槛无息或低息贷款，鼓励其自主创业、自主增收。引导以捕捞为主的传统渔业向水产品加工的第二产业和从事服务性活动的第三产业转型，支持退捕渔民发展稻渔综合种养、水产养殖加工、休闲渔业等产业模式。

b. 渔民子女教育保障政策：当前渔民年龄较大，受教育文化程度低。政府应该根据“禁捕退捕”渔民子女就学工作相关政策及文件精神，确保妥善安排、解决退捕渔民子女教育等保障问题，并给予一定的教育补偿，分担渔民家庭压力，努力保障渔民子女的教育问题，让禁捕退捕政策落到实处。

c. 渔民社会地位保障政策：开展退捕渔民易地扶贫搬迁计划，集中或补贴安置无住房、住船房渔民，在一定程度上给予渔民磨合的时间与空间，也可以避免因突兀安置带来的不适应，同时成立专门居委会及时了解并调节退捕渔民群体“上岸”后的生活状况。整个社会也应该对于渔民家庭保有尊重的态度，在此方面政府要加强宣传力度，采用电视纪录片、新闻报道等方式对渔民群体进行正面宣传，对社会态度加以正向引导。

③ 社会保障经费方面

a. 拓展社保经费来源渠道。由于生态补偿具有明显的外部性特征，政府财政统筹应该作为退捕渔民社会保障经费的主要来源，在地方财政支持不足的情况下可以申请中央财政采取转移支付的方式进行弥补，有效保证补偿机制的顺利推行。遵循“使用者付费”的原则，可考虑对房地产开发企业、沿江酒店等沿江获益企业收取部分附加环境费用，用以退捕补偿。此外，企业赞助、社会公众捐助等途径也是获取退捕补偿资金的重要来源。

b. 划拨部分资金用于社会基金投资。可从转产转业资金中划出部分用于社会基金投资，并委托政府部门或第三方机构进行管理。在过程中要建立透明、公开、有效的监督管理机制，确保基金管理机构的专业性，在合理稳定的投融资计划下，让基金可持续增长，通过每年分红实现较长期的补助反射弧，保障渔民生活。

c. 社保资金逐年补助。为缓解部分地区退捕渔民多、财政压力大的情况，各地在社保资金方面可采取逐年补助的办法，以时间换空间，实行政府补助“先缴后补”，由退捕渔民参保缴费后，分 15 年逐年领取退捕渔民养老保障补助资金。

（3）查缺补漏保障全链条打击，构建群防群护渔政监督体系

① 建立健全网格化管理体系。各省市要根据全面覆盖、不留空白、边界清晰、便于管理的原则，将“长江十年禁渔”纳入河湖长制管理，进一步健全禁捕水域网格化管理体系，每个网格制定具体的禁捕巡查责任人安排表，巡查人员常态化巡护辖区重点水域，并联合各地渔政执法部门、水上派出所等部门开展清理整治非法捕捞工作，形成守护一江碧水的有力防线。对于跨网格的河湖水域，要建立畅通上中下游、左右岸、干支流的协同管理机制，构建纵向到边、横向到底、水陆结合、区域协同的禁捕执法新格局，实行共同管理、联合执法、

联防联控。

② 提升执法人员专业水平。当前长江渔政执法力量较为薄弱，执法队伍普遍存在人员少、老龄化严重、专业能力低等情况。针对这些问题，各地政府要抓紧补上执法监管短板漏洞，加强基层执法人员专业能力培训，线上线下两手着力，定期开展联合执法、交叉检查和专项行动，对非法捕捞行为实施全链条打击与全环节监控。线下紧抓刀鲚汛期等敏感节点，重点检查水产品市场、商场、超市等，并加强与海事部门的合作，加大对过往运输船偷捕行为的查处力度；线上开展“清网行动”，重点监测网络平台经营主体，督促经营主体、电子商务平台等共同履行好主体责任。此外，要按照标准配备执法船艇、无人机、雷达视频监控等现代化执法装备，建立人防与技防并重、专管与群管结合的执法监管新机制。

③ 组建退捕渔民协助巡护队。考虑到渔民的历史生产生活习惯，长江沿线可将“以渔治渔”理念应用到禁捕工作中，积极探索“护鱼员”制度，组建“护鱼员”队伍，开发护鱼员、护堤员、蓝藻打捞员等渔民上手快、适应性强的公益性岗位，拓宽捕捞渔民转产就业渠道，较好地弥补渔政执法中人手不足、时空盲区等问题。

④ 推行奖惩制度并行机制。加强对沿江禁捕行为的监管，发挥“护鱼员”监督作用，构建群防群护的监督管理和渔业资源养护体系。开放基层群众举报平台，对举报制止偷捕行为的人员实行奖励，对偷捕人员加大惩罚力度，充分发挥社会监督力量。在农贸市场、广场、人群聚集点等场所张贴“十年禁渔”宣传标语，利用发放宣传资料、线上推送等方式，广泛宣传“十年禁渔”工作要求，大力提升全民守法意识，营造禁捕氛围。

9.3.3 深入推进非法采砂入刑实践

2018 年以来，长江经济带接连发生多起情节严重、影响恶劣的非法采砂典型案件，例如湖北武汉“3·9 特大非法采砂团伙案”、长江靖江水域非法采砂 128 万吨案件等，严重破坏了长江流域生态环境。非法采砂可能改变流域原本相对稳定的河床形态、水流流态和河汊及网河区水道的分流比，导致局部或整体河床下切，危及堤防等水利工程的安全，影响桥梁和通航安全。此外，非法采砂还会导致水中悬浮物增加、水质变差，严重危及沿岸居民的饮水安全和水生生物的繁衍生息。非法采砂事件频发既有河砂资源供不应求、黑恶势力活动猖獗等外部原因，也暴露出监管工作中责任落实缺位、法规制度滞后、队伍建设薄弱等突出问题。因此，深入推进非法采砂入刑十分必要和迫切，水利部要积极协调公安、检察、法院等部门，增强水行政执法工作的威慑力，从法律源头上为追究非法采砂提供更有利的法律支撑，同时，各级地方政府也要将长江河道采砂管理的地方行政首长负责制和部门责任制落到实处。

一是加强基础研究，细化和统一裁量基准。水利部长江水利委员会要进一步组织收集整理长江流域非法采砂案件信息，为各地河道采砂管理提供指导。最高人民法院、最高人民检察院今后在司法解释中，需要进一步统一用于打击非法采砂行为的非法采砂罪与其他破坏自然资源犯罪的裁判尺度，明确其所违反的“行政法规”的类别；并在备案工作中，对于各地报送的认定“情节严重”的具体数额标准严格把关，以确保裁量基准的细化和统一。制定标准时既应该考虑当地经济社会发展水平，又要结合非法采砂案件的数量以及砂石资源保护的需要，科学合理确定标准。

二是强化规划约束，科学编制采砂管理规划。坚持规划先行，对有采砂任务的河湖，要抓紧编制采砂管理规划。河道采砂管理规划原则上由县级及以上水行政主管部门组织编制，县、市级规划经上一级水行政主管部门审核后，由本级人民政府负责审批。严格采砂许可前的技术审查，落实采砂可行性论证报告制度。采砂涉及航道的，地方水行政主管部门审批发放采砂许可证前，应依法征求长江航务管理局和长江海事机构的意见。

三是依托河湖长制，全面落实河道采砂监管责任。进一步完善河道采砂管理体制机制，推动河长制、湖长制与采砂管理责任制有机结合，建立河长挂帅、水利牵头、有关部门参与的采砂管理联动机制。牵住“采砂管理责任制”这个牛鼻子，逐级、逐河段压紧压实采砂管理河长责任人、主管部门责任人、现场监管责任人和行政执法责任人的责任。实行严格的考核问责机制，将采砂管理成效纳入河长制、湖长制考核体系，推进河长制、湖长制从“有名”向“有实”转变。

四是切实履职尽责，加强非法采砂监管力度。严格采砂许可管理，探索招标、拍卖、统一经营等许可模式。按照“谁审批、谁监管”原则，加强事中事后监管，防止超范围、超深度、超时限、超功率、超采量、超船数等违规采砂行为，强化采砂总量和可采区的双控制。结合全国河湖采砂专项整治行动和“清四乱”专项行动，组织对所辖河道非法采砂问题再排查，完善排查问题台账，做到“发现一起，查处一起”。

五是强化执法打击，始终保持非法采砂高压严打态势。水利部长江水利委员会、长江航务管理局和沿江各地要及时掌握长江干流河道采砂管理现状，特别是重点江段、敏感水域以及重要时段的非法采砂情况，开展联合执法打击，努力形成上下统一、区域协调、部门联动的执法监管合力。充分依托河长制、湖长制工作平台，统筹部门力量，建立定期会商、信息共享、案件移交、联合执法等机制。将日常执法与重点打击结合，适时开展执法打击专项行动或专项整治行动，依法从严从重处罚非法采砂行为，保持对非法采砂的高压严打态势。

六是加强能力建设，不断提升采砂监管执法队伍战斗力。落实河道采砂监管和执法力量，进一步充实采砂管理人员和执法队伍，配备必要执法装备，推进执法基地建设，落实管理和执法经费。充分运用现代信息技术，丰富监管手段，提高监管效能。加大对河道采砂管理人员的培训力度，狠抓队伍作风建设和廉政风险防控，按照风清气正、业务过硬、执法严格的要求，打造一支忠诚、干净、有担当的河湖采砂监管和执法队伍。

9.3.4 依法查处破坏生态环境的违法违规问题

（1）强化生态环境保护监管执法

① 压实企业污染防治主体责任。坚持源头严控、过程严管、后果严惩，全过程落实企业污染防治主体责任，抓住企业主要负责人这一“关键少数”，督促其承担保障治污设施正常运行、杜绝超标排污、规范危险废物处理处置、接受执法检查等方面的生态环境保护职责。企业造成环境污染和生态破坏，应当对其造成的生态环境损害和公众人身、财产损害依法承担相应责任。

② 制定发布权力清单和责任清单。各地生态环境部门要推动形成边界清晰、分工合理的分工体系，建立科学有效的权力监督和制约机制。公布本部门的执法权力清单和责任清单，向社会公开职能职责、执法依据、执法标准、运行流程、监督途径和问责机制，做到权责一致、履职尽责。

③ 集中力量查处大案要案。要继续保持严打的高压态势，坚持零容忍、零懈怠、零缺位，严惩生态环境领域违法犯罪行为。对群众反映强烈、社会影响较大等重点生态环境违法案件，予以挂牌督办、公开约谈，严肃查处屡查屡犯、弄虚作假、拒不纠正、虚假整改等违法乱象，形成一批有影响力、有震慑力的典型案例。全面强化“行政执法与刑事司法”衔接工作机制，深入开展重大案件联合执法行动、联合挂牌督办、联合现场督导，依法打击破坏生态环境犯罪。

④ 实施群众关切问题预警督办制度。各地要畅通并发挥“12369”电话热线、微信、网络等举报投诉渠道的作用，积极回应群众关切。定期梳理群众关心的突出生态环境问题，实施预警督办，并按照“谁办理，谁公开”的原则，在官方网站开设信息公开专栏，将举报情况、调查结果、整改方案及落实情况向社

会公开。

⑤ 借助科技手段精准发现违法问题。大力推进非现场监管执法，加快建设完善污染源实时自动监控体系，依托在线监控、卫星遥感、无人机等科技手段，充分发挥物联网、大数据、人工智能等信息技术作用，打造监管大数据平台，推动“互联网＋监管”，提高生态环境保护监管智慧化、精准化水平。

（2）严打重点领域违法违规现象

① 大气污染防治方面，重点打击电力、钢铁、焦化、水泥、有色金属、制药、化工等企业超标排放二氧化碳、氮氧化合物、挥发性有机物、颗粒物等造成大气严重污染的违法犯罪行为。

② 水资源保护方面，重点打击在长江重点河道和饮用水水源一级保护区等区域违规排放和倾倒含有毒有害污染物废水、含病原体污水或者超标排放污水，造成地表水或地下水严重污染的违法犯罪行为。

③ 土地资源保护方面，重点打击通过暗管、渗井、渗坑、裂隙、溶洞、灌注等方式，排放有毒有害物质造成土壤污染，以及非法占用农用地和以非法采矿、采砂、取土等手段污染破坏耕地、矿产资源、国家自然保护区等的违法犯罪行为。

④ 危险废物处置方面，重点打击未按规定储存、运输、处理危险废物，特别是跨省、跨市倾倒危险废物和在医院、学校、居民区等人口集中地区排放、倾倒、填埋、处置有毒有害危险物质的违法犯罪行为。

⑤ 森林资源保护方面，重点打击盗挖滥伐林木、非法占用林地、破坏湿地资源，以及非法收购、运输、经营、加工木材和非法捕猎、收购、出售珍稀野生动植物等的违法犯罪行为。

⑥ 查处妨害生态环境保护行为方面，重点打击排污单位篡改伪造自动监测数据、干扰自动监测设施使用或者未经批准拆除污染物处理设施，以及拒绝接受生态环境保护检查或在接受检查时弄虚作假的违法犯罪行为。

⑦ 查办生态环境污染“保护伞”方面，重点打击负有生态环境保护监管职责的国家机关工作人员充当破坏生态环境违法犯罪“保护伞”，索贿受贿、徇私枉法、滥用职权、玩忽职守等失职渎职违法犯罪行为。

参考文献

[1] 吕忠梅.公益诉讼守护长江生物多样性——王小朋等59人非法捕捞、贩卖、收购鳗鱼苗案[J].法律适用,2022(3):3-12.

[2] 李梅娜,印萍,段晓勇,等.近20年来长江三角洲海岸带典型区土地利用变化与生态环境效应研究[J].中国地质,2022,49(4):1114-1126.

[3] 郝吉明,王金南,张守攻,等.长江经济带生态文明建设若干战略问题研究[J].中国工程科学,2022,24(1):141-147.

[4] 闫莹,张伟.长江经济带城市高质量发展的区域差距和分布动态演进[J].长江流域资源与环境,2022,31(2):259-272.

[5] 成金华.如何破解长江经济带经济发展与生态保护矛盾难题——评《长江经济带:发展与保护》[J].生态经济,2022,38(3):228-229.

[6] 曹文宣.关于对长江水生态环境状况的评估与考核(序言)[J].水生生物学报,2021,45(6):1381.

[7] 成长春,刘峻源,殷洁."十四五"时期全面推进长江经济带协调性均衡发展的思考[J].区域经济评论,2021(4):49-53.

[8] 陈芳,张书勤.长江经济带绿色发展不平衡问题:概念框架与评估[J].统计与决策,2021,37(12):161-165.

[9] 吴志广,陈述.长江流域水资源开发保护中的关键科学和技术问题[J].长江科学院院报,2021,38(4):1-6.

[10] 潘保柱,刘心愿.长江流域水生态问题与修复述评[J].长江科学院院报,2021,38(3):1-8.

[11] 刘长俭,袁子文."十四五"期长江口航道建设发展重点思考[J].水运工程,2020(10):106-109.

[12] 杨荣金,孙美莹,张乐,等.长江经济带生态环境保护的若干战略问题[J].环境科学研究,2020,33(8):1795-1804.

[13] 郁静娴.我国首个长江水生生物多样性保护专项实施方案出台[N].人民日报,2021-12-09(12).

[14] 曹文宣.十年禁渔是长江大保护的重要举措[J].水生生物学报,2022,46(1):1.

[15] 中华人民共和国农业农村部.长江水生生物保护管理规定[EB/OL].(2021-12-21)[2024-12-30].http://www.moa.gov.cn/govpublic/CJB/202112/t20211223_6385386.htm.

[16] 周洪.长江流域"十年禁渔"初显成效[J].中国水产,2021(12):46-47.

[17] 李琴,马涛,杨海乐.长江十年禁渔:大河流域系统性保护与治理的实践[J].科学,

2021,73(5):7-10+4.
[18] 本刊讯.农业农村部:坚定不移打好“十年禁渔”持久战[J].中国水产,2021(9):5.
[19] 本刊讯.长江珍稀濒危水生生物增殖放流活动在重庆举行[J].中国水产,2021(9):10.
[20] 冯建伟.多方力促长江水生生物资源呈恢复态势[N].中国渔业报,2021-12-27(01).
[21] 戴海夏,安静宇,黄成,等.长江三角洲区域大气 $PM_{2.5}$ 和臭氧污染协同控制路径[J].科学通报,2022,67(18):2100-2112.
[22] 郭雯雯,陈永金,刘阁,等.2016—2019年长江中游城市群空气质量时空变化特征及影响因素分析[J].生态环境学报,2020,29(10):2034-2044.
[23] 曾刚,石庆玲,王丰龙.长江经济带城市生态保护能力格局与提升策略初探[J].华中师范大学学报(自然科学版),2020,54(4):503-510.
[24] 王兆峰,赵松松.长江中游城市群旅游资源环境承载力与国土空间功能空间一致性研究[J].长江流域资源与环境,2021,30(5):1027-1039.
[25] 许元顺,赵泽华,张后虎,等.“清废行动2018”环境问题整改效果评估[J].生态与农村环境学报,2020,36(12):1556-1561.
[26] 杨铭,费伟良,刘兆香,等.长江经济带工业园区依托城镇污水处理厂处理工业废水问题分析与整改策略研究[J].环境保护,2020,48(15):68-71.
[27] YHA B, CAB A, GPA B, et al. The NSERC Canadian Lake Pulse Network: A national assessment of lake health providing science for water management in a changing climate[J]. Science of The Total Environment, 2019, 695:133668.
[28] 黄舟.基于GIS与RS的楠溪江流域生态健康评估[D].杭州:浙江大学,2017.
[29] 刘孝富,邵艳莹,崔书红,等.基于PSFR模型的东江湖流域生态安全评价[J].长江流域资源与环境,2015,24(S1):197-205.
[30] 温家华,徐征和,武玮,等.大汶河流域水生态系统健康评价研究[J].南水北调与水利科技,2018,16(3):118-124.
[31] 姚萍萍,王汶,孙睿,等.长江流域湿地生态系统健康评价[J].气象与环境科学,2018,41(1):12-18.
[32] 杨俊,李雪铭,李永化,等.基于DPSIRM模型的社区人居环境安全空间分异——以大连市为例[J].地理研究,2012,31(1):135-143.
[33] 张峰,杨俊,席建超,等.基于DPSIRM健康距离法的南四湖湖泊生态系统健康评价[J].资源科学,2014,36(4):831-839.
[34] 付正辉,张扬,姜霞,等.人类活动对流域生态健康影响风险评估方法研究:以呼伦湖流域为例[J].环境科学研究,2021,34(4):785-791.
[35] 蔡其华.维护健康长江 促进人水和谐——摘自蔡其华同志2005年长江水利委员

会工作报告[J]. 人民长江,2005,36(3):1-3.
[36] PAN Z, HE J, LIU D, et al. Ecosystem health assessment based on ecological integrity and ecosystem services demand in the Middle Reaches of the Yangtze River Economic Belt, China[J]. Science of The Total Environment, 2021, 774 (7724):144837.
[37] 谢高地,张彩霞,张昌顺,等. 中国生态系统服务的价值[J]. 资源科学,2015,37(9):1740-1746.
[38] 邓舒洪. 区域土地利用变化与生态系统服务价值动态变化研究[D]. 杭州:浙江大学,2012.
[39] 丁聪. 大通县土地利用/植被覆盖动态变化及生态系统服务价值研究[D]. 北京:北京林业大学,2019.
[40] 汪清川. 生态系统服务价值对土地利用变化的响应研究[D]. 徐州:中国矿业大学,2021.
[41] 赵伟,高佳. 长江大保护背景下长江流域水污染治理法律问题探究[J]. 湖北经济学院学报(人文社会科学版),2022,19(3):87-91.
[42] 朱洋洋,黄大勇. 长江经济带农业面源污染的时空分异及影响因素研究[J]. 无锡商业职业技术学院学报,2022,22(1):1-8
[43] 陈安,胡雪丽,吴波,等. 湖北长江三峡地区山水林田湖草生态保护修复形势与对策研究[J]. 环境保护科学,2022,48(1):42-47.
[44] 胡春宏,张双虎. 长江经济带水安全保障与水生态修复策略研究[J]. 中国工程科学,2022,24(1):166-175.
[45] 汤铭,叶菁超. 长江沿岸工业及泄洪区环境整治提升思路——以安庆沙漠洲生态修复项目为例[J]. 安徽建筑,2022,29(1):29-30.
[46] 冯波. 系统推进长江经济带生态环境保护修复的思考与建议[J]. 水电与新能源,2021,35(12):1-4.
[47] 谭少军,刘洋,朱小婕,等. 长江上游平原丘陵区农业非点源污染输出特征和驱动机制[J]. 环境科学,2022,43(6):3128-3139.
[48] 刘文平,宋子亮,李岩,等. 基于自然的解决方案的流域生态修复路径——以长江经济带为例[J]. 风景园林,2021,28(12):23-28.
[49] 谷小科,陈慧. 农村面源污染治理公共支出项目绩效评价指标体系构建与应用——以湖南省农业面源污染治理试点县为例[J]. 农村经济与科技,2021,32(21):34-36.
[50] 万彩兵,程冬兵,李昊. 水土保持法修订实施十年来长江流域水土流失治理成效[J]. 中国水土保持,2021(6):1-3.
[51] 燕守广,赵立君,李海东. 长江沿线尾矿库生态修复监管对策探讨[J]. 环境与可持

续发展,2021,46(2):75-78.
[52] 罗知,齐博成.环境规制的产业转移升级效应与银行协同发展效应——来自长江流域水污染治理的证据[J].经济研究,2021,56(2):174-189.
[53] 付梦娣,唐文家,刘伟玮,等.基于生态系统服务视角的生态风险评估及生态修复空间辨识——以长江源区为例[J].生态学报,2021,41(10):3846-3855.
[54] 潘保柱,刘心愿.长江流域水生态问题与修复述评[J].长江科学院院报,2021,38(3):1-8.
[55] 马小雪,龚畅,郭加汛,等.长江下游快速城市化地区水污染特征及源解析:以秦淮河流域为例[J].环境科学,2021,42(7):3291-3303.
[56] 卢丽文,宋德勇.长江经济带水污染密集型产业时空格局演变及影响因素研究[J].长江流域资源与环境,2020,29(12):2597-2606.
[57] 王学雷,吕晓蓉,杨超.长江流域湿地保护、修复与生态管理策略[J].长江流域资源与环境,2020,29(12):2647-2654.
[58] EHRLICH P R, HOLDREN J P. Impact of population growth[J]. Science, 1971, 171(3977):1212-1217.
[59] YUE T, LONG R, CHEN H, et al. The optimal CO_2 emissions reduction path in Jiangsu province: An expanded IPAT approach[J]. Applied Energy, 2013, 112(12):1510-1517.
[60] RICHARD Y, EUGENE A R, THOMAS D. STIRPAT, IPAT and ImPACT: Analytic tools for unpacking the driving forces of environmental impacts[J]. Ecological Economics, 2003(46): 351-365.
[61] 田泽,张宏阳,纽文婕.长江经济带碳排放峰值预测与减排策略[J].资源与产业,2021,23(1):97-105.
[62] 李强,左静娴.基于STIRPAT模型的长江经济带碳排放峰值预测研究[J].东北农业大学学报(社会科学版),2017,15(5):53-58.
[63] 杨顺顺.基于LEAP模型的长江经济带分区域碳排放核算及情景分析[J].生态经济,2017,33(9):26-30.
[64] 黄国华,刘传江,赵晓梦.长江经济带碳排放现状及未来碳减排[J].长江流域资源与环境,2016,25(4):638-644.
[65] 刘峥延.长江经济带城市碳达峰和分类减排路径研究[J].未来与发展,2021,45(9):92-100+112.
[66] 甄庆媛.长江经济带经济增长对 CO_2 排放的影响研究[D].武汉:华中科技大学,2018.
[67] 陈志建,刘月梅,刘晓,等.经济平稳增长下长江经济带碳排放峰值研究——基于全球夜间灯光数据的视角[J].自然资源学报,2018,33(12):2213-2222.
[68] JIANG H, GENG Y, TIAN X, et al. Uncovering CO_2 emission drivers under

regional industrial transfer in China's Yangtze River Economic Belt: A multi-layer LMDI decomposition analysis[J]. Frontiers in Energy, 2020, 15(prepublish): 1-16.
[69] 曹俊文,曾康. 基于LMDI和M—R分解模型的长江经济带碳排放驱动效应研究[J]. 环境污染与防治,2019,41(8):992-998.
[70] 黄勤,何晴. 长江经济带碳排放驱动因素及其空间特征——基于LMDI模型[J]. 财经科学,2017(5):80-92.
[71] 陈军华,李乔楚. 成渝双城经济圈建设背景下四川省能源消费碳排放影响因素研究——基于LMDI模型视角[J]. 生态经济,2021,37(12):30-36.
[72] 徐国泉,蔡珠,封士伟. 基于二阶段LMDI模型的碳排放时空差异及影响因素研究——以江苏省为例[J]. 软科学,2021,35(10):107-113.
[73] 郭文,孙涛. 人口结构变动对中国能源消费碳排放的影响——基于城镇化和居民消费视角[J]. 数理统计与管理,2017,36(2):295-312.
[75] 范建双,周琳. 城镇化及房地产投资对中国碳排放的影响机制及效应研究[J]. 地理科学,2019,39(4):644-653.
[76] 陈占明,徐丽笑,赵晶,等. 中国地级以上城市二氧化碳排放的影响因素分析:基于扩展的STIRPAT模型[J]. 中国人口·资源与环境,2018,28(10):45-54.
[77] 唐赛,付杰文,武俊丽. 中国典型城市碳排放影响因素分析[J]. 统计与决策,2021,37(23):59-63.
[78] 龚利,屠红洲,龚存. 基于STIRPAT模型的能源消费碳排放的影响因素研究——以长三角地区为例[J]. 工业技术经济, 2018, 37(8):95-102.
[79] 陈邦丽, 徐美萍. 中国碳排放影响因素分析——基于面板数据STIRPAT-Alasso模型实证研究[J]. 生态经济, 2018, 34(1):20-24+48.
[80] 马宏伟, 刘思峰, 赵月霞, 等. 基于STIRPAT模型的我国人均二氧化碳排放影响因素分析[J]. 数理统计与管理, 2015, 34(2):243-253.
[81] 张庆宇, 张雨龙, 潘斌斌. 改革开放40年中国经济增长与碳排放影响因素分析[J]. 干旱区资源与环境, 2019, 33(10):9-13.
[82] 史安娜, 唐琴娜. 长江经济带低碳技术创新对能源碳排放的影响研究[J]. 江苏社会科学, 2019(2):54-62.
[83] 贺勇, 傅飞飞, 廖诺. 基于STIRPAT模型的工业研发投入对碳排放影响效应分析[J]. 科技管理研究, 2021, 41(17):206-212.
[84] 岳书敬. 长三角城市群碳达峰的因素分解与情景预测[J]. 贵州社会科学, 2021(9):115-124.
[85] 禹湘, 陈楠, 李曼琪. 中国低碳试点城市的碳排放特征与碳减排路径研究[J]. 中国人口·资源与环境, 2020, 30(7):1-9.

[86] CLAVKE-SATHER A, QU J S, WANG Q, et al. Carbon inequality at the subnational scale: A case study of provincial-level inequality in CO_2 emissions in China 1997—2007[J]. Energy Policy, 2011, 39(9):5420-5428.
[87] 刘建勋. 我国固废处理行业市场现状与发展趋势分析[J]. 资源再生, 2019(5):34-36.
[88] 郑朝晖. 长江经济带固废治理需要综合解决方案[J]. 中国环境管理, 2021, 13(2):143-144.
[89] 张劼颖, 王晓毅. 废弃物治理的三重困境:一个社会学视角的环境问题分析[J]. 湖南社会科学, 2018(5):117-125.
[90] 杨光, 刘懿颉, 周传斌. 生活垃圾资源化管理的国际实践及对我国的经验借鉴[J]. 环境保护, 2019, 47(12):56-61.
[91] 冯林玉, 秦鹏. 生活垃圾分类的实践困境与义务进路[J]. 中国人口·资源与环境, 2019, 29(5):118-126.
[92] 陈红敏. 上海城市生活垃圾分类管理难点与对策[J]. 科学发展, 2018(1):79-86.
[93] 彭振阳,黄金凤,高华斌,等. 流域生态产品价值实现路径探索——以黄冈市浠水流域为例[J]. 水利水电快报,2022,43(2):94-99.
[94] 郑冬华,吴群辉,彭小忠,等. 江西省生态产品价值实现模式和建议[J]. 现代农业科技,2022(3):229-231.
[95] 孙芳城,蒋水全,尹长萍. 长江流域环境审计协同治理:一个理论框架[J]. 财会月刊,2022(3):22-25.
[96] 彭文英,孙加峰. 生态产品价值实现的京津冀方案[J]. 前线,2022(2):67-69.
[97] 李志萌,何雄伟,马回,等. 长江经济带生态产品价值实现机制探讨[J]. 企业经济,2022,41(1):45-54.
[98] 杜晗,高丽. 长江经济带生态产品价值实现之石滩探索——打造重庆主城区“夏都”康养小镇[J]. 农村经济与科技,2022,33(1):75-78.
[99] 朱万江,陈悠,王亮. 江苏生态产品价值实现路径探索[J]. 中国土地,2021(12):29-32.
[100] 李安国. 江阴:探索创新生态产品价值实现机制[J]. 中国土地,2021(12):50-52.
[101] 张帆,林安妮,白鸽,等. 长江经济带流域水污染区域协同治理研究[J]. 合作经济与科技,2021(23):164-166.
[102] 李燕,程胜龙,黄静,等. 生态产品价值实现研究现状与展望——基于文献计量分析[J]. 林业经济,2021,43(9):75-85.
[103] 杨丞娟. 府际协同治理视角下长江经济带高质量发展——莱茵河流域治理的经验借鉴[J]. 湖北社会科学,2021(11):84-89.
[104] 张颖,杨桂红. 生态价值评价和生态产品价值实现的经济理论、方法探析[J]. 生态经济,2021,37(12):152-157.

[105] 胡德胜,田志.长江流域横向生态补偿法律关系问题探讨[J].中国发展,2021,21(5):46-52.
[106] 舒也,廖彦.生态有机赋能生态产品价值实现的路径研究——以浙江省金华市武义县为例[J].现代园艺,2021,44(19):68-70.
[107] 姜杉钰,王峰.创新生态产品价值实现机制促进生产要素的革新与升级[J].上海国土资源,2021,42(3):91-93+99.
[108] 谭丽萍,李勇.基于生态产品价值实现机制的城市更新思路研究[J].国土资源情报,2021(9):3-8.
[109] 丘水林.多元化生态产品价值实现:政府角色定位与行为边界——基于"丽水模式"的典型分析[J].理论月刊,2021(8):77-85.
[110] 王夏晖,何军,饶胜,等.山水林田湖草生态保护修复思路与实践[J].环境保护,2018,46(Z1):17-20.
[111] 陈廷贵,兰利,杨怀宇,等.长江流域禁捕渔业生态补偿框架和测算模型[J].中国渔业经济,2019,37(4):6-12.
[113] 范小伟,刘颖.对河道采砂管理供给侧改革的思考[J].中国水利,2018(8):4-6.
[114] 熊超.我国生态环境部门职责履行责任清单机制构建——以环保部门机构垂直管理改革为背景[J].学术论坛,2020,43(5):43-53.
[115] 习近平.决胜全面建成小康社会 夺取新时代中国特色社会主义伟大胜利[N].人民日报,2017-10-28(01).
[116] 闵继胜,孔祥智.我国农业面源污染问题的研究进展[J].华中农业大学学报(社会科学版),2016(2):59-66+136.

后记

当最后一组数据在图表中归位，长江口的潮汐正裹挟着咸涩的海风漫过崇明岛的滩涂时，合上这本浸润着江水气息的专著，暮色中的扬子江正以千年未改的韵律拍打着金陵城墙，恍惚间仿佛看见李冰父子在都江堰观测水则，范仲淹在岳阳楼记下“沙鸥翔集”的盛景，与当代科研工作者的身影在生态文明的坐标系中交叠。《长江大保护与高质量发展研究系列丛书（生态卷）》的完成，既是对母亲河生态密码的现代解码，更是一部镌刻着集体智慧的治水新篇。

作为社会-经济-自然复合流域生态系统的健康问题将严重制约流域经济发展。“十四五”流域生态环境保护规划明确提出“有河有水、有鱼有草、人水和谐”的总体要求，维护流域生态系统健康成为了亟待解决的难题。长江流域横跨我国东部、中部和西部三大经济区，流域总面积 180 万平方千米，是世界第三大流域，流域内拥有 4 300 多种水生生物，是我国重要的水生生物种质资源宝库。因此，长江流域生态系统健康状况对维系区域生态平衡、保障我国生态安全、促进人类生存发展具有重要意义。对长江流域而言，以共抓大保护、不搞大开发为导向，以生态优先、绿色发展为引领，依托长江黄金水道，是推动长江上中下游地区协调发展和沿江地区高质量发展的有效抓手。基于此，本卷以长江流域为研究对象，分析了长江经济带生态环境的现状与存在的问题，通过构建长江流域生态系统健康评价指标体系，从“驱动力-压力-状态-影响-响应-管理”六类评价指标分别对长江上游、中游和下游地区开展生态健康全过程综合评价，并在评价结果的基础上对长江流域的生态修复提出了相应的对策建议，将现代社会经济发展建立在流域生态系统动态平衡的基础上，为流域规划、管理、保护及综合治理提供科学依据，助力长江流域健康稳定发展。

全书分为现状、评价、修复、对策等四个部分。现状部分的“生态四维诊断”(水、陆、湿地、大气)，既延续了传统环境科学的观测范式，又在空间信息技术支撑下实现了流域尺度的全景扫描。评价部分的DPSIRM模型创新，将“驱动力-压力-状态-影响-响应-管理”六维链条编织成动态评价网络，使长江生态健康评估从静态快照升级为动态影像。修复部分的“三位一体”治理框架，突破了传统末端治理思维，构建起“水-气-固”协同修复的立体防线。对策部分的制度设计创新，在生态协同治理机制中注入区块链技术的信任基因，在横向补偿机制里植入生态系统生产总值(GEP)核算的量化芯片，让绿水青山向金山银山的转化有了可操作的制度密码。

本书由长江保护与绿色发展研究院、江苏长江保护与高质量发展研究基地组织编写。感谢在本书的具体编写过程中付出辛勤劳动的各位专家学者，包括田贵良、吴正、宋敏、尹庆民、石常峰、史珍、张浩、陈其勇、陈艳萍、徐升艳、梁岚、黎佳文、班晴晴、赵秋雅、李舒文、包云香、于苏婉等。

此刻凭窗远眺，江轮犁开的浪痕正将落日揉碎成万点金鳞。这部专著的完成不是终点，而是新航程的起点。当学者们用 3S 技术复原出宋代长江岸线时，发现镇江段江岸千余年间东移了 12 千米；当碳同位素分析揭示出工业排放对流域大气的影响权重时，长三角产业转型的路径愈发清晰……这些发现既令人振奋，更催人深思：在人类世的地质纪年里，我们该如何书写与长江的新契约？

江风翻动书页，墨香与潮汐的气息交织升腾。这部流淌着集体心血的著作，愿能成为长江大保护史诗中的一枚书签，标记这个生态文明觉醒的时代。正如江心洲上生生不息的芦苇，我们的研究也将在时光长河中不断萌发新绿——因为守护长江的征途，永远在下一公里。